S0-BZH-433

I Narratori / Feltrinelli

SIMONETTA AGNELLO HORNBY
LA MONACA

Feltrinelli

© Giangiacomo Feltrinelli Editore Milano
Prima edizione ne "I Narratori" settembre 2010

Stampa Nuovo Istituto Italiano d'Arti Grafiche - BG

ISBN 978-88-07-01823-7

www.feltrinellieditore.it
Libri in uscita, interviste, reading,
commenti e percorsi di lettura.
Aggiornamenti quotidiani

But, as I've read love's missal through to-day,
He'll let me sleep, seeing I fast and pray.

Ma già letto quest'oggi ho il sacro libro
d'Amore, perciò lui mi lascerà
vedendo che digiuno e prego, al sonno.

John Keats, *Poesie*, XL

Indice dei personaggi

La famiglia Padellani di Opiri

Don Peppino Padellani, figlio cadetto del principe di Opiri, gentiluomo di camera del re Ferdinando I, maresciallo dell'esercito regio a Messina;

donna Gesuela Aspidi, figlia del barone Aspidi di Solacio di Palermo, moglie di don Peppino Padellani.

Anna Lucia, nata a Napoli, maritata a Catanzaro, morta quindicenne di parto;

Amalia, nata a Napoli, maritata a Messina con Domenico Craxi, mercante di agrumi;

Alessandra, nata a Napoli, maritata a Napoli con Tommaso Aviello, avvocato e carbonaro;

Giulia, nata a Napoli, maritata a Messina con Salvatore Bonajuto, titolare di una ditta di trasporti navali;

Anna Carolina, nata a Napoli, fidanzata a Fidenzio Carnevale, possidente terriero e ricco industriale messinese di oli essenziali;

Agata, poi donna Maria Ninfa al monastero di San Giorgio Stilita, nata a Messina;

Carmela, nata a Messina, dove sposa il cavalier d'Anna.

I parenti

Il cugino Michele Padellani, principe di Opiri, e la moglie Ortensia;

la zia Orsola, *née* Pietraperciata, matrigna di Michele e vedova del principe Antonio Padellani di Opiri, fratello maggiore di don Peppino;

l'ammiraglio Pietraperciata, fratello della principessa Orsola Padellani;

la zia Clementina Padellani, maritata al marchese Tozzi;
le cugine Eleonora e Severina Tozzi;
il generale Cecconi, secondo marito di donna Gesuela.

I domestici

Annuzza, cameriera;
Totò, cameriere;
Nora, cameriera personale di donna Gesuela a Messina;
Rosalia, cameriera personale di donna Gesuela a Palermo.

Altri

Giacomo Lepre, primo innamorato di Agata;
James Garson, capitano della marina inglese, ultimo innamorato di Agata;
il cavalier d'Anna, prima pretendente di Agata, poi marito di Carmela;
il dottor Minutolo, medico del monastero benedettino di San Giorgio Stilita.

I religiosi

Il clero
Il cardinale Vincenzo Padellani, cugino primo di don Peppino Padellani;
padre Cuoco, confessore di Agata;
padre Cutolo, confessore a San Giorgio Stilita.

Al monastero benedettino di San Giorgio Stilita
Donna Maria Crocifissa, sorella di don Peppino Padellani e madre badessa;
donna Maria Brigida, sorella di don Peppino Padellani;
donna Maria Clotilde, priora;
donna Maria Giovanna della Croce, maestra delle novizie;

donna Maria Immacolata, monaca farmacista;
donna Maria Celeste;
Angiola Maria, conversa di donna Maria Crocifissa;
Sarina, conversa di donna Maria Crocifissa;
Checchina, conversa di donna Maria Brigida;
Nina, serva di donna Maria Brigida;
Brida, serva cuciniera.

Al monastero benedettino di Donnalbina
Suor Maria Giulia, sorella di don Peppino Padellani.

1.

Messina, 15 agosto 1839.
Il ricevimento dei Padellani alla festa
dell'Assunzione della Vergine

La luce soffice del mattino entrava dal lucernario e si diffondeva in basso, esaltando il marmo rosato della scala barocca. "Allestitevi, don Totò!" gridava Annuzza. In punta di piedi, si sporgeva dalla balaustra e accompagnava le parole con ampi gesti: "Allestitevi, Sua Eccellenza vi aspetta!". Il cameriere reggeva tra le braccia una grande cesta a fondo largo, coperta da un panno pesante. Ansava a ogni scalino, ma non rallentava, il profumo di pane caldo, olio d'oliva, sarde salate e origano bruciato dava vigore alle sue ginocchia logore.

Un cameriere gli andò incontro per l'ultima rampa del piano nobile. Don Totò rifiutò di lasciarsi alleggerire del carico e così, preceduto dai due, fece il suo ingresso nella stanza gialla. La stavano smontando. I letti di ferro battuto – ora trispiti, sbarre e testate con rose dipinte – poggiavano sui materassi col centro macchiato di mestruo sbiadito. Un'anta mezza aperta rivelava la cavità desolata da cui Annuzza e le due balie avevano tolto i vaporosi abiti estivi delle ragazze Padellani. Al centro, una tavola raffazzonata: i camerieri avevano gettato una tovaglia sopra scatole di cartone e adesso, insieme al padrone, aspettavano l'arrivo dello sfincione.

"Bravo, Totò!" E senza aspettare la moglie, don Peppino Padellani tirò il panno dalla cesta rivelando i quadrati di sfincione disposti accuratamente a spina di pesce, ogni strato separato dall'altro da fogli di carta oleata. L'aroma sbummicò impetuoso. Con gagliarda ingordigia l'anziano maresciallo ne addentò un pezzo e, puntando il dito verso la cesta, incoraggiava i camerieri a farsi avanti. Quelli si accostavano con un ritegno che ebbe breve durata: presero a strappare lo sfincione con i denti e a ingozzarsi; con la bocca ancora piena, facevano a gara per infilare nella cesta le mani avide e afferrarne un altro pezzo.

Don Peppino Padellani di Opiri, cadetto di nobilissima famiglia napoletana e Gentiluomo della Chiave d'Oro del defunto re Ferdinando I, era stato trasferito a Messina nel 1825 con il ruolo di maresciallo dell'esercito del Regno delle Due Sicilie. Vi era stato in missione nel 1808, per seguire il processo dei partecipanti al complotto filofrancese, poi nel 1810, nella gloriosa occasione in cui l'esercito inglese aveva respinto l'attacco dell'armata di Murat, e poi per diversi mesi nel 1820, assieme alla marescialla, al tempo dei moti siciliani, quando l'allora principe ereditario e luogotenente generale del re in Sicilia aveva spostato il governo dalla rivoltosa Palermo alla leale Messina.

Le ristrettezze economiche, la vita dispendiosa della capitale, la necessità di educare e maritare le cinque figlie – a cui se n'erano aggiunte altre due – e il desiderio di vivere in una città che fosse in contatto con Napoli e con l'estero lo avevano spinto a chiedere al re il trasferimento a Messina, e ne era interamente soddisfatto. Nonostante la differenza d'età, l'ultrasettantenne maresciallo e la moglie di trentasette anni erano determinati a godersi la vita e a partecipare in pieno alle mondanità della società messinese, dalla quale erano trattati con la deferenza dovuta al rango e al lignaggio dei Padellani.

I ricevimenti della marescialla erano famosi per l'eleganza e la raffinatezza, ma quello di Ferragosto non aveva eguali.

Ogni 15 agosto, i Padellani iniziavano le celebrazioni della festa dell'Assunzione della Vergine la mattina, offrendo sfincione caldo a tutte le persone di casa – cocchieri, garzoni e servitù. Quel giorno soltanto, don Peppino, donna Gesuela e le figlie si mescolavano con loro e li trattavano da pari – ma non viceversa. Era il loro modo per farsi perdonare gli stipendi mancati e incoraggiarli a sopportare di buon grado la fatica di smontare casa di prima mattina e rimontarla a sera – a mezzogiorno sarebbe iniziato il grande ricevimento in cui la marescialla avrebbe intrattenuto i cittadini più in vista e i forestieri più influenti per l'intera durata della processione e oltre. Tutti i salotti, due dei quali normalmente adibiti a camere da letto, dovevano essere rimessi in uso. Le tre figlie rimaste a casa dormivano proprio in quello giallo, in cui aveva luogo il ricevimento per le persone a servizio.

La servitù e i camerieri "prestati" da parenti o amici per l'occasione consideravano un onore mangiare lo sfincione, che peraltro era una bellezza, con i padroni; ogni anno il panettiere ne aggiungeva una varietà nuova su indicazione di donna Gesuela, che ne ordinava tanto da non lasciare nessuno digiuno. I resti andavano ai camerieri della proprietaria del palazzo e lontana parente degli Aspidi, la famiglia di donna Gesuela, che metteva a disposizione di quegli inquilini di riguardo il proprio personale e una stanza, nell'altra metà del piano nobile, per stiparvi la mobilia portata via dai salotti. Poco dopo salirono anche i due cocchieri e il garzone, seguiti dai cucinieri, a turno. Don Peppino, che aveva mantenuto l'umorismo napoletano accattivante e mai maligno, li intratteneva con le sue famose battute. Le cameriere non sposate venivano a due a due e si tenevano in disparte; ascoltavano attente con occhi vivaci, e senza aprire bocca se non per rispondere alle domande del padrone. Invece le due balie si univano liberamente alla conversazione generale, anche quando don Peppino la portava sul piccante.

La marescialla tardava ad arrivare e così anche le bambine, come Annuzza – a servizio di donna Gesuela da quando era nata e ora bambinaia a tempo perso – chiamava tuttora Anna Carolina, sedicenne e alle soglie del fidanzamento, Agata, tredicenne, e Carmela, l'ultima nata, di sette anni. Nonostante l'incoraggiamento del maresciallo, la serva, rispettosa, non volle tastare lo sfincione prima della padrona; appena poté, sgusciò via per andare a cercarla. Bussò alla porta della camera da letto grande – l'ultimo dei salotti, quello blu. Nessuna risposta. Appoggiò l'orecchio ai battenti. Donna Gesuela gridava a una delle figlie, ma Annuzza, che ci sentiva male, non capiva a quale delle tre. Bussò di nuovo e aspettò. Poi decise di entrare – soltanto lei, ogni tanto, poteva permetterselo. Svuotata, la stanza del maresciallo sembrava enorme. Lungo le pareti erano allineate sedie di stili diversi, prestate dalla vicina; in un angolo, gli uomini avevano ammucchiato trispiti e tavole da montare per la tablattè. Sotto il lampadario di Murano, e disposte in cerchio con la seduta verso l'esterno, c'erano quattro poltrone, su cui poggiavano come fantasmi in cerca di corpo i vestiti e gli accessori che le donne di famiglia avrebbero indossato per il ricevimento: gli abiti erano drappeggiati su spalliera, braccioli e sedile. Guanti e cappelli poggiavano sulla gonna senza sgualcirla. Davanti a ciascuna poltrona, le scarpine di seta dai colori tenui.

Ancora in veste da camera e cuffia da notte, donna Gesuela teneva inchiodata Agata contro la parete e le parlava fitto, gesticolando e alzando e abbassando il tono della voce. La figlia non rispondeva. Annuzza cercava di intravedere il viso di Agata, ma il corpo della madre glielo impediva.

"Basta! Ti ho detto basta!" Con quello, donna Gesuela calò le braccia e si scostò; pallidissima, Agata la guardava e non rispondeva. La madre tornò all'attacco: "Te lo dico per l'ultima volta: non ti vogliono perché non sei ricca! Lo capisci? Levaci mano, con questo! Babbierà con te fino a quando gli piace! E dopo che ti lascia, chi ti piglia? Nessuno! Nessuno! Lo capisci? Rispondi!". Le pieghe scomposte delle maniche di broccato blu della veste da camera nascondevano la ragazza, scivolata contro la parete, allo sguardo di Annuzza.

"Rispondi!" ripeté la marescialla, minacciosa.

Annuzza temette che Agata fosse svenuta; poi sentì un mormorio: "Ve l'ho già detto, signora madre, suo nonno è d'accordo". Una pausa. Poi: "Me lo ha scritto!", con foga.

"Scritto? Scritto! E che! E chi gli ha dato il permesso di scriverti? Macari ci scrivisti pure, disgraziata!" E poi, in italiano: "Vuoi comprometterti? Vuoi rovinare i matrimoni delle sorelle?".

"Non ho fatto nulla di male! È lui che mi scrive. Io, quasi mai."

La madre prima allargò le braccia con un gesto melodrammatico, si mise i pugni sui fianchi e gonfiò il petto. "'Quasi' mai! 'Quasi' mai!" ripeteva, i grandi occhi neri brillanti come tizzoni ardenti.

"Voscenza mi scusassi, ma arrivò lo sfincione," intervenne Annuzza, e poi aggiunse, mentendo: "Sua Eccellenza il maresciallo mi mandò a chiamare Voscenza". Gesuela si girò verso la serva, non l'aveva sentita entrare. Il bel volto madido di sudore era stravolto e i firricchioccoli neri, accuratamente appuntati e ora umidicci, le uscivano in disordine dalla cuffia di merletto. Annuzza ebbe pietà anche di lei, ma non sapeva che altro fare. La tolse dall'imbarazzo Carmela, che si era rifugiata sul balcone. Al sentire dello sfincione, esclamò: "Andiamo!" e porse la mano alla madre. Dopo un attimo di esitazione quella la prese e, senza nemmeno aggiustarsi i capelli, si diresse verso la porta borbottando tra i denti: "Giuro che l'ammazzo!".

Annuzza le seguì strascicando i piedi, nella tasca stringeva l'ultimo biglietto di Giacomo Lepre da consegnare ad Agata.

I camerieri si erano fatti da parte all'ingresso della marescialla e delle figlie minori; le accolsero con un corale "Voscenza benadica". Piegata sulla cesta e mostrando alla servitù più del necessario del suo generoso décolleté, donna Gesuela controllava che il panettiere avesse eseguito gli ordini, e con il molle accento palermitano faceva una sfilza di domande senza attendere risposta: "Ciccio, com'era quello col caciocavallo?", "Filomena, le olive nere snocciolate sono?", e infine, a tutti: "Vi è piaciuta la crosta di mollica di pane?". Poi diede a Carmela, che non si staccava dal suo fianco, un pezzo di sfincione alla palermitana – un letto di cipolle bollite e affettate, con pezzettini di acciughe e caciocavallo mescolati nell'impasto e appena visibili, e coperto da un croccante strato di pangrattato spruzzato di olio d'oliva – e addentò il suo, conzato con patate tagliate sottili e melanzane. Mentre mangiava, lanciava taliate all'altra figlia. Don Peppino le osservava, poi cinse la vita di Agata e le offrì un pezzo del suo sfincione – "Mangia, mangia figlia mia" – sussurrandole nell'orecchio: "Non ci pensare, in fondo mammeta è buona!".

Era cibo povero ma gustoso. La limonata e l'acqua e zammù erano fresche – la marescialla vi aveva fatto aggiungere ghiaccio pestato – e i camerieri di sala, rimasti dopo che gli altri erano tornati alle rispettive scuderie e cucine, ridevano alle facezie di don Peppino. Donna Gesuela ascoltava con le labbra increspate in un sorriso e lo sguardo assente. A un tratto esclamò: "Chi ha spazzolato le uniformi di gala? E i guanti bianchi sono stati lavati?". Questa volta esigeva risposta, e così sconzò la festa. Poi, non avendo ricevuto conferma alcuna, se ne ritornò in fretta e furia sui suoi passi seguita da Anna Carolina e Carmela. Prima di varcare la soglia rivolse un ultimo sguardo di rimprovero ad Agata, ma quella guardava il padre, che aveva raccolto da terra il ventaglio caduto alla madre e glielo porgeva. Donna Gesuela sollevò le belle sopracciglia arcuate e non si mosse per riprenderlo. Poi allungò il passo ed entrò nel salone ancheggiando.

"Dov'è Anna Carolina?" chiedeva il padre.

"Si sta aggiustando i capelli, le è caduto un ricciolo del toupet nella tazza di camomilla!" E Agata fece un risolino.

"L'acconciatura è una cosa importante per una ragazza che oggi si fidanza," la riprese il padre, "vorrei vedere che avresti fatto tu, al suo posto." Il maresciallo passava le dita rugose tra i ricci castani della figlia. "Hai tredici anni, tua madre era già mia moglie, e se non mi sbaglio anche mamma, a quell'età." Fece una pausa. Agata, più bassa di Gesuela, le somigliava moltissimo e si sarebbe fatta più bella, perché aveva gli occhi grigi dei Padellani – a mandorla, con le palpebre orientali introdotte nella famiglia da una principessa mongola che aveva ammaliato un loro antenato. Il maresciallo la voleva felice, amata, la sua Agatina. "Comincia a guardarti intorno e fammi sapere chi ti piace..." Poi ritrasse la mano e assunse un tono serio: "Ricordati però che decido io: devi avere un marito ricco e degno di te e del nostro casato". Agata arrossì. "Allora c'è già un innamorato? Poi ne parliamo, dopo il fidanzamento di Anna Carolina... una figlia alla volta, altrimenti mi stanco, sto diventando vecchio assai." E don Peppino piantò gli occhi sul pavimento di maiolica verde e bianca a spina di pesce. Sudava; il petto gli si alzava e abbassava più veloce di prima, mentre la mano che agitava il ventaglio rallentava. Ma Agata non se n'era accorta, pensava a Giacomo.

Era cominciato a febbraio. Lei si svegliava prima delle sorelle e andava a leggere sul balcone; il clima era già primaverile e le bastava mettersi la mantellina sulle spalle. La strada era deserta. Lui era sul balcone dirimpetto. Si conoscevano poco: frequentavano gli stessi salotti, ma Giacomo aveva vent'anni e per molto tempo non aveva fatto caso a lei. Si erano innamorati guardandosi di sfuggita, poi dritto negli occhi, poi mostrando l'uno all'altra il frontespizio dei libri che leggevano e parlando a gesti. Giacomo le aveva mandato un biglietto e lei aveva risposto. Durante le feste di Carnevale la madre teneva casa aperta ogni sera, per il ballo, e lui non se n'era perso uno. Ma non erano mai stati soli. I veri momenti di intimità erano le lunghe taliate mattutine da un balcone all'altro.

Giacomo Lepre, figlio unico di una dinastia di notai ed erede di tre zii scapoli, era un ottimo partito. La madre aveva avvertito Agata che i Lepre cercavano per lui una moglie con dote consistente – che i Padellani non potevano offrire –, ma se lei avesse usato le sue arti per ammaliare il giovane, e se lui si fosse impuntato, quelli avrebbero calato la testa davanti all'onore di essere imparentati con una delle prime famiglie del regno. L'anno precedente, quando Sua Maestà era venuto in visita a Messina – una delle tre città siciliane che avevano introdotto un nuovo sistema d'amministrazione –, non soltanto aveva trattato pubblicamente i Padellani come quasi parenti, ma aveva perfino consultato il maresciallo sulla nomina del pretore e del senato; su suo consiglio aveva fatto senatore il notaio Lepre, nonno del giovane. Quella mattina donna Gesuela era stata brutale con la figlia: i Lepre avevano trovato una giovane ricchissima e Giacomo si sarebbe fidanzato presto; l'aveva accusata di non averci saputo fare e di essersi lasciata scappare un ottimo partito. Agata rivolse lo sguardo triste al padre, ma lui, rinvigorito, aveva ripreso a farsi aria e seguiva la conversazione degli altri.

La pendola suonò le dieci. In casa Padellani i preparativi fervevano. Il ricevimento sarebbe iniziato a mezzogiorno, l'ora in cui il carro dell'Assunta, nel viaggio di ritorno al duomo, sarebbe sfilato sotto ai loro balconi. Prima di vestirsi per la festa, donna Gesuela era passata dall'anticucina ad assaggiare i sorbetti e a controllare i trionfi di gelatina, tremolanti montagne multicolori in stampi di diversa grandezza a forma di castello, torre, corona, sovrapponibili o da disporre sulla tavola in semplici composizioni geometriche. Perse assai tempo pizzicando col cucchiaino dolci e gelati; le sembrarono poco zuccherati – tastavano di amaro, come i suoi pensieri.

Durante i primi anni di matrimonio a Napoli, lei e il marito avevano sperperato allegramente la sua dote in spese eccessive, ricevimenti sfarzosi e debiti di gioco: non se n'era mai pentita. Viziatissima figlia di secondo letto di un barone dei Nebrodi rozzo e ambizioso, Gesuela aveva ricevuto, grazie al Collegio di Maria e a una governante inglese, un'ottima educazione, completata poi, da maritata, osservando i Padellani. Da loro aveva imparato l'arte di ricevere e di sedurre dell'alta nobiltà napoletana. Inferiore alle donne di casa Padellani per rango e censo, ma non per istruzione e bellezza, la giovanissima sposa aveva deciso che avrebbe primeggiato come padrona di casa: nel cibo, nella presentazione della tavola e nel ricevere. Alla morte dello zio duca, ambasciatore a Vienna, il marito aveva ereditato bei servizi di porcellana, seppur tra i meno preziosi; lei aveva osato chiedere alla zia duchessa le divise del personale che non le servivano, contando sul fatto che l'aveva aiutata a introdursi nella cerchia della duchessa di Floridia, moglie morganatica di re Ferdinando e madrina della figlia maggiore Anna Lucia. La generosità della zia duchessa era stata fruttuosa, e provvidenziale quando le difficoltà economiche avevano reso necessario il trasferimento della famiglia a Messina, dove l'accoglienza della gente era calorosa e il nome Padellani contava assai più di una dote ma aveva bisogno di essere abbinato ad altro; una tazza di caffè mediocre e ribollito, se servita da un paggio in guanti e parrucca, calze di seta e uniforme di panno inglese completa di bottoni d'argento sapeva di paradiso ed era stata di non poco aiuto nel combinare i matrimoni delle quattro figlie maggiori.

I tempi cambiavano velocemente; c'era di nuovo aria di

rivoluzione, dappertutto in Europa. Ferdinando II era un monarca isolazionista, privo di esperienza diplomatica. La questione dello zolfo, la cui esportazione era importantissima per l'economia del regno e soprattutto della Sicilia, era diventata un incubo per il governo e una tragedia per i siciliani. Dal giorno di Santo Stefano del 1798, quando gli inglesi avevano portato a Palermo il fuggiasco re Ferdinando I e la sua famiglia, il dominio politico ed economico dell'Inghilterra sull'isola si era consolidato, e il suo esercito, di stanza in Sicilia, ne aveva evitato ben due volte la conquista da parte dei francesi di Bonaparte. Gli inglesi, da parte loro, si erano conquistati il monopolio sull'esportazione dello zolfo. Due anni prima, un consorzio francese aveva fatto un'offerta vantaggiosa e il re si era impuntato a concederlo a quelli. Ma gli inglesi che vivevano nel regno avevano grosse attività commerciali e offrivano ai Borbone un grande mercato di esportazione: perderlo avrebbe significato un danno notevole. Il re non aveva preso in considerazione le proteste del governo britannico, con il risultato che le vendite di zolfo erano calate. Il maresciallo – che dai tempi in cui era stato gentiluomo di corte aveva mantenuto le amicizie massoni e i contatti con tutte le nazioni che si erano immischiate negli affari del regno – temeva il peggio: il crollo di tutte le esportazioni verso l'Inghilterra. Ne avrebbero sofferto il fiorente porto di Messina e le attività dei suoi generi Domenico Craxi, marito di Amalia e mercante di agrumi e di seta, e Salvatore Bonajuto, marito di Giulia e proprietario di un'agenzia di trasporti, ambedue legati al commercio con gli inglesi.

In più, i moti massoni in Spagna avevano scosso la monarchia borbonica; la massoneria era forte anche a Messina, dove il potere dell'antica aristocrazia, ormai priva dei diritti feudali e costretta alla vita di corte, si era indebolito e la borghesia arricchita dava più valore ai denari che al lignaggio. Il comportamento dei Lepre lo dimostrava, e aveva destabilizzato donna Gesuela. Adesso temeva perfino per il fidanzamento di Anna Carolina – concordato in tutti i dettagli, dote inclusa –, che avrebbero dovuto annunciare quel pomeriggio.

Proprio mentre la marescialla era in cucina le portarono un'ambasciata – il futuro suocero di Anna Carolina, il cavalier Amilcare Carnevale, chiedeva di essere ricevuto alle undici: era una questione delicata. Donna Gesuela divenne paonazza e corse a vestirsi. La figlia, convinta che il fidanzamento sarebbe andato a monte, ebbe una crisi isterica e poi fece altri capricci per il toupet, tanto che ci vollero due pettinatrici per acconciarle i capelli a suo gradimento.

Finalmente madre e figlia, tutte conzate, lasciarono la stanza ai camerieri che aspettavano impazienti di montare la tablattè.

Ma c'era un problema: mentre gli altri erano occupati a mangiare lo sfincione, Anna Carolina, incerta su cosa indossare al ricevimento e, dopo, alla processione, aveva trasportato nella stanza dei genitori, un pezzo alla volta, tutto il suo guardaroba da festa – vestiti, scarpe, cappelli, sciarpe, troppa roba per nasconderla sotto le tovaglie della tablattè. Bisognava attraversare tutti i salotti per portare quella quantità di roba dalla padrona di casa, e bisognava necessariamente passare davanti al cavalier Carnevale.

Alle undici mancavano cinque minuti. Camerieri e padrona si guardavano in faccia sgomenti.

"La vasca da bagno!" gridò donna Gesuela.

Mentre con un certo imbarazzo il cavalier Carnevale comunicava al maresciallo e alla marescialla che, a causa dell'improvviso decesso di un parente che l'aveva nominato erede universale, avrebbe dovuto rinviare la data del matrimonio, si sentì un cigolio: quattro camerieri in livrea spalancavano con movimenti sincronizzati le due porte ai lati opposti del salotto per fare largo a due paggi, anch'essi nella livrea azzurra dei Padellani, che spingevano una straordinaria tavola da pranzo su rotelle, bassa, stretta e rettangolare, coperta da una tovaglia di pizzo di Bruxelles che cadeva fino a terra, apparecchiata di tutto punto di un solo coperto e completa di cristalli, argenti e candelabri: era la vasca da bagno, piena dei vestiti di Anna Carolina.

"È per la mia parente. Quella brava donna non esce di casa e mi sembra una cattiveria avere un ben di Dio a tavola sapendo che, mischina, lei non ne può godere. Le faremo servire nella sua camera tutto quello che mangiamo noi," spiegò donna Gesuela, e, subito modesta, calò i begli occhi.

Fu così che quello stesso pomeriggio l'ennesimo episodio della squisita bontà della marescialla riempì Messina.

2.

*Agata Padellani durante la processione
incontra in segreto Giacomo Lepre, il suo innamorato*

Addossata ai Nebrodi e di fronte alla montuosa Calabria,
Messina la Nobile, fedele al re Borbone, seconda capitale della Sicilia e città di frontiera, controllava il traffico navale sullo
Stretto a cui dava il nome. In costante conflitto con Palermo
e tormentata da disastri naturali, era risorta dalla peste del
1742, dal terremoto del 1783 e dal nubifragio del 1824, e ora
era di nuovo una delle maggiori città del regno. Messina era
protetta da una cinta muraria con sette porte e vantava un'u-
niversità antica di tre secoli, numerosi conventi e monasteri,
due teatri e quattro biblioteche, cinque piazze, sei fontane e
ventotto palazzi nobiliari; le attività portuali avevano attirato
un forte contingente di stranieri, che risiedevano in città, possedevano industrie e gestivano imprese commerciali.

L'unità della popolazione e l'orgoglio civico dei messinesi si esprimevano nella celebrazione della festa dell'Assunta,
un miscuglio di sacro e profano che iniziava il 12 agosto e culminava nella processione del 15, famosa nel regno intero per
le sue macchine straordinarie. Nella piazza dell'Arcivescova-
do erano stati posti due smisurati cavalli montati da due gi-
ganti, il tutto di cartapesta. Nei giorni precedenti la processione di Ferragosto, due uomini coperti da una pelle di cammello giravano per la città accompagnati da bande, fedeli e
popolino, accostandosi a venditori ambulanti e bottegai per
fare la questua; era devozione infilare nella bocca spalancata

del cammello questuante parte della propria merce, che poi veniva raccolta in sacchi per le spese della festa. In passato vi erano state altre figure di cartapesta e animali mossi da umani, ma dopo lo sfacelo dell'ultimo terremoto il tono delle celebrazioni si era notevolmente abbassato.

L'intensità del sentimento popolare era un crescendo palpabile. Il 15 agosto le strade di Messina, e non soltanto quelle lungo il percorso della processione, straripavano di gente: i fedelissimi messinesi che dal continente ritornavano alla città natale per la festa, folti contingenti dai paesi vicini e centinaia di calabresi che attraversavano lo Stretto per la giornata; e poi c'erano i fedeli che facevano il pellegrinaggio per voto, per chiedere una grazia o semplicemente per devozione – lo spettacolo era straordinario.

Agata si era appartata sul balcone. La riccia sottana di mussola a pois rosa e celeste riempiva la ringhiera a petto d'oca, su cui la scarpetta di seta celeste ritmava il tempo della banda musicale. Era tutta un fremito. Lo sguardo acuto vagava dalla folla a palazzo Lepre, sapeva che Giacomo era lì. Nascosta tra le cadute della tenda, Annuzza la osservava; di tanto in tanto scrutava la folla. I fedeli, in gruppi distinti, ripetevano le giaculatorie dell'occasione; le voci salivano all'unisono come il mormorio del mare, interrotto dalle grida stridule di quanti cercavano nella bolgia i compagni perduti o che si erano accaparrati i posti migliori e li difendevano a voci e spintoni. Altri, visibilmente commossi, stavano in piedi, gli occhi fissi sull'incrocio da cui sarebbe apparso il carro dell'Assunta. Dovunque, bambini vestiti da angioletti.

Agata controllava con la coda dell'occhio il balcone di fronte; di tanto in tanto, ricacciava indietro lagrimucce di dolore e orgoglio ferito. Finalmente, a fatica, lo individuò: dalla penombra dell'androne del suo palazzo, Giacomo la fissava; a gesti, le fece capire che aspettava una risposta al suo biglietto. Agata, temendo che la madre l'avesse tolto ad Annuzza e le avesse messo alle costole una cameriera per spiarla, non sapeva nemmeno se sarebbe stato rischioso rispondergli. Parve vacillare. A quel punto Annuzza, che si era trattenuta dal consegnarle il biglietto in obbedienza al volere della padrona, lo trasse di tasca e si accostò al balcone. Agata lo lesse, impaziente, e rimase con il capo chino. Pensava. A un tratto sollevò il viso e batté le palpebre, una volta soltanto, e rimase così, dritta dritta, mento leggermente in alto, collo teso e labbra inquiete. La sciarpetta di mussola si era allargata sulla scollatura e rivelava il seno ben modellato. Gli occhi cupidi della fanciulla diventata donna erano fissi sulla figura nella penombra. Giacomo si fece avanti; si appoggiò languido alla pesante anta del portone e da lì ricambiò lo sguardo senza più distoglierlo dal suo. Agata strappava il foglio e portava alla bocca i frammenti di carta. Lentamente. Li masticava e poi li inghiottiva, uno per uno, fin quando non le rimase più nulla. Allora si asciugò gli occhi col dorso della mano e rientrò in casa.

Avvolta nella frescura della seta damascata, Annuzza rimase a salmodiare una litania a san Giuseppe che proteggesse quella fanciulla, copia sputata della madre e come quella, bambina, preda di un amore impossibile.

Il cavalier Carnevale aveva lasciato i Padellani proprio mentre i primi ospiti salivano le scale. Il ricevimento sarebbe durato esattamente quanto la processione. Gli invitati andavano e venivano, uscivano per seguire la Vara e ritornavano per rifocillarsi quando lo desideravano: un nuovo modo di ricevere introdotto da donna Gesuela, *open house*, come le aveva insegnato la governante inglese.

Il maresciallo, benché anziano e pieno di acciacchi, ricevette gli ospiti in piedi sulla soglia del secondo salotto; poi circolò scambiando una parola con ciascuno e raccontando le storielle spassose per le quali era famoso. Oltre al pretore e ai membri del senato civico, c'erano il fior fiore dell'aristocrazia locale, della gerarchia del Presidio di Messina e degli stranieri residenti in città, più una pletora di gente non nobile ma che poteva essere utile o a cui i Padellani dovevano ricambiare o chiedere un favore: professionisti, commercianti, negozianti e perfino artigiani. Nessuno rifiutava l'invito. Don Peppino, che a detta di molti era pieno di debiti, con quella festa ogni anno pareva smentire tale diceria: dall'inizio del ricevimento fino a sera, la tablattè rimaneva colma dei famosi rinfreschi preparati sotto la guida di donna Gesuela. Dolci, gelati e granite che provenivano da ricette di casa Padellani e manicaretti cucinati seguendo le ricette del monsù che il padre di donna Gesuela, buonanima, aveva rubato a un principe austriaco con l'offerta di uno stipendio favoloso, che si vociferava fosse uguale, se non maggiore, a quello che don Peppino percepiva dall'esercito di Sua Maestà. Gli invitati non sapevano che molti dei camerieri erano prestati o avventizi e che il fratello maggiore di donna Gesuela, Francesco Aspidi, barone di Solacio, che per lei era stato più che un fratello e che aveva ancora un debole per la sorella, le mandava per l'occasione carretti e muli carichi di ogni ben di Dio. Donna Gesuela faceva gli onori di casa aiutata dalle due figlie maritate a Messina, Amalia e Giulia; a trentasette anni, con occhi grandi e neri, labbra rosse come ciliegie mature e una bella pettorina, era di gran lunga più fascinosa delle figlie, rispettivamente di ventidue e venti anni. Anna Carolina, sedicenne, sorrideva impettita accanto al fidanzato: gli altri Carnevale se n'erano andati prima che si aprissero le porte della tablattè, per rispetto al lutto, ed erano sembrati soddisfatti. Gesuela si confortò: anche Agata, l'ultima da maritare, avrebbe trovato marito, benché con difficoltà – apparentemente docile come le altre, quella figlia era riversa.

I camerieri circolavano tra gli invitati con vassoi colmi di limonata e acqua e zammù. Mancava poco al momento in cui la Vara sarebbe passata davanti al palazzo. L'approssimarsi della processione era annunciato dal vocio, dapprima lontano, via via più vicino e stridulo: un miscuglio di musica, urla dei fedeli – "Viva Maria!" – e una salmodia che, mormorata da cento bocche, diventava un mugghiare. Apriva la processione una fila di dodici chierici che portavano le insegne della Vergine, seguiti dalle confraternite e dagli ordini religiosi maschili e femminili, in due file ai lati della strada, come se fiancheggiassero un simulacro invisibile. Tra questi sfilavano anche le suore e le orfane del Collegio di Maria, che Agata e Carmela frequentavano da quando, l'anno precedente, avevano dovuto fare a meno di Miss Wainwright, la governante inglese. Il frastuono era spaventoso. I fedeli erano stipati sui marciapiedi, negli androni, negli ingressi delle botteghe, nei vicoli. Due file di chierici bardati di paramenti di broccato, schierati spalla a spalla, in fila compatta, occuparono la strada – l'avanguardia dell'Assunta.

Al grido di "La Vara!", gli ospiti si riversarono sui balconi. Poi, silenzio. La tensione era palpabile. Le facciate delle case nobiliari sembravano inghirlandate dagli abiti colorati delle donne sui balconi. Le grate dei monasteri erano un luccichio di occhi sognanti. La Vara sarebbe apparsa al crocevia dove avrebbe compiuto la sola manovra dell'intera processione: un giro di novanta gradi. Mille occhi erano fissi sull'incrocio. Musica, canti, grida di invocazione crescevano assordanti.

I primi a spuntare da dietro l'angolo furono gli uomini con i secchi colmi d'acqua: la macchina, priva di ruote, poggiava come una slitta su un cippo di legno liscio ed era loro compito bagnare il selciato per renderlo scivoloso. Spargevano l'acqua a grandi bracciate, come fosse semenza e loro seminatori. Poi si fece silenzio. Niente musica, nessuna litania, soltanto il brusio dei fedeli. All'incrocio apparvero i tiratori, che, scalzi, a forza di braccia e di fede tiravano il carro. Era il momento di maggior intensità della processione. E di maggior pericolo. Velocissimi, i tiratori presero posizione lungo le due corde secondo un ordine prestabilito nei secoli. Alcuni continuavano a tirare per non arrestare il movimento della Vara; altri, attaccati a grappolo, aspettavano il momento di far forza; altri ancora si erano messi in fila, mani sulla corda, pronti a tirare. Precisi. Attenti. Sincronizzati. A quel punto si abbassò anche il brusio: come un unico corpo, i fedeli trattenevano il fiato. Si sentiva, fioco, il pianto degli angioletti sulla Vara. Strappi ritmici, poi uno, deciso, dei tiratori a grappolo: la virata era stata effettuata. Alta quanto un palazzo a due piani, a forma di stretta piramide e pesantissima, la Vara apparve al crocevia. Oscillava vibrando. Per un attimo parve inclinarsi. Un altro strattone e riprese a scivolare sul bagnato, salda, dritta, accompagnata dallo scrosciare degli applausi per i tiratori, gli eroi della giornata.

Dal tardo Medioevo, i messinesi erano indiscussi maestri nell'intera isola nel creare quelle effimere costruzioni, non solo quanto a bellezza ma anche quanto a tecnica meccanica: all'interno della macchina c'erano ingranaggi azionati manualmente che consentivano i diversi movimenti. Quando la Vara avanzava era un moto inarrestabile. Ogni anno la decorazione cambiava, ma non la struttura e gli elementi principali: cerchi grandi alla base che andavano rimpicciolendosi fino alla sommità, su cui erano appesi corpi celesti, ciascuno con movimento rotatorio; dai cerchi uscivano ruote, anch'esse in movimento. Un tempo tutti i personaggi erano vivi, e ce n'erano più di cento, ma col passare dei secoli le figure degli adulti – gli apostoli che circondano la bara della Vergine alla base, gli angeli dei tre cerchi e Gesù – erano state sostituite da statue di cartapesta dipinta in vividi colori. Di umani erano rimasti la Vergine, in cima alla piramide, e decine di angioletti, legati ai raggi del Sole e della Luna e alle ruote che giravano ai lati dei cerchi: erano lattanti o bimbi piccini offerti dalle famiglie. Cerchi, ruote e tutti gli altri marchingegni giravano in senso opposto per le sette ore della processione.

Poiché il carro era altissimo, gli invitati dei Padellani che non avevano trovato posto sui balconi avevano piena vista dei cerchi superiori e della Vergine, e dunque tutti, inclusi i camerieri, avevano gli occhi puntati fuori. Agata era rimasta indietro. Non appena sentì il rumore dei passi sul bagnato e il cigolio della macchina slittante scese di corsa nella scuderia, a quell'ora deserta. Lì l'aspettava Giacomo. Profferte d'amore, lagrime e la bella notizia: il senatore Lepre, commosso dal sincero amore dei giovani, si era offerto di chiedere la mano di Agata per il nipote, al posto del figlio. Non ci fu tempo per altro parlare: al segnale concordato con il cocchiere, gli innamorati dovettero lasciarsi.

Agata fece gli scalini a quattro a quattro e si insinuò a spintoni tra le sorelle proprio nel momento in cui la Vara passava davanti al balcone. Il terzo cerchio, quello con le costellazioni, era a meno di un metro di distanza e ruotava come gli astri e le costellazioni. Il Sole, grande quanto un tavolo da pranzo, aveva occhi, naso, una grande bocca sorridente e dodici raggi. Sulla punta di ciascuno di questi, un bambino di non più di sei mesi con delle alette dorate attaccate sulle spalle era legato in una gabbia che gli chiudeva il corpo e lasciava libere braccia, gambe e testa, coperta da una cuffia con riccioli anch'essi dorati. I raggi giravano con movimento alternato: proprio in quel momento cambiarono direzione e si fermarono di fronte al balcone. A distanza di meno di un metro, Agata si ritrovò faccia a faccia con gli angioletti urlanti, i visi deformati dal terrore; poi la ruota riprese a girare e il rumore della processione sommerse le grida dei bambini.

"Angeli benedetti dell'Assunta!", "Bedduzzi!", "Anime sante!" dicevano le donne.

"Che il Signore li benedica," sussurrò Annuzza, facendosi il segno della croce. E poi, rivolta a Carmela: "Guarda che belli!". Il calore del sole pomeridiano era diventato un fuoco insopportabile. Agata si sentiva mancare; chiuse gli occhi e si aggrappò con tutta la sua forza alla ringhiera. Anche quella era calda; la strinse forte, fortissimo, tanto da farsi male. Quando li riaprì, la Vara e i bambini straziati non c'erano più. Come una fiumara ribollente, la folla riversata sulla strada si era chiusa dietro il carro sacro. Le grida di "Viva Maria!" erano assordanti – per i fedeli, quello era il momento di maggior orgoglio ed esaltazione religiosa.

Nel frattempo, gli ospiti dei Padellani si gettavano sui sorbetti.

Dopo il passaggio della Vara davanti casa, era consuetudine che il maresciallo con la marescialla al braccio portasse gli invitati ad assistere alla fine della processione nella piazza del duomo. Seguiti dagli ufficiali del Presidio e dagli altri ospiti, formavano una processione privata all'interno dell'altra. Donna Gesuela rallentava il passo per agevolare il marito, che soffriva di gotta, e ne approfittava per annacarsi voluttuosamente ed elargire sorrisi a destra e a manca. Ciò dava l'opportunità ai camerieri di rimettere a posto la casa, prima dei rinfreschi finali, e in più la marescialla credeva che gli ospiti, col sapore dei suoi dolci ancora in bocca, avrebbero commentato il ricevimento con la gente incontrata per strada con minor malizia dell'indomani: dopo una bella dormita, si sarebbero spremuti le meningi per trovare qualcosa da criticare, nel timore di passare per rozzi e privi di raffinatezza se non avessero avuto nulla da ridire.

Agata si era data da fare per lasciare la comitiva senza destare sospetto. Si spinse controcorrente e prese un vicoletto dove lavoravano gli scarpari e gli arrotini. Non c'era anima viva. La quarta porta a destra era socchiusa.

Non si salutarono. Consci di essere soli, ambedue avevano paura di se stessi. Dalla finestra sbarrata sopra la porta entrava una luce fioca a riquadri, altrimenti la putìa era buia. Agata si guardava intorno. Le mura sudicie erano piene di ganci, da cui pendevano pezzi di cuoio di ogni forma, pelli di capra, stracci di stoffa incerata e incatramata, forme di scarpe e stivali, e tutti gli attrezzi dello scarparo.

Giacomo allungò il braccio e le posò la mano sulla spalla. Avevano ballato insieme e lei ricordava il fremito al contatto con il corpo di lui – braccia e mani – e il delizioso tremore dei respiri alterni; era il loro gioco, lei inalava l'aria espirata da lui, e viceversa, e si sentivano tutt'uno. Ma quel tocco attraverso gli strati di mussola di abito e sottoveste era diverso: si sentiva nuda. E così lui la percepiva. Le tormentava i merletti della sciarpa. E lei avvampava. Le solleticava lievemente il collo, con indice e pollice. E lei inumidiva.

"Io ti voglio mia sposa." Giacomo ruppe il silenzio. "Mio nonno farà come concordato e i miei, a fidanzamento fatto, cederanno. Ma prima voglio una promessa da te: io sono geloso, voglio che tu mi giuri di essermi fedele, sempre." Agata annuì, e pose la mano su quella di lui. Lui le prese il dito e se lo portò al collo, sulla vena del cuore. Sentivano il battito all'unisono. I loro corpi vibravano. Giacomo la tirava a sé con movimenti impercettibili, senza fretta. In un crescendo di piacere. Il respiro affannato e la bocca ben formata di lui erano su di lei. Giacomo schiudeva le labbra e lei apriva le sue. Improvvisamente, Agata si ritrasse. "Ricordativi ca una fimmina ca si fa trasiri socc'e gghiè d'a vucca o d'atri banni disonorata è!" aveva detto Annuzza alle sorelle maggiori, quando lei era piccina, ma lo ricordava bene, perché Amalia, la sorella preferita, era scoppiata in lagrime. "No, no, non è giusto..." protestava Agata, e lo guardava spaurita, temendo di offenderlo.

"Allora abbracciamoci stretti, e poi mi lasci." E nel dirle questo le dita di Giacomo scivolavano dal collo alle spalle di lei, passavano sotto la mussola del vestito e della sottoveste, e le solleticavano la nuda pelle della schiena. Poi, svelto, Giacomo le cinse la vita con l'altra mano e l'attirò a sé. Agata rovesciò la testa per evitare la sua bocca, ma gli permise di coprirle collo e spalle di piccolissimi baci, deliziosi. La mano di Giacomo le scendeva lungo la schiena. Agata non reagiva. Tutto a un tratto lui la spinse in avanti, forte, e premette duro contro il ventre di lei.

L'odore della colla dello scarparo – denso, pungente, inebriante – li stordì.

Agata vagava stonata tra la folla. Si sentì addosso uno sguardo perciante: il cavalier d'Anna, uno degli invitati e noto debosciato, la seguiva passo passo, arrancando sulle gambette storte. Quando riuscì a mettersi al suo fianco, accennò un sorriso bavoso con la bocca sdillabrata. Agata finse di non averlo visto. Lo odiava, perché ai ricevimenti dei genitori riusciva sempre a strusciarsi contro di lei quando non le era possibile metterlo a posto; sentì delle grida dalla calca attorno al carro dell'Assunta e prese a camminare in quella direzione. Il cavaliere fece una smorfia e si avvicinò a un gruppo di donne che, piegate in avanti attorno a una vecchia scivolata a terra, si davano da fare per aiutarla; girò attorno alle donne, lo sguardo fisso sui loro seni, poi si strofinò contro il notevole fondoschiena di una di loro e si dileguò prima che la malcapitata potesse rialzarsi.

Le grida crescevano d'intensità: gli uomini stavano smontando la Vara. Era il turno degli angioletti e le madri – tra le più povere di un popolo già povero – accorrevano affollandosi tutto intorno. Dopo sette ore di costante movimento rotatorio, mangiati dal sole, assetati e affamati, i piccini erano tramortiti. Chi urlava disperatamente, chi guaiva come un canuzzo, chi sembrava in trance. Due erano immobili, la testa penzoloni. Gli uomini sul carro li toglievano dalle gabbie e a catena li passavano ad altri, in cima a lunghe scale, che dall'alto gridavano: "A cu apparteni chistu?". E poi li calavano per consegnarli alle madri. Queste, imprecando e spintonandosi, facevano ressa per farsi restituire il proprio figlio, o per prenderne uno vivo – i visi straziati a volte erano irriconoscibili. I lamenti delle più addolorate si mischiavano alle urla delle altre vittoriose, allo scherno assordante degli spettatori, ai fischi della ciurmaglia. Una madre reggeva il figlio più morto che vivo e si consolava banniando che la Vergine Maria se lo voleva portare in paradiso.

Due canonici presenziavano, benigni. La ragazza che impersonava l'Assunta aveva lasciato il carro. Il luccicante piedistallo d'oro era tornato a essere cartapesta dipinta e Agata chiese perdono alla Vergine per quelli, ma non per sé.

3.

Il terremoto e la malattia del maresciallo Padellani

Era una fresca mattinata dei primi di settembre. Le due figlie minori dei Padellani, accompagnate da Annuzza e Nora – la cameriera personale della marescialla –, andavano in carrozza nella casa di villeggiatura della sorella Amalia, costruita in cima a una collina, non lontano dalla filanda appartenente al cognato, Domenico Craxi: la strada che le collegava a Messina era stata allargata in una carrabile fiancheggiata da alberi di gelso, fichi d'india e melograni. I genitori e Anna Carolina le avrebbero raggiunte per pranzo e sarebbero rimasti qualche giorno in villa per vedere Francesco Gallida, il figlio di nove anni di Anna Lucia – la maggiore delle sorelle Padellani, morta giovanissima di parto –, in visita con il padre e la famiglia del secondo matrimonio.

Superato l'ornato cancello della villa, don Totò aveva rallentato l'andatura dei cavalli: la strada diventava ripida e la carrozza traballava a ogni tornante. Carmela, a sette anni già megera, spettegolava sugli abiti indossati alla festa dell'Assunta dalle altre bambine. Agata la lasciava parlare; guardava fuori dal finestrino, meditabonda. Man mano che la carrozza saliva, il paesaggio si allargava davanti ai loro occhi. Lo Ionio al di là di Messina era piatto e argentato; sotto il faro e fino a Reggio, il Tirreno era blu scuro e increspato. Oltre il faro, i paesini multicolori e le fitte montagne del continente. Era il tempo della caccia al pescespada, il cui percorso migratorio toccava il mare siciliano soltanto due volte all'anno. Lo Stretto era gremito di piccole imbarcazioni modificate e attrezzate per la pesca.

All'uscita della baia ai piedi della collina erano ancorate in formazione piccole scialuppe unite dalle prue e prive di equipaggio, remo o antenna. Da queste si innalzava un albero maestro altissimo, con in cima un uomo legato che poggiava i piedi su un trespolo di legno. Immobile, questi scrutava l'acqua: il suo compito era quello di avvistare il pescespada e guidarvi i marinai. Altre formazioni, ciascuna con l'altissimo albero maestro con vedetta, più o meno equidistanti una dall'altra, costellavano il mare dalla costa siciliana fino a quella calabrese. Ognuna aveva la propria squadra di pescatori in agili imbarcazioni con quattro rematori, un arpioniere e un uomo su un'antenna di modeste dimensioni. Non appena la vedetta avvistava la preda, la indicava con il movimento di torso e braccia, accompagnato da grida acute alla vedetta della barca più vicina. Questa, non meno rumorosa e veloce, dava i propri ordini all'equipaggio, cosicché la barca sfrecciava sulle onde accompagnata dal canto dei marinai. In piedi sulla prua, l'uomo con l'arpione guardava il mare – muscoli tesi, orecchie aperte, occhio scrutante. Le barche balzavano sulle onde a folle velocità e formavano curve e ghirigori, si fermavano e poi giravano di nuovo, rallentavano, incalzavano, e infine sfrecciavano sull'acqua finché il cacciatore non lanciava l'arpione. Lo sfrigolio dello scafo sulle onde era sommerso dal ritmico urlo dei rematori – lento, incalzante, bellicoso – e dalle urla delle vedette – quella dell'albero maestro sulla piattaforma fissa e formata da barche a forma di fiore a petali e quella della barca che seguiva le lance dei pescatori – che si chiamavano e quando non potevano sentirsi si dimenavano come ossessi per comunicare a gesti. Quando la preda era vicina si faceva silenzio nell'attesa del comando dell'uomo con l'arpione, in piedi sulla prua – seminudo, muscoli gonfi, braccia rigide, gambe larghe – come se fosse stato saldato al legno.

Come una vespa, la barca sfrecciava a zigzag sul mare liscio come l'olio. L'uomo urlò e lanciò l'arpione con tutte le sue forze; quello affondò fischiando e scomparve nel mare. L'arpioniere rimase traballante sulla prua e non si mosse più, come gli altri marinai. La corda dell'arpione, arrotolata in una larga mezza botte fissata al fondo della barca, si svolgeva velocissima e alla fine si trascinò la botte a mare. Un urlo della vedetta della barca e i marinai ripresero a remare come dannati in direzione della botte che correva velocissima sulle onde seguendo il percorso del pesce arpionato. Poi cominciò a oscillare e a muoversi come impazzita. Negli spasmi dell'agonia, il pescespada si contorceva creando mulinelli e gorghi d'acqua, poi rallentava; emergeva alla superficie, sprofondava, risaliva ancora una volta, mentre la pelle argentata del ventre brillava al sole riflettendone la luce come uno specchio tenuto sott'acqua. Fino a quando non si inabissò con un sussulto. Al cenno dell'arpioniere la barca si mosse piano per issare dolcemente la preda.

La carrozza saliva sulla collina. L'aria era più fresca. Da lontano, gli inseguimenti del pescespada – centinaia, contemporaneamente, sullo Stretto – creavano sulla superficie del mare arabeschi di schiuma bianca, subito cancellati; le barchette sembravano rondini che volavano sull'acqua, su cui galleggiavano fiori dal lungo pistillo. "Lu spaduni mi piaci assai," mormorò Annuzza, e si leccò il labbro rugoso, sicura di gustarlo: dai Craxi non si lesinava sul mangiare, e Amalia gliene avrebbe fatta dare una bella porzione.

"Mmm," le fece eco Agata. Anche lei era golosa. Fece un sorrisetto triste, poi rabbrividì.

Dopo la festa dell'Assunta, Giacomo si era dileguato senza darle alcuna nuova. Ogni mattina lei si svegliava all'alba, mangiata dalla voglia di vederlo, bramosa di avere almeno un segno da lui. Invano. Le persiane della stanza di Giacomo rimanevano inesorabilmente chiuse. Non c'era segno di vita neppure sulla fila di balconi dalle ringhiere a petto d'oca carichi di graste di edera assetata, i cui lunghi tralci ondeggiavano al vento. E ogni mattina Agata riviveva lo sgomento dell'attesa e della delusione di quel triste 16 agosto, quando la città, stanca dei festeggiamenti, era assopita, e per strada non c'era anima viva, nemmeno le capre dalle mammelle gonfie che il capraio ogni mattina portava a mungere di casa in casa. Aveva immaginato di tutto: un divieto di rivederla da parte del padre o della madre crudele, un malessere o perfino la morte dell'amato, che lui ce l'avesse con lei per avergli negato il bacio, che si fosse disamorato, che avesse deciso di fidanzarsi con l'altra. Agata non era di natura gelosa e aveva accettato la preferenza della madre per le altre figlie – anzi, spesso compativa le sorelle costrette a subire le attenzioni di donna Gesuela, mentre lei poteva leggere e dedicarsi alle cose sue. Ora invece conosceva la gelosia: il solo pensiero che Giacomo avesse accettato di sposare l'altra la torturava. L'avrebbe preferito morto, anziché felice con quella. Arrivò persino ad augurarsi la propria morte, ma soltanto dopo aver ucciso i due amanti. La gelosia non soltanto le ottenebrava l'intelletto, ma la portava al delirio. Quella mattina in città aveva scrutato dentro le carrozze che incrociavano, cercandolo: avrebbe giurato di averlo scorto almeno due volte, seduto tra due brutti ceffi. Il sangue della caccia al pescespada, la ruvida bellezza della collina e gli aspri profumi agresti acuivano desiderio e angoscia. Sentiva freddo. Senza dir nulla, Annuzza le mise addosso la coperta di cotone e la incapizzò per bene.

Amalia a ventidue anni era sposa e madre contenta. Prodigava le stesse cure che riversava sui propri figli a quelli di primo letto del marito, e quello, grato, non ostacolava la prodigalità della giovane moglie nei riguardi dei Padellani. Amalia aveva ereditato l'allegria del padre e l'attenzione per la buona cucina della madre; gli ospiti dei Craxi si trovavano bene. Agata e Carmela si divertirono a giocare con i nipoti. Dopo i rinfreschi, la governante inglese di Francesco, il nipote calabrese, li aveva portati in giardino. Passeggiavano cantando per i viali ombreggiati e i più piccini saltellavano al ritmo delle canzoni. Raggiunto il belvedere, si buttarono a riposare sulle coperte disposte sotto i pini, ma non Agata. Lei guardava il panorama e si sentiva isolata dal mondo e disperatamente triste. Gli aghi frusciavano al venticello autunnale. L'altissimo faro si stagliava sulle acque blu. Messina era ai loro piedi, Reggio dirimpetto, al di là dello Stretto. La pesca del pescespada era stata interrotta per riaprire il traffico delle navi. Le imbarcazioni che facevano la spola tra le due città lasciavano scie schiumose sul mare blu scurissimo, un'effimera ragnatela che legava isola e continente. Bastarono due velieri battenti bandiera francese che solcavano lo Stretto a scomporre quella parvenza di fili tesi e a rendere evidente la separazione tra le due sponde.

Nel pomeriggio, Agata salutò i genitori con un sorriso smagliante. Si era convinta che dopo Ferragosto Giacomo era andato nella villa del nonno per definire insieme come vincere l'opposizione dei genitori e che era riuscito nel suo intento – proprio quella mattina i Lepre sarebbero andati a parlare con i suoi genitori; ecco il motivo per cui all'ultimo momento le era stato detto di andare da Amalia con la prima carrozza e non con quella dei genitori. Più ci pensava, più Agata era certa che fosse andata così. Si aspettava che il padre le avrebbe dato la buona notizia subito dopo pranzo. A tavola teneva lo sguardo fisso sui volti dei genitori, nella speranza di carpire un segnale, ma loro erano impegnati a parlare con gli ospiti e nessuno la degnò di un'occhiata.

La sua intuizione era esatta soltanto in parte. Quella mattina il senatore Lepre aveva chiesto un colloquio con il Maresciallo. Era salito da solo, lasciando Giacomo fremente in carrozza, nell'attesa di essere chiamato ad accordi presi. Non appena entrato nell'appartamento, gli fu comunicato che don Peppino era indisposto e che la marisciala l'avrebbe ricevuto da sola. Confuso, il senatore Lepre pensò bene di anticiparle quanto avrebbe detto al marito: era venuto a chiedere la mano di Agata per il nipote, avendo deciso di sostituire il figlio in atto di rispetto nei riguardi del maresciallo, suo coetaneo e vecchio amico. Poi, sotto le incalzanti domande di donna Gesuela, aveva dovuto confessare che la nuora era tuttora inamovibile sulla questione della dote, e che lui, commosso dalla purezza dei sentimenti dei due giovani, aveva deciso di agire da solo, convinto che il figlio e la nuora avrebbero accettato il fatto compiuto. In aggiunta, avrebbe fatto una congrua donazione a Giacomo al momento delle nozze.

"E se il maresciallo vi dà nostra figlia, come sarà trattata la mia creatura da questa suocera che non la vuole?" chiese la marisciala, con una vocina dolce.

La risposta del buon uomo – che lui sperava ardentemente, anzi non aveva dubbi, che, una volta conosciute le virtù di Agata, la nuora si sarebbe ricreduta – lo intrappolò: donna Gesuela gli chiese di confortarla fornendole i particolari di altre occasioni in cui la nuora aveva capito di aver dato giudizi errati su qualcuno e se n'era pentita. Il senatore Lepre dovette ammettere che non se ne ricordava e le rivelò incautamente che, appunto per il carattere difficile della nuora, da vedovo aveva preferito lasciare al figlio maggiore il piano nobile del palazzo e, venendo meno alla tradizione, andare a vivere nell'appartamento dei figli scapoli. Aggiunse perfino che frequentava raramente la casa del figlio, tanto lei gli era antipatica.

"Basta così," lo interruppe donna Gesuela. "La vostra famiglia offende il casato dei Padellani nello schifare una nuora di tanto sangue!" E aggiunse, imitando l'accento del marito: "'O megli'e Napule!".

41

Ormai ne era convinta: n'sammai il maresciallo avesse concesso la mano di Agatuzza, quella santa figlia sarebbe rimasta sgradita in casa del marito e avrebbe dovuto patire chissà che umiliazioni da quella suocera, per come il notaio stesso l'aveva descritta! Da parte sua, non avrebbe mai acconsentito a un tale matrimonio, ma l'ultima parola spettava al maresciallo. Dal tono, era chiaro che il sì era una remota possibilità.

Dopo pranzo, la comitiva scese in giardino per una passeggiata. Il padre si appoggiava al braccio di Agata: la mattina era stato indisposto per un colpo di acidità, ma, da ingordo, aveva mangiato e bevuto abbondantemente quanto imbandito da Amalia. La figlia non osò chiedergli nulla, ma se lo avesse fatto sarebbe rimasta delusa: il maresciallo era all'oscuro della visita del senatore Lepre; sua moglie aveva deciso che non era il caso di avvelenargli la giornata dedicata al nipotino calabrese.

Era notte. Agata si agitava nel letto. Non riusciva a chiudere occhio. Che ne era stato di Giacomo? L'ansia del giorno si era trasformata in una serpe attaccata al suo petto, che, come nell'immagine del re Palermo tanto cara alla madre, se la mangiava viva. Sentì un rumore esterno, sotterraneo. Sollevò il capo: Carmela dormiva serena nel letto accanto, la cuffia da notte di sghimbescio sulla fronte. I cani ululavano, uno lanciava gridi quasi umani. Agata tentò di mettersi a sedere, ma una scossa la rovesciò sui guanciali. Nella luce argentata della luna, il lampadario centrale oscillava: il terremoto. Porte e finestre scricchiolavano, i campanelli tintinnavano. La prima a entrare nella loro camera fu la madre: ordinò di vestirsi alla meglio e cercare rifugio in giardino, attorno alla fontana. Poi una seconda scossa, più forte. E una terza, preceduta da un boato profondo. Scapparono all'aperto, grandi e piccini, uomini e donne, padroni e servitori, chi in camicia da notte, chi mezzo vestito. Gli uccelli, lasciati nidi, rami e tetti, descrivevano cerchi immensi senza osare fermarsi.

La villa tremava. Le scosse di terremoto si succedevano veloci; le aspettavano muti e tremanti nella pungente umidità della notte stellata. Allora la gelosia di Agata si affievolì e scomparve. Travolta dall'amore per il suo Giacomo, lo voleva salvo e felice, con chiunque, anche con l'altra. Pregò Dio per lui, con tutto il cuore. La preghiera la svuotava dell'ansia e le dava forza e serenità; Agata fissava come in estasi il cielo buio attraversato dai voli degli uccelli impazziti. Poi le scosse cominciarono a diradare.

A Messina, il terremoto era stato più forte. Alcune case già dirute erano crollate, molte erano state danneggiate, ma non severamente – nulla a che fare con il tremendo terremoto del 1783, la cui memoria era incisa nei messinesi dai cunti dei sopravvissuti e dalle case distrutte. I Padellani cedettero alle insistenze di Amalia: sarebbero rimasti alla villa per qualche altro giorno. Annuzza era stata mandata in città con una carrozza per prendere biancheria pulita e la medicina per il catarro del maresciallo, che si era raffreddato durante la notte all'aperto ed era febbricitante. Ritornò con un biglietto per Agata, in cui Giacomo la informava che il padre, avendo saputo del loro incontro dallo scarparo, lo aveva minacciato di mandarlo a Napoli perché la dimenticasse. Non le aveva scritto prima perché era convinto che ci fossero spie e si scusava della brevità e della reticenza di quel biglietto – quando si sarebbero rivisti le avrebbe spiegato il resto. Giacomo non accennava all'incontro tra il nonno e la marescialla, e concludeva promettendole eterno amore ed esortandola ad aspettare il suo ritorno da Napoli e a essergli fedele.

Sgomenta, Agata trovò conforto nell'accudire il padre sofferente. Al primo segno di miglioramento il maresciallo si era impuntato per tornare a Messina, contro il parere del medico e il desiderio dei familiari. Accadeva di rado che il maresciallo puntasse i piedi, e allora non c'era modo di dissuaderlo.

Agata andava nella stanza da letto del padre. Sedeva su uno sgabello accanto al comodino e gli versava la limonata dolce: poi taceva, in attesa. Lui reminisceva. Era come se ripassasse la propria vita e gliela porgesse. E lei beveva le sue parole.

Raccontava lo sfarzo della famiglia e i felici anni dell'infanzia con le amatissime sorelle minori, troncata bruscamente: "Io so di non essere stato un buon padre per te, e forse anche per le tue sorelle, ma ho fatto del mio meglio," le disse. "Di una cosa sola sono soddisfatto, di non avervi costrette ad andare in convento." E le raccontò che sua madre un giorno si prese le tre più piccole – Violante, Antonina e Teresa –, le fece vestire per bene e uscì con loro. Lui se lo ricordava perché quando la madre se n'era andata, le bambinaie sembravano accorate e lui non capiva il perché. "Non le rividi più," disse, desolato e poi riprese: "Ne aveva lasciata una al monastero di Santa Patrizia e le altre due al monastero di San Giorgio Stilita. Così, lasciate... Me ne lamentai con mio padre e lui mi disse di stare zitto e di capire. Il re Luigi XV, una trentina di anni prima, aveva mandato quattro delle sue figlie – le principesse Vittoria, Sofia, Teresa Felice e Maria Luisa – nel convento di Fontevraud e ce le aveva lasciate dieci anni. Poi se le riprese – o meglio, si riprese quelle vive – e tutto andò bene. 'Lui era re e poteva dargli le doti, noi siamo principi ma dobbiamo badare ai denari e la dote monacale è modesta a paragone di quella per il matrimonio. Le tue sorelle se la passeranno molto bene,' mi disse". E lo sguardo del padre cercò i suoi occhi a mandorla. "Non ne sono sicuro." Una pausa. "Ma io per voi con una esigua dote sono riuscito a trovare buoni mariti." E fece un risolino malizioso: "Però le figlie mie hanno l'occhio 'sperto della loro madre, e questo agli uomini piace. Le donne di casa Padellani ai miei tempi erano buone e care, ma avevano l'occhio di pesce".

Spesso si ingegnava a raccontarle la storia del Regno, le fragili fortune della causa rivoluzionaria francese, di come quelle avessero attecchito a Napoli, egualmente senza successo. Agata cercava di seguirlo, ma lì dove il padre stabiliva un nesso politico fra il recente passato e il presente, faticava. Lui se ne rendeva conto. La scrutava. Le prendeva le mani. Confidava nella sua intelligenza. E Agata lo ricambiava con una sorta di speranza che si traduceva in sguardi di domanda. Una volta la mandò a prendere da uno scaffale nascosto nel suo secrétaire il *Saggio storico sulla rivoluzione napoletana*. Palpava il tomo come se fosse una bella forma di tuma, e aspettava che la fantesca se ne andasse; poi bisbigliò alla figlia, senza staccare lo sguardo dalla porta: "Leggitelo per bene, e non dimenticare cosa dice. Attenta a non parlarne, nemmeno in famiglia". E abbassando ancora la voce: "Cuoco aveva ragione. Ora è vietato possedere questo libro, e pure gli altri lì dentro. Anche questo è un errore del nostro governo".

Lo stato del regno e quello dell'Europa lo preoccupavano. "C'è sempre qualcosa dietro l'amicizia e la benevolenza degli stranieri. Nelson, l'amico protettore del regno, persuase re Ferdinando a bruciare la flotta di stanza a Napoli, per non farla cadere nelle mani dei francesi. C'ero io, quel 9 gennaio del '99, a vederla andare in fiamme, la nostra gloriosa flotta! Così l'amico inglese ci tagliò le gambe, e da allora dipendiamo dagli armatori inglesi! Re Ferdinando II, anni dopo, ricostruì la marina militare con grandi sacrifici."

Altre volte parlava dei moti d'indipendenza. "Certe volte non capisco cosa significhi 'nazione'. Tu, figlia di un napoletano e di una siciliana, a che nazione appartieni, Agatina mia?" Le dava un pizzicotto sulla guancia, amoroso, e ridacchiava. "Te lo dico io, e ricordatelo, con chiunque ti mariti, tu appartieni ai Padellani, che sono sopravvissuti e sopravvivranno a tutte le dinastie straniere che si sono stabilite a Napoli." Poi tornava serio. Prevedeva altri moti e rivoluzioni. "Nessuno stato europeo ne uscirà incolume. Dobbiamo mantenere un esercito per proteggerci dalle rivolte interne. Il nostro non è efficiente," commentava mesto, e per questo accettava la necessità di assoldare truppe mercenarie, che detestava.

Il padre ricordava la sua giovinezza, prima della Rivoluzione francese, quando Ferdinando e Carolina simpatizzavano con la massoneria, e alle sue amicizie con gente di pensiero diverso. "Fui massone, da giovane, e simpatizzavo con la carboneria, ma non volli essere uno di loro. Non mi piaceva il rituale dell'iniziazione: culminava con il processo di Ponzio Pilato al Nostro Signore e una scena della crocifissione! L'ideologia nazionale nulla dovrebbe avere a che fare con la religione politica; sono cose diverse." Maniava il volume e mormorava tra sé e sé: "La carboneria napoletana ottenne la costituzione nel 1820," e alzando la voce la esortava a fidarsi del marito di Sandra, la sua terza figlia: "Tommaso Aviello, è Maestro carbonaro, e un bravo guaglione!".

Il padre incoraggiava Agata ad avvicinarsi con cautela a ogni nuova idea e a essere amica di tutti e nemica di nessuno: "La presa di posizione è un pericoloso trastullo dei ricchi e la rovina dei poveri, come siamo noi". Poi ritornava sulla politica. "Attenta a Mazzini – un pensatore fino, ora in esilio. Mi dicono che a Londra ha aperto una scuola per i piccirilli nostri, tanti sono gli italiani che stanno lì. Fa bene. Bisogna educare la gente, ma ci vogliono generazioni prima che capiscano e accettino quello che lui vuole, una repubblica unitaria, Dio e popolo. Io sono troppo vecchio per cambiare."

Ad Agata piaceva fare da infermiera al padre. Gli bagnava le labbra con acqua di rose e gli massaggiava la testa. Il medico le aveva insegnato a dosargli le medicine per lenirgli i dolori e lei era accurata e attenta esecutrice dei suoi ordini. Ma più di tutto le piaceva cantargli. Il padre amava il bel canto e le chiedeva la canzone di Giordanello. Casa Padellani risonava di canti a tutte l'ore; la mattina quelli delle serve che lavavano i pavimenti, e nel pomeriggio le arie delle opere in voga che madre e figlie cantavano a solo, a voce nuda, e insieme accompagnandosi con il pianoforte. Agata, che aveva una bella voce di mezzosoprano, si appartava accanto al balcone. Da lì intravedeva le persiane della camera di Giacomo, sempre chiuse, e cantava con tutta la sua passione, lagrimando, mentre il padre sorrideva. *Caro mio ben, credimi almen, senza di te languisce il cor.*

Le avevano insegnato arie d'opera di Vincenzo Bellini, uno dei musicisti più in voga – la marescialla aveva assistito a Palermo a una esecuzione della *Norma* e ne era rimasta folgorata –, e lei le ripeteva a voce nuda. Un giorno Agata canticchiava *Qual mi tradisti*, l'aria preferita del maresciallo; lui aprì gli occhi e la volle vicino. "Non mi dispiacerebbe morire, se non fosse che ti lascio," le disse, e la guardava amoroso. "Nennella mia, che ne sarà di te?"

4.

17 settembre 1839.
Nascita di un principino
e morte del maresciallo Padellani.
Durante la traversata per Napoli Agata si confida
con il capitano James Garson

La corte, controllata dal re e da poche grandi famiglie a lui vicine, come quella dei Padellani – riabilitata dopo aver servito Murat durante il dominio francese –, era motore di un sistema di patronato e clientelismo che consolidava il dominio delle élite fondiarie ed esaltava la pressione della capitale sulla provincia.

Nei diciannove anni di regno di Ferdinando II, asceso al trono appena ventenne, le gerarchie nobiliari erano state ribadite nell'esercizio del cerimoniale e nella coreografia delle esibizioni del potere che si tenevano nelle cerimonie pubbliche, mantenendo e addirittura esacerbando i caratteri spagnoli della vita di corte definiti da Carlo III, bisnonno del re. Pensioni, vitalizi, grazie, semplici elargizioni di denari e le risposte alle mille suppliche quotidiane che la società meridionale rivolgeva al sovrano venivano filtrate dal Maggiordomo Maggiore. Gli aspetti anche più minuti della vita del re e della sua famiglia erano confusi con l'amministrazione della cosa pubblica. Le festività e i lutti reali dovevano essere rispettati non soltanto dai nobili, ma anche dagli ignobili. L'umore del popolo doveva rispecchiare quello della famiglia regnante. L'aristocrazia, in particolare, doveva essere molto ligia: l'assenza da una festa e la mancata osservanza di un lutto potevano costare la perdita del favore.

Il 17 settembre 1839, vigilia della morte del maresciallo Padellani, la regina Maria Teresa aveva dato alla luce un figlio maschio, il principe Alberto Maria. Il felice evento era stato solennizzato con tre giorni di gala e le esequie del maresciallo non avrebbero potuto essere celebrate con gli onori del rango e della carica.

Donna Gesuela si rendeva conto che, morto il marito, non soltanto erano venuti meno i mezzi di sostegno della famiglia, ma lei stessa era caduta dal piedistallo sul quale il nome dei Padellani e l'assidua presenza sua e del marito nella vita sociale, politica e cittadina l'avevano innalzata. La notizia del decesso, avvenuto di notte, fu subito sulla bocca di tutta Messina. Da capomatina i cordoglianti avevano invaso la casa – le visite di lutto non hanno orari prestabiliti. Primi tra tutti i creditori, che nel baciare la mano della maresciala alludevano al saldo, "quando Voscenza vuole, senza fretta", poi la parente padrona di casa, che tra un lagrimoso abbraccio e l'altro la rassicurò che avrebbe potuto continuare a occupare l'appartamento, non mancando di fare un vago accenno agli arretrati di affitto. Gli stessi parenti e amici sembravano impazienti che la famiglia se ne andasse da Messina, in cui il maresciallo era stato mandato nel 1825 da re Francesco I, appena asceso al trono, su sua espressa richiesta. Il barone di Solacio aveva incoraggiato la sorella ad andare a Napoli al più presto per chiedere al re una pensione di grazia. Senza perdere tempo, il generale del presidio, un quarantenne siciliano di natali inferiori ai Padellani che da tempo, nella speranza di promozione, aspettava che don Peppino si decidesse a lasciare l'esercito, volle dare alla marescialla l'avvertimento che da lui non avrebbe ricevuto alcun supporto: il giorno stesso richiamò in caserma l'attendente, il cocchiere e la carrozza assegnati al maresciallo, offrendo però per il funerale il miglior equipaggiamento da lutto a disposizione dell'esercito.

Allora donna Gesuela capì, e decise di andare all'attacco a Napoli: doveva partire immediatamente e con la salma, e mandò un messaggio ai parenti napoletani. Sarebbero arrivati allo scadere dei giorni di festa e le esequie solenni nella capitale avrebbero avuto la risonanza dovuta a un Padellani, ma soprattutto avrebbero reso il re o i suoi consiglieri più inclini ad aiutarla. Ottenere i permessi sanitari le fu facile perché l'anno prima, quando il re aveva regolato l'amministrazione di Messina, il candidato proposto e sostenuto dal marito era stato nominato presidente del senato; trovò anche un monaco basiliano di Alessandria che riuscì a imbalsamare la salma. Poi, con la celerità per la quale era nota, e con l'aiuto delle figlie maritate, organizzò la vendita del superfluo e degli effetti personali del marito e diede disposizioni per smontare casa; licenziò i domestici tranne Annuzza e Nora, la sua cameriera personale. Decise poi che Carmela e Annuzza sarebbero rimaste ospiti di Amalia, mentre Anna Carolina, Agata e Nora l'avrebbero accompagnata a Napoli.

La partenza era prevista per la sera del 20 settembre.

Disgrazia volle che quel giorno sul Tirreno ci fosse una violenta burrasca portata da un maestrale di forza 9/10 che i messinesi interpretarono come presagio di altre scosse di terremoto. Il mare era una massa di onde schiumanti che si frangevano con forza brutale sulle rare imbarcazioni alla ricerca di riparo nel porto più vicino. Don Totò era tornato dal porto con la cattiva nuova che sarebbe salpato, nel pomeriggio, un solo vapore di bandiera inglese, e questo soltanto perché il capitano James Garson, il figlio dell'armatore, voleva a tutti i costi rivedere la fidanzata che lo aspettava a Napoli. "Un bastimento specialissimo," disse, "alla bonanima del maresciallo ci fussi piaciutu assai." I cognati presero informazioni e risultò che i Garson erano amici dei principi Padellani. A quel punto, donna Gesuela non ebbe dubbi: quella nave andava bene per loro.

Agata non si era staccata dal catafalco del padre durante

le lunghe ore dell'esposizione nel salone grande. Sciattamente vestita di scuro e desolata, sedeva accanto al feretro al posto della madre, presa dagli altri obblighi. La gente commentava il suo pallore e gli occhi gonfi con un fare che rasentava quasi la derisione. Agata aveva paura del futuro – le ultime parole del padre le rombavano in testa. Per lei, la partenza per Napoli era il segno che il suo amore con Giacomo non sarebbe sopravvissuto.

Pioveva e il vento tirava forte. Militari, parenti, amici e persone di casa avevano accompagnato le Padellani al porto di Messina. Salvo Bonajuto, il marito di Giulia, la quarta figlia, dirigeva un'agenzia marittima e le aveva rassicurate: sarebbero salpate in un vapore moderno e straordinario – il migliore della flotta mediterranea dei Garson. Oltre alle due potentissime ruote azionate da una macchina a vapore, era armato a brigantino con due alberi a vele quadre con randa al terzo albero. Portava passeggeri e andava a velocità impensabile; con il tempo buono avrebbe raggiunto Napoli in trentasei ore.

Salvo Bonajuto s'era occupato delle formalità d'imbarco della marescialla. I bagagli e la salma erano già a bordo; James Garson era venuto a fare le condoglianze alla marescialla e le aveva ceduto la propria cabina. Un atto di rispetto, di pietà e anche pratico: soltanto lì c'era abbastanza spazio per le passeggere di riguardo e la bara.

Il gruppo stremato di cordoglianti attendeva la chiamata d'imbarco nella sala d'aspetto piena di una folla di impiegati portuali, che, non avendo da lavorare, vi aveva cercato scampo dal maltempo. Il loro sudore, inasprito ed esaltato dal vapore del locale chiuso, pizzicava le narici schifiltose di Giacomo, schiacciato contro una finestra. La baldanza e la parlantina con cui nascondeva la propria insicurezza l'avevano abbandonato; sbirciò le Padellani a lungo, prima di farsi strada tra quegli uomini e il loro afrore. Giacomo porse le condoglianze a donna Gesuela; quindi le chiese il permesso di parlare ad Agata, che era in disparte con le sorelle maritate. Presa in contropiede, e forse commossa dalla sollecitudine del giovane, la marescialla glielo accordò.

Si appartarono accanto alla grande portafinestra. Sotto la luce opaca che entrava dai vetri colpiti da scrosci di acqua e stipati tra gli umidi portuali, gli innamorati non aprirono bocca: comunicavano col muto linguaggio dei sentimenti. Agata, di profilo davanti alla vetrata, vi si appoggiava con la spalla sinistra e premeva la mano aperta contro il vetro, come se cercasse di allontanarsene o di appoggiarvisi. Il tremolio di palma e dita a ogni battito di ciglia sugli occhi molli di Giacomo tradiva la sua emozione. Lui le bisbigliò l'esito negativo dell'incontro tra nonno e madre, e mentre le parlava, Agata posò il capo sul vetro, calò gli occhi e non li sollevò più. Giacomo incespicava nelle parole, temeva che lei svenisse. Poi vide la mano di Agata spuntare dalla mantellina e gliela prese. La marescialla li aveva seguiti con occhi duri. "Agata! Il figlio del proprietario del vapore è venuto! Dobbiamo imbarcarci, vieni!" Una stretta di dita, un'ultima taliata e gli innamorati si lasciarono, promettendosi di rivedersi a Napoli.

Nel cielo, una moltitudine di temporali, fulmini, pioggia violenta. Il vapore, lasciato lo Stretto, procedeva a bassa velocità, beccheggiando per il forte rollio. La visibilità era ridotta e dell'isola si vedeva, intermittentemente, il livido bagliore del faro e null'altro.

Le donne erano in cabina. Anna Carolina e la madre, afflitte dal mal di mare e impaurite, si erano rincantucciate nella cuccetta del capitano. Abbracciate, mormoravano scongiuri e preghiere a san Cristoforo, tra lamenti e conati di vomito.

Nora, che non aveva mai lasciato la terraferma, stoicamente, faceva il proprio dovere come se nulla fosse. Inginocchiata accanto alla bara, pregava san Nicola di Bari e l'Assunta e dava loro una lista di tutti i cataclismi che si erano abbattuti su Messina e di cui lei poteva dare testimonianza – il nubifragio del '24, l'invasione delle cavallette del '31, il colera del '36 e quello peggiore del '37, e l'ultima, modesta scossa di terremoto – per persuaderli a intercedere presso il Signore e concedere al defunto maresciallo una tranquilla traversata alla sua città natale. Ma il santo e la Vergine non si erano smossi, e Nora si era rassegnata a recitare le giaculatorie funebri e a continuare da sola la veglia alla salma. Si interruppe soltanto quando i cavalloni sballottarono la nave talmente forte da far scivolare la bara sul pavimento, proprio come la Vara dell'Assunta; allora, offesa, puntellò il maresciallo con tutti i bagagli vicini e poi riprese la veglia funebre. Resse fino all'ora di pranzo, per ottemperare al suo altro dovere: nutrire le padrone. Un baule era stipato di provviste. Oltre ai dolci del consolo – pignoccata bianca e nera, biscotti a riccio, olivelle di pasta reale – e al cibo per la traversata – cotolette, arancine, pane, frutta e verdura –, c'erano scatoloni di dolci delle Cappuccinelle e forme di pecorino stagionato da regalare ai parenti. Ma le padrone non vollero saperne nemmeno di uno spuntino. Contrariata, Nora mangiò qualcosa e poi tornò alle sue giaculatorie.

Da quando avevano lasciato il porto, Agata, in piedi contro la porta, aveva osservato dall'oblò l'infuriare del temporale, senza sentire stanchezza, fame, sonno. Il vapore bordeggiava, seguendo una rotta a zigzag e a velatura ridotta, per risalire il vento. Si era avvicinato alle isole Eolie; Agata conosceva soltanto Lipari e con un pizzico di immaginazione ne individuò il castello. Al largo di Stromboli fece un'altra virata; nel buio della notte flagellata da sbruffi di vento e scrosci di pioggia, le eruzioni del vulcano sembravano minacciosi fuochi d'artificio. Il vapore rallentò, poi, tutto a un tratto, virò di nuovo e si diresse verso la costa della Calabria; man mano che si avvicinava all'Italia la tempesta sembrava placarsi.

Dopo l'incontro con Giacomo, la madre si era dimostrata particolarmente sollecita e affettuosa con Anna Carolina e perfino con Nora, ma non con lei – non le aveva rivolto la parola. Agata sentiva fortissima la mancanza del padre. Dal rimpianto passò al compiangere la malasorte che le era toccata, poi al desiderio di essere di nuovo assieme al padre; da lì, il passo a voler morire fu breve. Lo voleva con tutte le sue forze. Come la biscia si stacca dalla propria pelle, così lei si sentiva strisciare fuori dal proprio corpo e, tramutata in venticello leggero, salire nel cielo verso il padre. Gli occhi incollati sulla poppa non vedevano più. Non una lagrima. Non un pensiero per Dio, in Agata, allora. Era tutta spirito.

Il nero della notte fu squarciato dai lampi. Infuriava il maestrale. Di nuovo il vapore era sbattuto a destra e a manca da onde rabbiose. Addormentata sulla seggiola accanto alla bara, la testa ciondoloni, Nora russava; le altre due sonnecchiavano tra i gemiti, Anna Carolina rannicchiata contro la madre.

A oriente apparve un'alba sbiadita. Il maltempo cominciava a placarsi. Agata non si era mossa dall'oblò. Seguiva distratta il lavoro dei marinai e ascoltava gli ordini del capitano, sul ponte alle sue spalle. Il mare era cosparso di schiuma grigiastra. La cabina puzzava di cacio e vomito, e lei aprì la porta. La pioggia rimbalzava leggera sulle travi di legno come in un ballo. E, leggere come le gocce di pioggia, le lagrime trattenute sgorgavano dagli occhi di Agata. Più piangeva, più il cielo si incendiava, e più lei si risollevava. Senza accorgersene, Agata mormorava i versi della canzone che avevano cantato nel giardino di Amalia:

"*'Oranges and lemons,' say the bells of St Clement's.*
'You owe me five farthings,' say the bells of St Martin's".

Le nuvole diradavano; quelle rimaste correvano a ricomporsi a occidente. L'aria era tiepida. Agata era all'aperto, appiattita contro la porta della cabina, tormentava le frange dello scialle. Il nero del lutto e le profonde occhiaie bluastre che le segnavano il viso accentuavano la sua bellezza acerba. L'aureola di soffici firricchioccoli castani attorno alla fronte e il contrasto con le grosse trecce che poggiavano lucide sulle spalle richiamavano la sensualità della madre da giovane. I marinai le lanciavano taliate di sottecchi – quelle di un giovane, più lunghe. Anche James Garson la guardava, era interessato alle sue mani, piccole e venate di blu. Le aveva notate al porto; lui aspettava il capitano del brigantino per essere presentato alle Padellani e dal molo guardava la sala d'aspetto. Distingueva soltanto ombre, tranne quella mano fremente attaccata alla vetrata imperlata di vapore. Gli aveva trasmesso un senso di disagio, confermato poco dopo quando la giovane aveva appoggiato spalla e testa, rivelando, attraverso il vetro pulito dalla propria mano, un profilo minuto privo di sorriso. La riconobbe soltanto allora, dalle mani. La brezza era pungente; Agata, come gli altri, aveva lo sguardo fisso a oriente e teneva fermo lo scialle con le braccia incrociate sul seno. Le dita affusolate strofinavano il tessuto come se volesse accarezzarsi.

Un bagliore colpì il mare: l'annuncio del sole. Tutti gli occhi erano puntati sulla linea dell'orizzonte.

Poi, una voce:

"*'When will you pay me?' say the bells of Old Bailey.*
'When I grow rich,' say the bells of Shoreditch'".

Agata aveva alzato impercettibilmente il tono e cantava davvero. Nessuno sembrò notarlo.

"È il momento più bello della giornata," disse lui, in inglese, e si girò verso di lei. Agata sembrava voler seguire il sorgere del sole e non gli fece caso. James Garson si rimproverò per le proprie cattive maniere e ricordò che, quando era stato presentato alle viaggiatrici, aveva offerto le condoglianze alla marescialla ma non ad Agata – era rimasto ammutolito dalla palese infelicità di quegli occhi orientali. Si affrettò a porgerle le condoglianze, aggiungendo che da bambino aveva conosciuto il fratello maggiore del maresciallo. Compita, Agata le accettò e ringraziò per l'ospitalità. Poi, una pausa. "Lei ci ha ceduto la cabina e non ha dormito tutta la notte, vero?" gli chiese, e sciolse le braccia incrociate.

"Non avrei dormito in ogni caso, con quella tempesta. Mi dispiace che la cabina non abbia comodità adeguate al vostro casato e al lusso a cui lei è abituata." L'inglese aveva cercato di introdurre nella conversazione una nota di leggerezza, ma Agata non volle raccoglierla, anzi, lo corresse: "Noi non siamo ricche". Lui la fissava perplesso, non capiva. "Tutt'altro. Siamo povere," ribadì lei, e gli piantò addosso gli occhi – un triste sguardo di sfida. Non sapendo che dire, mormorò: "I Padellani sono una grande famiglia napoletana," e non distolse gli occhi da lei: aspettava una risposta, che venne. Agata credette di riconoscere sincera compassione nello straniero e, sciogliendo ogni riserva, parlò dell'adorato padre, figlio cadetto, del disagio economico sofferto dalla famiglia per racimolare la dote delle sorelle, dell'opposizione dei Lepre al suo amore per Giacomo e del disperato tentativo del vecchio notaio di chiedere la sua mano, e perfino dello sprezzante rifiuto di sua madre. "Siamo davvero povere," ripeté con semplicità, e aggiunse: "La povertà non mi farebbe paura se avessi dei libri: potrei leggere e imparare e poi impiegarmi come istitutrice, è un bel lavoro".

"Libri?"

"Mia madre ha messo in vendita i libri di mio padre che possono trovare un acquirente. Ce n'erano tanti altri, che però lui non aveva denunciato, come prevede la legge di re Francesco I, e quelli devono essere distrutti, altrimenti pagheremo grosse multe. Io ne ho nascosti alcuni nel mio baule, ma pochi. Avrei dovuto prenderne altri." Si guardava in giro sconsolata, e aggiunse: "Tutti i libri inglesi sono rimasti a casa, da vendere". Tacque, finalmente conscia della propria impudenza, e cercò di riportare la conversazione al tono salottiero: "Lei dev'essere molto contento, tra poco vedrà l'oggetto del suo amore!".

"È vero, la mia fidanzata mi aspetta a Napoli..." Appoggiato al parapetto guardava il mare:

"If ever any beauty I did see,
Which I desir'd and got, t'was but a dreame of thee.

And now good morrow to our waking soules,
Which watch not one another out of feare;
For love, all love of other sights controules,
And makes one little roome, an every where...".

Agata aveva un udito finissimo. Amore. Era proprio quello a cui aveva pensato tutta la notte. Credeva di averlo capito, l'amore: sentirsi tutt'uno e volere la felicità dell'amato, più della propria. E guardava il mare, tutto un luccichio di onde carezzate dai raggi radenti; poi il suo sguardo vagante cadde sui capelli biondi e sulla silhouette muscolosa dell'inglese, che, come lei, era rivolto al nascere del giorno.

Una palla arancione era sospesa sul filo dell'orizzonte: il sole, intero, splendeva glorioso su un mare finalmente azzurro. Agata si schiuse in un lungo sorriso a labbra strette, e i loro sguardi si incrociarono. Poi un vociare gutturale: "Picchì grapisti 'sta porta, chiuìtila!". Nora si era svegliata e voleva conto e ragione da Agata della corrente che entrava dalla porta spalancata.

5.
Autunno a Napoli.
Le cocenti umiliazioni dei parenti poveri.
Agata non capisce cosa voglia sua madre da lei

In una giornata solatia, il vapore entrava lentamente nel porto di Napoli, diretto al molo angioino, e attraccò sotto la poderosa mole del castello voluto da Carlo d'Angiò. Aveva sostato a Sorrento e donna Gesuela, come d'accordo, aveva avvisato i Padellani del loro imminente arrivo. Anna Carolina piangeva in cabina, non avrebbe voluto lasciare Messina e aborriva Napoli. Agata, invece, ne aveva soltanto bei ricordi. C'era andata la prima volta all'età di quattro anni, nel 1830, per la morte di Francesco I, che il padre chiamava "re galantuomo". Ricordava l'atmosfera magica del golfo, i tetti, le cupole e i campanili che ingrandivano dinanzi ai suoi occhi mentre il veliero si avvicinava alla capitale del regno, spinto dal vento. "Questo re buonanima ha avuto il coraggio di mandar via l'esercito austriaco, che a caro prezzo era qui per 'proteggere' il regno mentre in realtà aveva soltanto alienato i regnicoli. Da allora l'esercito napoletano," e il padre si era battuto il petto, orgoglioso, "protegge lo stato meglio di quelli." Poi, con uno sguardo malizioso, aveva aggiunto, a bassa voce: "E con l'aiuto di qualche migliaio di svizzeri! Vediamo che farà, 'sto re bambino!".

L'accoglienza dei parenti Padellani commosse donna Gesuela e lasciò le figlie attonite. Un sontuoso carro funebre attendeva la bara sul molo, con la guardia militare in pompa magna. C'erano tutti: Sandra, la terza sorella maggiore di Agata, col marito Tommaso Aviello, le tre zie accasate con figli e mariti e il cugino Michele, il principe Padellani, con la moglie Ortensia; al braccio, la zia Orsola, la principessa vedova, madrina di Agata. La zia Orsola abbracciò madre e figlie e annunciò che avrebbero alloggiato nel suo appartamento a palazzo Padellani. Dopo la funzione religiosa, officiata dal cardinale di Napoli, Vincenzo Padellani, cugino primo del padre, il corteo funebre aveva fatto una deviazione per passare sotto le alte mura del monastero di San Giorgio Stilita, dove vivevano due zie monache, al secolo Antonina e Violante, ora rispettivamente donna Maria Brigida e donna Maria Crocifissa, la badessa. Agata aveva rivisto o conosciuto altri zii e cugini Padellani, e aveva scambiato qualche timida parola con Sua Eminenza il cardinale, che aveva chiesto espressamente un colloquio con lei. Era un bell'uomo di mezza età dai capelli corvini, imponente nell'abito porpora; l'aveva squadrata da capo a piedi e, dopo averla interrogata, aveva promesso di trovarle un bravo confessore.

Donna Gesuela, coinvolta dalle visite del cordoglio e da altre incombenze, vide poco le figlie. Benché tesa e priva di verve, non si lasciava andare: portava le gramaglie quasi con vezzosa eleganza e usciva accompagnata ora da un parente, ora da un altro, per discutere di affari e pietire udienza dal nuovo re. Agata cominciava a capire che il re in cui molti riponevano le loro speranze, e di cui si parlava come di un uomo benevolo e modernizzatore, era in realtà un recluso bigotto, distante dal popolo e dall'aristocrazia. Per avvicinarlo bisognava superare un filtro odioso di ciambellani, cortigiani, maggiordomi. La madre tornava sempre a mani vuote, senza grazia e nemmeno pensione. Le sorelle rimanevano spesso sole, in casa della zia. Anna Carolina lo preferiva, in quanto era restia a socializzare con le cugine e quasi non apriva bocca, memore di essere stata presa in giro, l'ultima volta, per il suo accento siciliano. Agata, invece, aveva legato molto con la zia Orsola e gradiva la compagnia delle sue pari, ma non voleva lasciare sola la sorella. Non aveva complessi sul suo napoletano, che parlava bene, seppur con accento messinese: era la figlia che chiacchierava di più col padre, che non aveva mai voluto imparare il siciliano.

Alla fine della seconda settimana, la zia Orsola fece capire alla cognata che non potevano rimanere ancora ospiti al palazzo. Il piano nobile, dove lei era sempre vissuta, era adesso occupato dalla famiglia del figliastro e lei si sentiva esiliata nell'appartamento al secondo piano, dove sosteneva di non avere spazio per loro, non in pianta stabile. Ma di spazio ce n'era tanto, secondo Agata – la zia semplicemente non le voleva in casa: erano le parenti povere, e dunque motivo di imbarazzo.

A metà ottobre 1839, le Padellani andarono a vivere in un appartamento all'ultimo piano di palazzo Tozzi, sopra il cornicione e proprio sotto i tetti, affittato loro dalla zia, Clementina Padellani, e dal marito, marchese Tozzi, che occupavano il piano nobile con le figlie, Eleonora e Severina, coetanee di Anna Carolina e Agata. Era piccolo e malridotto, ma la pigione era bassa e donna Gesuela lo prese volentieri.

Palazzo Tozzi era enorme. L'androne era grande quanto una cattedrale e necessitava di due portieri, tanta era la gente che andava e veniva. Non c'erano le belle terrazze di Messina, con la vista sullo Stretto e sulla lontana Calabria, però la terrazza del piano nobile, che apriva sul vasto cortile interno, era luminosa e ricca di piante rampicanti. Sul cortile aprivano una quantità di scale: in fondo quella padronale a tenaglia – di marmo bianco e sfarzosa –, poi altre due, larghe e con la ringhiera di marmo, che sembravano scale padronali di Messina, altre ancora, modeste e quasi nascoste, per la servitù o per gli appartamenti come il loro. Proprio ai piedi della scala che portava al loro appartamento c'era un albero di camelia a forma di uovo allungato, dalle foglie carnose e lucidissime, che la nascondeva da tutti. Il capo portiere aveva preso in simpatia Nora e le aveva spiegato che il vecchio marchese Tozzi aveva ricavato quell'appartamento dai tetti morti e prendendo una stanza da casa sua per una femmena che l'aveva ammaliato e che da vedovo s'era portata a palazzo e aveva sistemata lì. Questa gli aveva fatto due figlie. Lui ci andava a mangiare a mezzogiorno, per questo c'erano quella bella cucina e il bel salotto – le stanzette delle donne erano, invece, come quelle dei bassi. Quella femmena lo teneva legato a sé con la magia del cibo. Le sue minestre erano le migliori di Napoli. Quando morì, l'appartamento fu dato alle vedove e alle zitelle antipatiche: era tanto in alto che era difficile andarci e quelle ci morivano sole e dimenticate.

Le stanze, tranne la cucina, davano su un angusto cortile interno ed erano buie. Nora dormiva in cucina, e la sala da pranzo fungeva anche da camera da letto di Agata. Nel salotto, grande e ben ammobiliato, c'era una finestra interna che apriva su un pozzo di luce stretto, collegato attraverso misteriosi cunicoli al coro del monastero delle clarisse, adiacente al palazzo. Da lì saliva il canto melodioso delle monache.

Nell'insieme, le tre donne erano soddisfatte di quella sistemazione indipendente. All'inizio l'ospitalità dei Padellani era stata affettuosa ma invadente. La famiglia si era comportata in modo impeccabile al funerale e per il breve periodo delle visite di lutto a palazzo. Poi però, a uno a uno, i parenti si erano diradati e non avevano offerto conforto, né aiuto, a Gesuela, che aveva dovuto arrabattarsi da sola alla ricerca di una pensione di grazia da parte del re. Le visite delle cugine erano meno frequenti e gli inviti al piano nobile di palazzo Tozzi una rarità; Agata aveva la chiara percezione che anche lì erano trattate come parenti di ingombro. Nessuno aveva offerto nulla. Le zie monache, sorelle minori del padre, erano state particolarmente affettuose ma anche quelle, seppur con ricca dote, elargivano soltanto preghiere e dolcini.

Cominciò a frequentare casa loro il fratello della zia Orsola, l'ammiraglio Pietraperciata. Veniva tutto allicchettato a giocare a scopone con donna Gesuela nel tardo pomeriggio. Nonostante lei lo invitasse a cena l'ammiraglio rifiutava, sapendo che l'invito era fatto per educazione. Prima che lui venisse, donna Gesuela si schiariva il volto con la polvere di riso e si aggiustava i riccioli sotto la cuffia vedovile; faceva di tutto per intrattenerlo, e gli faceva trovare la cioccolata calda e i biscottini di semola e farina di mandorle che Nora cuoceva in una scatola di ferro poggiata sulla brace che lei chiamava forno, a cui lui non sapeva resistere. Ogni tanto Agata aveva il permesso di stare in salotto, ma capiva che la sua presenza non era gradita e allora se ne andava; eppure l'ammiraglio si interessava a lei e le prestava dei libri; una volta gliene aveva portato uno, da parte di James Garson: *Pride and Prejudice*. Agata, colta di sorpresa, non sapeva cosa fare. La madre le spiegò che i Garson erano vecchi amici della famiglia di zia Orsola e la esortò ad accettare il regalo.

Le figlie erano abituate ai repentini cambiamenti d'umore materni; ma dopo il funerale questi erano diventati estremi. Donna Gesuela era malinconica e a volte prendeva decisioni irrazionali e contraddittorie. Usciva mattina e pomeriggio, senza dire dove andasse; tornava stanca e ogni sera, dopo cena, sorseggiava un amaro. Aspettando l'erutto liberatorio, ripeteva la stessa storia: "Nessuna pensione e nessun aiuto da tutta 'sta gente che vostro padre intratteneva come se fossero reali, quando eravamo ricchi. Sono ingrati, questi napoletani!". Era difficile confortarla. Anna Carolina non ci tentava nemmeno: aveva il pianto in pizzo e passava il tempo a ricamarsi le lenzuola di corredo, sospirando. Agata avrebbe voluto abbracciare la madre, offrirsi di aiutarla, perfino cercare un lavoro, ma aveva paura di essere respinta. E come la sorella, ascoltava e stava zitta. Agata leggeva molto e studiava sui libri di scuola che si era portata. Conosceva pochi romanzi, perché la gran parte dei libri di casa appartenevano al padre, al quale i romanzi non piacevano. Rimase incantata dalla famiglia Bennet.

Le due ragazze stavano molto sole. Quando le cugine Tozzi invitavano Agata al piano nobile, lei vi andava contenta. Insieme si divertivano, anche se, su ordine della madre, per il lutto lei doveva essere esclusa non soltanto dai ricevimenti ma anche dalle visite delle amiche. Agata allora seguiva da dietro le quinte l'andirivieni del palazzo.

Anna Carolina, oltre a ricamare, incontrava una cugina sua coetanea, anch'essa promessa sposa. Insieme, non facevano che sdilinquire sui rispettivi fidanzati. Anche Agata pensava a Giacomo, di cui non aveva nessuna notizia, ma non ne parlava. L'unica con cui avrebbe desiderato parlarne era Sandra, a cui era legata, ma che vedeva raramente perché Tommaso Aviello – avvocato di successo malvisto dai parenti Padellani in quanto non nobile e carbonaro – non era gradito alla madre. In quel periodo donna Gesuela non le permetteva di frequentarla, per un disaccordo con il genero. Quando Agata finiva le sue cose andava ad aiutare Nora – che ne aveva bisogno, oberata com'era dai lavori. La madre la lasciava fare, ma le aveva dato ordine di non far sapere né vedere ad altri che una Padellani faceva da serva in casa.

Quando ne aveva il permesso, Agata usciva a fare compere, anche da sola, senza allontanarsi troppo dal palazzo. Le strade di Napoli erano rumorose e il traffico frenetico: lei sarebbe stata paga e contenta di ritornare a vivere nella sua amata città.

Un giorno la madre ricevette una lettera dal cavalier Carnevale, a cui aveva scritto spiegando le difficoltà economiche e suggerendo che la dote di Anna Carolina fosse pagata in rate annuali. La risposta era arrivata celere e chiara: la dote doveva essere versata prima delle nozze, come concordato col maresciallo. Fu una giornata nera. Anna Carolina ebbe una delle sue crisi di nervi; poi, piangente e accaldata, si accasciò sul letto e dovette essere sventolata a lungo da Nora. La madre rimase a osservarle per un po', pensierosa; dopo di che si vestì per bene e uscì.

Nei giorni seguenti si comportò nello stesso modo: ogni mattina usciva e spesso rimaneva fuori anche per il pranzo. Tornava stanca, sprofondava nella poltrona e si allentava la cintura, lamentandosi di non poterne più di tutti quei pranzi che la facevano ingrassare, mentre lei si sentiva digiuna di dentro. Cercava aiuti per pagare la dote della figlia, quelli a cui li chiedeva si mostravano compenetrati e poi le offrivano da mangiare e basta! Agata penava per lei, ma la madre la evitava. Nel frattempo, Eleonora e Severina, al corrente delle difficoltà per la dote, torturavano Anna Carolina domandandole la data delle nozze. Quella, ancora più isterica, si rifiutava di uscire e di vederle. Le cugine allora presero a invitare Agata in casa loro.

All'improvviso, e senza alcuna spiegazione, la madre permise alle figlie di frequentare gli Aviello. Ventenne e maritata da sei anni, Sandra era la sorella più simile ad Agata; non aveva figli e aiutava Tommaso nel suo lavoro di avvocato. Erano unitissimi. Vivevano in uno spazioso appartamento, dove Tommaso aveva il suo studio legale, in un palazzo nel quartiere San Lorenzo, abitato da professionisti. Ogni stanza aveva librerie o scaffali pieni di libri; Sandra prestava ad Agata romanzi moderni, racconti di fantasmi, storie di odi e di amori cruenti e romantici che le davano i brividi; il cognato la incoraggiava a completare la propria istruzione e le illustrava la sua visione del futuro. La esaltava la carboneria così come gliela raccontava Tommaso. Nata tra gli ufficiali e i soldati dell'esercito durante gli ultimi anni del regime di Murat, in reazione al disprezzo dei commilitoni francesi che beffavano i napoletani chiamandoli *italiani* e *codardi*, era una società segreta e aveva come primo obiettivo la creazione di una nazione italiana con un governo indipendente sotto una monarchia costituzionale.

Vi avevano aderito molti degli appartenenti alle classi sociali emarginate da Murat dalla vita politica, sociale e commerciale del regno, inclusa l'aristocrazia. "L'unificazione d'Italia dovrebbe avvenire sotto il nascere dal nostro regno, siamo il più grande stato italiano e Napoli è l'unica metropoli della penisola alla pari delle altre grandi città europee."

Tommaso aveva sbalzi di umore; quando era pessimista si lamentava dell'inconsistenza dei cinque grandi stati europei che incoraggiavano l'indipendenza della Grecia, ma non quella della Polonia. E di altro: la sperequazione di censo dei paesi industriali aumentava portando miseria, abbrutimento, malattie – come il colera, dilagato in tutta l'Europa – e malcontento. "Il popolo non accetta più di soffrire," declamava Tommaso, alzando la voce. Lui non ammirava per niente gli inglesi; la loro politica puntava al mantenimento dello status quo e a evitare che l'influenza francese tornasse a farsi sentire sulla penisola. Il re, timoroso e sospettoso sia degli inglesi che dei francesi, tendeva all'isolazionismo, ma questo non era più possibile: ben presto le ferrovie, le navi a vapore e la nuova invenzione, il telegrafo, avrebbero permesso a persone e idee di attraversare il mondo con una velocità incredibile. Il re aveva il merito di aver rafforzato l'amministrazione, le industrie e l'economia del regno ma era dispotico; la polizia aveva enormi poteri e il popolo senza libertà era irrequieto. Tommaso, poi, diventava ottimista: la rivolta del popolo non si sarebbe fatta aspettare e lui si sarebbe dedicato all'unità d'Italia anima e corpo.

In casa Aviello c'erano spesso ospiti a pranzo, e si discuteva, oltre che di politica, delle arti e di letteratura; Sandra partecipava alla conversazione da pari. Agata si rendeva conto che la sorella era felice, anche se di figli non c'era l'ombra, e si consolava pensando che anche lei, se non si fosse sposata, sarebbe riuscita ad avere una vita sua. Credeva che col tempo ci sarebbe stato un mondo nuovo in cui regnavano uguaglianza e rispetto.

Un pomeriggio Agata annaffiava le graste di rosmarino e di prezzemolo sul balconcino della cucina, sopra il cornicione di palazzo Tozzi. Si attardava come sempre per godersi il panorama della città dall'alto: tetti di palazzi, chiese e conventi parevano appiccicati uno all'altro, tanto alti erano quelli e tanto strette le strade. Dal basso saliva confuso il rumore della città – voci, canti, nitriti, urla. Quel giorno il vento portava il profumo dei giardini di chiostri invisibili e increspava il mare turchino, lontano, in onde dal bordo schiumoso. Agata scorse al di là della strada, un po' più sulla sinistra e su un altro sottotetto un balcone aperto: da lì sbucò Giacomo. E rimase incantata – l'acqua dell'annaffiatoio aveva allagato il vaso ed era traboccata gocciolandole sui piedi. Non potevano sentire le rispettive voci, erano troppo lontani. Riprendendo il loro linguaggio di gesti, lui le fece capire che studiava all'università e che le avrebbe lasciato un biglietto in portineria.

Il capo portiere del palazzo si dava grande importanza, e meritatamente. Era lui che controllava i movimenti degli inquilini – chiamando le vetture d'affitto – e anche la loro vita; faceva da postino e accettava consegne e i pacchi della spesa. A Messina la spesa si faceva calando il paniere dal balcone, ma a Napoli questo accadeva solo nei quartieri popolari. I palazzi erano altissimi e la spesa veniva depositata in portineria: lui frugava nei cesti, apriva i pacchi e rubacchiava. Avendo preso in simpatia Nora, toglieva dalla spesa degli altri frutta, verdura, pugni di spaghetti e glieli passava furtivamente dicendo: "Tenete, tenete... mangiate, quelli non se ne accorgono".

Agata temeva che se avesse preso Giacomo in antipatia non le avrebbe dato i suoi messaggi, ma non fu così. Quando lei uscì, quello la chiamò al passaggio: "Questo è per voi!", e le fece l'occhiolino.

Da allora Agata prese a sorridere per un nonnulla e divenne davvero bella – gli abiti scuri esaltavano la sua carnagione chiara e la sua felicità. Giacomo le scriveva molto e spesso, ma non si erano ancora incontrati. Lei temeva la reazione della madre e passava i pomeriggi al balcone, col libro in mano. Anche lui, al suo balcone, leggeva e studiava. Poi uno alzava gli occhi, l'altro rispondeva e si sorridevano. Quando la madre venne a saperlo, non sembrò seccata. Le chiese se Giacomo aveva intenzioni serie e se c'erano stati cambiamenti, e pian piano cominciò a raddolcirsi. Un giorno lui si presentò in portineria per una visita a sorpresa e la madre lo fece salire. Agata era rimasta in camera, impaurita, ma Gesuela la chiamò, sorridente: Giacomo le aveva assicurato che questa volta sarebbe riuscito a ottenere il consenso dei genitori. Lei gli aveva dato tempo fino a gennaio per persuadere la famiglia e nel frattempo se l'era messo in casa. Era la felicità per Agata.

Nonostante il permesso della madre i giovani si incontrarono due volte soltanto prima del ritorno di Giacomo a Messina, perché da allora – senza dubbio intenzionalmente – donna Gesuela non fece che dare compiti ad Agata e portarla con sé quando usciva. Lui parlava, parlava, parlava e sembrava non volerla toccare; perdutamente innamorata, lei invece si scioglieva tutta di dentro per una carezza – ma Giacomo non volle mai esserle vicino come alla festa dell'Assunta.

Da quando Giacomo era partito, Agata non gradiva più stare a casa – tutto le ricordava lui – e andava in visita dalla zia Orsola. Facevano il tombolo insieme e chiacchieravano; altre volte Agata rimaneva a leggere da sola, mentre la zia si occupava delle sue cose.

Un pomeriggio la zia giocava a carte; Agata entrò nella sala da gioco per portarle la matita che la zia Orsola credeva di aver perso – era il suo amuleto. I giocatori erano uomini e donne di famiglia e due stranieri, un anziano gentiluomo e James Garson, che era al tavolo della zia. Agata non si era aspettata di vedere così tanta gente e si fermò sulla soglia. La zia la incoraggiò a raggiungerli al tavolo. Sospesero il gioco per le presentazioni: la padrona di casa spiegò che il padre e lo zio di Garson, facoltosi armatori e uomini d'affari legati ai banchieri Rothschild, da due generazioni avevano casa a Napoli; erano amici di famiglia e grandi giocatori di carte, come James, "che non rifiuta di giocare con anziane signore come me," concluse civettuola.

"Grazie del libro inviatomi tramite l'ammiraglio, avrei dovuto ringraziarla per iscritto..." Agata era imbarazzata.

"L'ammiraglio le avrà certamente detto che non c'era alcun bisogno di rispondermi, ero in partenza per Londra," fece lui, e aggiunse: "Le è piaciuto?". E le piantò addosso gli occhi chiari dalle ciglia di paglia.

"L'ho letto tutto di un fiato, a dire il vero." Agata si era fermata, di nuovo imbarazzata.

"Ha altro da leggere?" James non la lasciava andare e la ascoltava attento. Si offrì di mandarle altri romanzi inglesi. "Non c'e bisogno di ringraziarmi, non è un disturbo. Li spedisco regolarmente a mia sorella, che è in collegio; darò ordine al libraio di mandarne anche a lei."

Da allora e fino a quando Agata rimase con la madre a Napoli le arrivavano libri avvolti in una bella carta marrone che lei poi tagliava in rettangoli e stirava per dipingervi ad acquerello. Mai un messaggio da James; lei sapeva da chi venivano e scriveva un biglietto di ringraziamento al mittente – la libreria Detken – in cui raccontava ciò che pensava di quel che aveva letto. Pochi giorni dopo riceveva un altro pacco.

6.
Inverno 1840.
Gli ultimi mesi di speranza

Il Natale del 1839 fu triste. Madre e figlie sentivano la mancanza delle sorelle in Sicilia. Le lettere da Messina erano strazianti: mobili e suppellettili erano stati svenduti; Carmela penava per la madre, il figlio maggiore di Amalia era malato e il matrimonio di Anna Carolina era tuttora in bilico perché i denari della dote non erano stati ancora racimolati. Con la scusa del lutto, i parenti Padellani avevano escluso "le siciliane" – come le chiamavano – dalle celebrazioni del Natale. Anche la zia Orsola, normalmente sollecita e affettuosa, le evitava. Come a Messina, la gente chiedeva alle Padellani quando avrebbero lasciato Napoli. La madre aveva dovuto contrarre debiti e temeva le richieste di pagamento dai creditori; eppure, quando c'erano visite Nora, rivelatasi brava cuoca, riusciva a preparare pasti gustosi col poco che c'era e con quanto le dava il portiere. Davanti agli estranei donna Gesuela dava l'impressione di largheggiare. Anna Carolina e Agata ebbero ordine di non andare ad alcun ricevimento di famiglia, semmai vi fossero state invitate, e nemmeno alle novene negli oratori alla moda, per paura che i Carnevale, bigotti e formali, potessero criticare Anna Carolina e rifiutarsi di onorare l'impegno preso.

Nell'Avvento e nel Natale, Napoli era in festa. I profumi dei dolci – zenzero, cannella, chiodi di garofano, zucchero filato e caramellato, vaniglia, anice – si sentivano a distanza dalle pasticcerie e dai chioschi agli angoli delle strade. Ogni giorno c'erano processioni, feste religiose, esposizioni di reliquie e novene. Queste erano cantate dovunque e non soltanto davanti ai presepi – nelle chiese e negli oratori, per strada davanti alle edicole religiose e perfino nei cortili dei palazzi nobiliari. Agata aveva seguito, su consiglio di padre Cuoco, la novena in siciliano del monastero di Palma di Montechiaro, cantata dalle benedettine di Donnalbina, e si era commossa al suono della sua lingua. Non c'era chiesa o casa patrizia senza il suo presepe di pastori grandi quanto un braccio, modellati come sculture, dagli abiti di cotone, seta, lana secondo il loro rango, con gioielli, cappelli, scarpe, guanti in miniatura, con animali di tutti i tipi, scenografie elaborate, grotte, montagne, fiumi, laghetti e un enorme cielo stellato con la cometa. Il presepe napoletano non si limitava alla Natività e alla visita dei Magi, ma includeva l'Annunciazione e scene laiche ambientate tra osterie, casali di campagna, cortili, greggi, che si fondevano col sacro in una napoletanità tutta particolare.

Ad Agata piaceva anche rimanere in casa e aprire la finestra interna del salotto per ascoltare i canti natalizi delle clarisse, o sedersi al balcone della cucina, mantellina sulle spalle e coperta sulle gambe, a leggere un libro col sottofondo dei suoni della strada – grida, stridere di ruote dei legni, nitriti di cavalli, musica di bande, novene e canti delle femmine dei bassi – che, affievoliti, si mescolavano salendo. In quei momenti, pensava a Giacomo.

Ormai Agata conosceva bene i parenti Padellani, incluse le monache: suor Maria Giulia al monastero di Donnalbina e le due a San Giorgio Stilita, donna Maria Crocifissa, la badessa, e donna Maria Brigida. I Padellani, come tutte le altre grandi famiglie dell'aristocrazia, avevano i "loro" conventi e monasteri preferiti in cui mandare i figli cadetti e le figlie non volute o di troppo – nonché i bastardi, come semplici servi, frati o converse. Quei monasteri sembravano regge. Tra le zie monache, suor Maria Giulia era la più simpatica, perché aveva lo stesso tono di voce del padre e le aveva confessato che, tra i parenti, quel fratello le era mancato più di tutti. Ogni volta che nel parlatorio lo ricordavano, la voce della zia cambiava, commossa; poi lei girava la ruota e da lì spuntava un altro dolcino o un altro biscotto per Agata, che trattava come una bambina. Ma anche la zia, più che sessantenne, si comportava come se non fosse mai cresciuta dalla tenera età in cui era entrata in convento.

Le altre due zie vivevano nel monastero più importante di Napoli, quello dell'alta aristocrazia, dove le monache coriste avevano il diritto di essere chiamate "donna", anziché "suora". Donna Maria Brigida non stava bene. La madre aveva detto ad Agata che la zia aveva avuto uno stinnicchio e per questo farfugliava e aveva bisogno di assistenza costante. La zia badessa aveva nei riguardi di Agata un atteggiamento materno e la intimidiva con le sue domande. Durante le visite alle zie, Agata assaporava l'arcano della religione e la familiarità della parentela di sangue. Le scale monumentali e la ricchezza delle decorazioni dei parlatori contrastavano con la devastante semplicità delle tre grate di ferro sovrapposte dietro le quali sedeva la zia monaca. Il poco che Agata vedeva attraverso le sbarre di ferro – squarci di candido velo e di scura cocolla, ritagli di pelle diafana, un angolo di labbro stretto, il brillio d'una pupilla curiosa – la stimolava al gioco di ricostruire occhi, bocca, naso e l'immagine intera della zia. Il parlare attraverso la grata le ricordava quello del confessionale: lei rispondeva con totale sincerità alla ruvida schiettezza delle monache. Le zie la tempestavano di domande su di lei e sulla famiglia e volevano che parlasse loro del padre. Agata lo descriveva alle sorelle per com'era stato: un anziano dalle idee moderne e non sempre conformiste, uno che leggeva libri stranieri; uno spendaccione, sin troppo generoso e propenso a contrarre debiti; un sostenitore della giustizia sociale; e un padre amoroso. Un uomo che si godeva la vita. Il maresciallo e la moglie non erano stati particolarmente religiosi, pur ottemperando come tutti gli altri alle pratiche di devozione, e quando non ebbero più i denari per pagare Miss Wainwright mandarono le figlie al meno costoso Collegio di Maria – creatura dell'Illuminismo francese, dov'era stata educata la madre –, escludendo di proposito gli educandati monacali.

Agata raccontò a suor Maria Giulia che il padre si vestiva in maschera ogni Carnevale e che l'anno prima di morire le aveva raccontato che, quando era stato gentiluomo di camera di Sua Maestà re Ferdinando I, loro due si travestivano da cuochi, cucinavano nelle reali cucine e si divertivano a vendere ai cortigiani quanto da loro cucinato. A quel punto credette di sentire un risolino sommesso e le parve di intravedere una mano diafana coprire la bocca ridente della giovinetta Teresa Padellani.

A fine gennaio giunse una buona notizia: a Messina, i generi di donna Gesuela erano riusciti a risolvere a suo favore una vertenza giudiziaria e avevano incassato dei denari – non molti ma abbastanza per pagare i creditori più pressanti. La madre commentò che era un buon segno e che l'avrebbe guidata nel prendere la giusta decisione su un'altra faccenda che la preoccupava, a cui non volle accennare. L'ammiraglio Pietraperciata, di ritorno da Lecce, dov'era andato per le feste di Natale, informò donna Gesuela di aver ottenuto un prestito per la dote di Anna Carolina, garantito dalla futura eredità di una comune parente pugliese – dunque le nozze si sarebbero celebrate entro l'anno. La madre puntò il dito su Agata e con una vocina dolce disse all'ammiraglio: "Anche con questa figliola che tanto mi assomiglia, dovete aiutarmi". Agata arrossì, tutta contenta – chiedeva aiuto per la sua dote, ne era certa, perché aveva appena ricevuto un biglietto da Giacomo, rimasto in Sicilia dopo le vacanze di Natale, in cui anticipava che sarebbe tornato a Napoli non appena il padre avesse fissato la data per l'acchianata.

Nel febbraio 1840 la madre decise di alleggerire il lutto delle figlie e permise ad Anna Carolina – ormai prossima alle nozze –, ma non ad Agata, di partecipare ai ricevimenti in casa Tozzi. Agata non se ne ebbe a male, certa che la madre stesse facendo del suo meglio per il suo fidanzamento. Un giorno, mentre erano a tavola, donna Gesuela annunciò che le nozze di Anna Carolina sarebbero state celebrate allo scadere dei sei mesi dalla morte del padre, e che poi lei sarebbe tornata a Messina. Agata si illuminò: il suo matrimonio sarebbe avvenuto in Sicilia. Fu tentata di domandarne conferma ma non osò: proprio in quel momento la madre le aveva lanciato una strana taliata. Desiderosa di festeggiare la propria intuizione, chiese di andare dalle cugine che ricevevano informalmente degli amici per una serata danzante – l'ultima prima della Quaresima –, e al sì distratto della madre, sicura di avere insertato, scappò a prepararsi.

Le cugine parlavano con entusiasmo della Reale Accademia di Musica e Ballo, creata qualche anno prima dal re. L'Accademia organizzava almeno una volta la settimana feste da ballo, concerti e spettacoli di dilettanti o di professionisti. Il re aveva assegnato loro l'uso del ridotto del San Carlo; il presidente era scelto tra i suoi gentiluomini di camera con esercizio e riceveva ordini soltanto da Sua Maestà e dal ministro dell'Interno. I soci dovevano appartenere alle famiglie nobili ammesse alle grandi feste del Real Palazzo, come i Padellani. Era un modo per soddisfare il desiderio di divertimento e cultura delle classi alte e insieme per controllarle, per rafforzare l'isolazionismo del governo, e anche per tenere lontani dal regno i fermenti politici e artistici dell'Europa contemporanea. Quel giorno le cugine ricevevano appunto gli amici dell'Accademia, per mostrare ai genitori quanto imparato, come se fosse un saggio.

Agata scese al piano nobile di primo pomeriggio per dare una mano nei preparativi; le aiutò a vestirsi, a truccarsi, a scegliere i gioielli da indossare, a controllare che i tavoli per i rinfreschi fossero stati allestiti come si deve e che ogni cosa fosse in ordine nei saloni. Era eccitata e non provava alcuna invidia. Si vergognava del proprio abbigliamento e pensò di non partecipare alla festa; il suo abito scuro stonava con quelli colorati delle altre ragazze e temeva di non saper ballare bene come loro. Gli invitati arrivavano ridenti; lei si teneva in disparte, e prima che si aprissero le danze prese posto nell'antica loggia dei musicanti, che, trasformata in alcova con tenda, veniva usata ogni Natale per un grandioso presepe meccanico con ruscelli e fontane di acqua corrente. Li ammirava beata. Le piaceva l'eleganza della gioventù napoletana, smaliziata e ben più disinvolta della messinese, e le piaceva pure vedere che c'erano tanti stranieri: ufficiali svizzeri dell'Arma del re e civili di varie nazionalità. I ragazzi dell'Accademia ballavano con maestria la quadriglia e le danze moderne, sotto gli sguardi severi della zia Clementina e del marito e di altre coppie di genitori che mal sopportavano la modernità ma, volendo maritare le figlie, non potevano andare totalmente controcorrente.

Trasportata dalla musica, Agata accennava i passi di ogni ballo e sognava del suo Giacomo. Ballavano un valzer. Agata sollevò le braccia come se abbracciasse un cavaliere invisibile, arcuò la schiena e sollevò il capo, mento in alto, spingendo indietro il piede sinistro per fare spazio al piede del suo cavaliere immaginario nel primo movimento del valzer. Faceva la pirouette, girava vorticosamente, la schiena sempre più arcuata, poi si rizzava e riprendeva il passo lento, tutta sorridente.

E così sorridente la vide James Garson, che, incuriosito dal tacchettio nell'alcova, era andato a spiare dietro la tenda. Agata si arrestò, confusa. Lui si insinuò nell'alcova e richiuse la tenda. Poi le cinse la vita, infilò la mano tra le sue dita e ripresero il ballo interrotto. Il piede di Agata, esitante, truzzò contro quello lungo di lui. Una volta sola. Poi ballarono lenti e all'unisono riuscendo perfino a piroettare in quello spazio angusto.

La musica era finita. "Grazie," le disse lui. Erano ancora in piedi e in posizione.

"Andate," rispose lei senza cercare di sciogliere le dita.

James sollevò la mano di lei e le sfiorò le nocche con un bacio leggerissimo. Poi si dileguò. Il pianista aveva ripreso a suonare e Agata continuò a ballare finché la serata non si concluse. Ballava con il suo Giacomo, con rinnovato trasporto.

Quella notte Agata ebbe il suo primo sogno carnale e vi si abbandonò.

7.

I preparativi per il matrimonio di Anna Carolina Padellani; Agata invece riceve una guantiera dei dolci della zia badessa

Donna Gesuela era in una fase di attività frenetica. Con l'aiuto di Tommaso Aviello aveva concluso in quattro e quattr'otto le pratiche per il pagamento della dote di Anna Carolina e aveva fissato la data per le nozze per il primo giorno consentito dal calendario liturgico, subito dopo Pasqua, a Napoli. Bisognava far sì che i Carnevale non potessero venir meno all'impegno e per incastrarli decise di portare immediatamente la promessa sposa a Messina e di rimanervi fino alla vigilia delle nozze. Agata sarebbe andata a vivere dalla zia Orsola, che generosamente aveva chiesto al figliastro Michele di offrire loro la cappella e i saloni di palazzo Padellani per la funzione religiosa e il ricevimento.

Agata non pensava ad altro che al proprio matrimonio e fu ben lieta di andare dalla zia. La primavera era venuta in anticipo e al mattino la zia la portava in carrozza alla Marina, dove le offriva dolcini e gelati. Il pomeriggio le era permesso sedersi a un angolo del tavolo a cui la zia giocava immancabilmente ogni giorno. La principessa di Opiri era ammaliata dalle carte: assieme alla religione e all'opera lirica, erano la sua passione. Il mercoledì era dedicato al whist.

James Garson, anch'egli alle soglie del matrimonio, frequentava assiduamente il salotto della principessa.

Agata ascoltava la conversazione al tavolo e durante i rinfreschi assorbiva come una spugna: attraverso quei pettegolezzi e qualche aneddoto, le arrivavano squarci sulla vita politica, commerciale e artistica. Bruciava dalla voglia di dire la sua, ma si vergognava. Una volta l'ammiraglio Pietrapercíata, avendo notato che le luccicavano gli occhi, le aveva chiesto di esprimere il suo parere – si parlava del fatto che Jane Austen aveva pubblicato tutta la sua opera da anonima. Lei era arrossita, guardava gli altri al tavolo: zia Orsola scrutava le carte; zia Clementina, sorpresa, lanciò un'occhiataccia all'ammiraglio e poi si concentrò sulle carte che teneva in mano; James Garson aspettava invece che lei parlasse, gli occhi puntati nei suoi. Anche quella volta, quello sguardo rese Agata esitante, ma poi parlò con crescente sicurezza.

La sera Agata era andata a letto euforica, le gote accaldate e il cuore che le batteva forte. La discussione era stata stimolante e lei aveva assaporato per la prima volta il piacere dell'incontro e del confronto con gente colta e raffinata. Dopo aver recitato le preghiere, rivolse il pensiero a Giacomo. Le sembrava di vedere il suo bel viso scuro, le labbra carnose, e pensava che a Messina una conversazione del genere e a quel livello sarebbe stata impensabile, particolarmente in casa Lepre. Con un piccolo sospiro, si disse che doveva seguire l'innamorato in Sicilia, e l'avrebbe fatto. E si addormentò cercando di indovinare chi sarebbero stati i compagni di gioco della zia il giorno dopo.

La zia le permetteva anche di frequentare Sandra, con cui la madre aveva litigato di nuovo per questioni di denari. Tommaso Aviello sosteneva che la suocera aveva dato di più ad Amalia e a Giulia, quando aveva smontato casa a Messina, perché quelle erano maritate con uomini che lei approvava, mentre lui era soltanto utile a sbrigarle gli affari, e Sandra sosteneva il marito.

In casa loro, Agata conobbe giovani che fremevano per la causa italiana. Li ascoltava ammirata e cercava di intendere più profondamente che cosa accendeva i loro occhi, che cosa li disponeva al sacrificio di sé. Poi, da sola, pensava che lei non avrebbe voluto emularli, la sua vita non l'avrebbe sacrificata per altri che Giacomo.

I mesi di febbraio e marzo, trascorsi in casa della zia Orsola, furono tra i periodi più sereni della vita di Agata.

La madre e Anna Carolina erano tornate da Messina con Carmela e Annuzza all'inizio di aprile, tre settimane prima del matrimonio. Stupirono Agata con la loro decisione di andare ospiti dagli Aviello, con cui la madre ora aveva fatto pace, lasciando lei dalla zia. Agata c'era rimasta male, avrebbe voluto stare con le sorelle, in special modo con Carmela a cui in passato aveva fatto da piccola madre. Poi ci era passata sopra: dopo le nozze di Anna Carolina, sarebbe arrivato il suo turno.

Le sue speranze furono disilluse in modo crudele. Amalia mandò una lettera alla madre in cui scriveva che in casa Lepre c'era stata una lite furibonda, di cui tutta Messina era stata messa a conoscenza immediatamente tanto alte erano state le voci, e che Giacomo ne era uscito perdente: si sarebbe fidanzato dopo Pasqua con l'ereditiera prescelta dalla famiglia. Contemporaneamente, era arrivata un'altra lettera di Giacomo, indirizzata a donna Gesuela, in cui le assicurava che non avrebbe ceduto. Preferiva vivere in miseria con Agata e la implorava di accondiscendere al matrimonio, ora che lui era maggiorenne.

Agata lavorava all'uncinetto, un semplice merletto di cotone per un asciugamano. La madre irruppe nella stanza e le si piantò davanti, sventolandole le due lettere sotto il naso: "Leggi!".

Agata infilzò l'uncinetto nel gomitolo di cotone e prese le lettere. Lesse prima quella della sorella. Poi aprì quella di Giacomo, brevissima: per lei, non un rigo. Sollevò gli occhi asciutti e guardò la madre, sgomenta.

"Capisci cosa ti ha fatto questo disgraziato?!" l'apostrofò quella.

"Mi vuole in sposa." La voce di Agata tremava.

"Certo, ti vuole sposare, e come ti mantiene? E chi paga casa, vitto, servitù? E ai figli, come ci dà a mangiare?" Con quella domanda di matrimonio irrealizzabile Giacomo aveva offeso lei e la figlia. Lo chiamò disonesto, stolto, immaturo e perverso. Agata lo difendeva e ne venne fuori una scenata che per poco non degenerò in violenza. Agata tremava tutta ed era in un bagno di lagrime silenziose, mentre la madre, china su di lei, infieriva e le sollevava il mento per sputarle in faccia le sue verità.

L'indomani arrivò un pacchetto per Agata. Conteneva una scatolina d'oro con dentro le iniziali sue e di Giacomo e un biglietto di carta lucida dai bordi traforati come un merletto e decorati di cuoricini rossi, fiorellini multicolori, foglie dorate e un nastro luccicante; al centro, un rosone con due pettirossi dai becchi uniti in un bacio. Giacomo ripeteva per iscritto quanto detto alla madre: si sarebbero sposati, purché Agata lo aspettasse e gli fosse fedele. Agata gli credette.

Pochi giorni prima del matrimonio, donna Gesuela era invitata a pranzo dalla cognata; vi era andata di buon'ora e Orsola non era in casa. Era giuliva, sembrava ringiovanita e abbracciò Agata con slancio. Poco dopo, il cameriere annunciò una visita per la signorina Agata.

Una donna vestita da serva entrò incerta con in mano una grande guantiera: "Siete voi la signorina Agata?". E quando lei annuì, si rizzò e ripeté, sillabandole, le parole imparate a memoria: "La signora badessa, donna Maria Crocifissa, vostra zia, vi saluta e vi manda a dire che il Capitolo del monastero benedettino di San Giorgio Stilita ha votato all'unanimità per l'ammissione vostra". A quel punto si fermò soddisfatta, poi passò alla parte più facile del messaggio: "Venite dunque a ringraziare le monache e a fissare il giorno dell'entratura".

Era Nina, la serva dell'altra zia di quel monastero, donna Maria Brigida, e le porse la guantiera sorridendo. Agata la prese esitante; era sul punto di accennare un "vi sbagliate", quando la madre intervenne in fretta e furia: "Ringraziate tanto la signora badessa a nome di mia figlia e mio. Riferitele che la monachella sarà portata al monastero questo pomeriggio". Col braccio mandava la donna verso la porta d'ingresso, e gliela chiuse alle spalle lei stessa, davanti allo sbalordito cameriere e a un'Agata impietrita. Quindi, con mano ghiacciata agguantò il braccio della figlia e la trascinò recalcitrante nella sua camera.

Rovesciata sul canapè ai piedi del letto, Agata ululava disperata, fin quando la voce non le divenne rauca. I camerieri giravano come mosconi ronzanti nelle stanze vicine e davanti alla porta, incerti se intervenire. Agata implorava di non essere costretta alla monacanza. In piedi di fronte a lei, donna Gesuela era impassibile. Poi guardò l'orologio: era quasi ora di pranzo, la cognata stava per rincasare. Passò il fazzoletto sulle palpebre della figlia e spiegò che le ristrettezze finanziarie e il suo comportamento con Giacomo – era venuta a sapere anche del regalo della scatola con le loro iniziali – non le davano scelta: Agata doveva monacarsi. L'ammiraglio Pietraperciata avrebbe aiutato a trovare i denari per la sua dote.

"Si sta bene in convento, c'è il fior fiore della nobiltà e non farai mai la fame. Intanto io voglio affidarti alle zie, mentre cerco altre pensioni. Lì sarai coccolata, e la vita del chiostro calmerà il tuo cuore." Tra i singhiozzi, Agata continuava a implorarla di ripensarci. La madre si irrigidì. Le disse che il padre l'aveva lasciata senza dote, senza nemmeno un tutore, e che lei era responsabile della sua sorte e di quella delle sue sorelle: "La legge umana e quella divina ti impongono l'obbedienza, e obbedire dovrai". Agata ammutolì. Gesuela sembrò raddolcirsi e le promise che, se entro due mesi il convento non le fosse piaciuto, se la sarebbe ripresa in casa. Per il momento non poteva ritirarsi, non dopo il voto del Capitolo, che era un grande onore. Agata era sbigottita.

La madre le aveva preso una treccia e la carezzava, e nel frattempo le spiegava i vantaggi della vita monastica: era un orto di salute, incontaminato dalle bruttezze della vita, e ogni generazione di Padellani aveva dato numerose monache a San Giorgio Stilita. Agata avrebbe ottenuto onori, sarebbe stata riverita e senza dubbio l'avrebbero eletta badessa. Al sentir questo, la ragazza singhiozzava ancora più forte. La madre le scuoteva la treccia come se fosse un cappio, poi la tirò a sé, le sollevò il mento e la scrutò negli occhi: erano iniettati di sangue. Non poteva portarla al monastero in quello stato.

Inviperita, la scacciò, ingiungendole di non presentarsi a tavola e di non osare spremere una sola lagrima in più: "Attenta! Se domani ti trovo così, ti ci porto lo stesso, e ti farai conoscere da tutte le monache per l'ingrata che sei".

Agata rimase nella sua stanza tutto il giorno. Sperava che la zia Orsola le facesse visita, ma anche quella, ligia agli ordini della cognata, non osò bussare alla porta della nipote. Le fece mandare in camera pranzo e cena su un vassoio; Agata notò che su un piattino c'erano i suoi biscottini di mandorla preferiti. Allora capì che non c'era che fare – nessuno si sarebbe messo contro la madre.

8.

20 aprile 1840.
Riluttante, Agata va in visita
al monastero di San Giorgio Stilita

L'indomani mattina madre e figlia lasciarono palazzo Padellani di buon'ora, dirette al monastero di San Giorgio Stilita. La zia aveva dato ordine che fosse preparata la carrozza più sontuosa, quella verniciata di blu e con lo stemma d'oro zecchino dei Padellani su porte e retro. Donna Gesuela aveva fatto mettere del ghiaccio sugli occhi e sulle guance di Agata e il gonfiore del viso era diminuito. "Sarà una visita breve, poi tornerai a casa," la incoraggiava, "e ricordati di ringraziare per i dolci. Chissà quanti ne assaggerai al monastero." Poi le ripeté ancora una volta la promessa: se la vita monastica non le fosse piaciuta, avrebbe lasciato il monastero dopo due mesi dall'ammissione, che sarebbe avvenuta subito dopo il matrimonio di Anna Carolina.

Al monastero si accedeva attraverso una porta di legno che apriva su una lunga scalinata adatta alle portantine. Agata prese tempo nel salire. Ognuno dei trentatré gradini di piperno, da largo e basso che era, le sembrava altissimo al punto da renderle difficile sollevare il piede. Ma doveva andare avanti, e avanti andava, la mano della madre come una morsa sul braccio destro. Già prigioniera. Alla sua sinistra si ergevano le mura esterne del monastero, alte, doppie e cieche. Alla sua destra, la parete di delicati affreschi settecenteschi di finti colonnati e spirali di foglie, che tanto le era piaciuta nelle altre visite, le incuteva timore. Credeva di individuare in mezzo alle fronde le figure bianche e sbiadite delle monache basiliane, occhieggianti come fantasmi, pronte ad ammaliarla.

Raggiunsero il vestibolo. Non c'era anima viva. La monaca portinaia le fece aspettare. La ruota di bronzo dirimpetto ad Agata sembrava una bocca dentata, pronta a fagocitarla. Lento, il maestoso portone di noce scolpito si apriva e la zia badessa uscì per accoglierla. Attraverso la grata del parlatorio Agata non era stata capace di farsi un'idea del suo viso, e al vederla sbiancò: aveva gli stessi lineamenti del padre e lo stesso porro sul mento. La badessa se la abbracciò e baciò tutta, poi la spinse nella clausura attraverso una porticina nascosta e camuffata da altri affreschi di foglie e colonne. Entrarono in un secondo ampio vestibolo con grandiose pitture parietali, dove una trentina di monache le aspettavano, in semicerchio. Altre monache si andavano raccogliendo nella sala – gli occhi di tutte su Agata, ferma dinanzi a loro, al centro del semicerchio.

"Ringrazia le monache del favore che ti hanno fatto votandoti come loro compagna," le disse severa la badessa.

I ringraziamenti li fece donna Gesuela, spiegò che la figlia era troppo commossa. Agata riusciva appena a trattenere i singhiozzi. Nel frattempo, nella sala arrivavano altre monache e si stipavano in file di due o tre. Erano ben diverse dalle suore del Collegio di Maria dove Agata era andata a scuola. Sontuosamente vestite di nero, con il soggolo bianco plissettato e i due veli, bianco di sotto e nero di sopra, impeccabilmente stirati, avevano un'aria di superiorità che la terrorizzò. Entrarono le novizie, le "monachelle": alcune salivano sulle sedie per vederla meglio, e mentre la madre e la badessa parlavano con le monache più importanti, queste non facevano altro che fare commenti su Agata, che aveva l'udito fino e sentiva – chi la trovava bassa, chi bella, chi brutta, chi antipatica. Fino ad allora aveva seguito la madre come un pupazzo, lo sguardo fisso davanti a sé; a quel sentire, calò gli occhi e si sentì venir meno. La madre spiegò alle nuove arrivate che la mestizia della figlia era dovuta alla morte del padre e alla separazione dalla famiglia, e poi si girò verso Agata con uno sguardo imperioso per farla parlare. Ma lei non poteva.

In quel momento giunse nella sala, sorretta da due converse, l'altra zia, donna Maria Brigida. Più giovane della badessa, era inferma di corpo e di mente. Sollevò le pupille stanche e fissò Agata. "Tu sei figlia di Pippineddu," barbugliò, e allungò le braccia per stringerla. Le converse la portarono verso Agata e la madre la spinse verso la zia, che le si attaccò al collo e le raspò la pelle col mento peloso.

Agata tremava e aveva freddo. Mormorò parole di gratitudine. Dopo essersi accordate che sarebbe entrata nel monastero due giorni dopo il matrimonio di Anna Carolina, madre e figlia lasciarono la clausura.

A casa della zia Orsola la aspettavano zie e cugine per congratularsi. Nel vederla rimasero sgomente.

Agata non lasciò il letto per diversi giorni, durante i quali fu meta di visite da tutte le donne Padellani, di nuovo interessate a lei – non per aiutarla, bensì per persuaderla ad accettare il suo destino e per poi spettegolare in famiglia contro madre e figlia.

La zia Orsola, che aveva parlato a lungo con lei, era molto preoccupata per la sua salute, perché era diventata inappetente. Agata, convinta di essere pronta al matrimonio e alla maternità, le aveva spiegato la propria ripugnanza nei riguardi della vita del chiostro e aveva accennato alla ferma volontà del padre di non costringere le figlie alla monacanza. Sentito questo, e vedendo il deperimento della nipote, l'anziana principessa si convinse che Agata non avrebbe mai voluto monacarsi; allora concepì il piano di maritarla a un duca vedovo, suo parente, che l'avrebbe accettata anche senza dote. Ne parlò alla cognata. Donna Gesuela aveva presenziato alle visite delle parenti e aveva ascoltato i loro commenti – sia quelli a voce alta, sia quelli sommessi –, contenendo la rabbia; solo allora si sfogò contro Orsola e l'accusò assieme a tutti i Padellani di avarizia, ipocrisia e perfino assenza di carità cristiana nei riguardi suoi e delle figlie. Le rinfacciò che, quando aveva chiesto aiuto finanziario per la dote delle figlie, glielo avevano rifiutato. Tutti. Ora che era costretta a monacarne una la criticavano, e tuttora non offrivano un ducato.

Anna Carolina si era tenuta lontana da Agata. Qualche giorno prima del matrimonio andò a trovarla e, dopo averla trattata come un'estranea, le disse che anche a Messina si parlava di quanto fosse egoista e ingrata a non rallegrarsi per essere stata accettata dal più illustre monastero del regno, e che questo avrebbe danneggiato i suoi rapporti con la famiglia del marito. Nessuna delle sorelle maritate, inclusa Sandra, diede un parere o disse una parola di conforto: non volevano interferire con la volontà materna.

Un giorno Nora riuscì a farle pervenire un biglietto da parte di Giacomo. Lui l'aveva dato ad Annuzza, che non aveva il permesso di andare a palazzo Padellani perché era vestita da popolana e non da fantesca. Era una figurina dell'Assunta con la sua firma e basta. Agata, in tutto questo, aveva creduto che Giacomo l'avesse dimenticata; sentirsi ricordata con quel particolare messaggio la agitò enormemente. Si sentì male e dovettero chiamare un medico.

Agata si rammentava di quando cantava per il padre il suo Bellini, *Qual cor perdesti*, ma ora come in un delirio le sembrava di udire la risposta di Pollione-Giacomo: *Moriamo insieme, ah, sì, moriamo! L'estremo accento sarà ch'io t'amo.* Deperiva a vista d'occhio. La zia Orsola mandò a chiamare padre Cuoco, il suo confessore, e dopo che quello ebbe parlato con Agata, decise di discuterne con il fratello. I due formularono un piano. L'ammiraglio parlò a solo con Agata e le fece una proposta senza averne discusso prima con donna Gesuela. Agata sarebbe andata nel monastero per i due mesi pattuiti; se alla fine del periodo non avesse voluto monacarsi, lui le avrebbe dato mille ducati, la metà della sua dote. Bastava che gliela chiedesse. Agata avrebbe potuto usarli per qualunque altro scopo, purché gli spiegasse per bene cosa intendeva fare. Agata accettò.

La zia Orsola pensava che Agata si sarebbe ripresa più velocemente lontana dalla madre. Suggerì dunque alla cognata di lasciare la figlia da lei e tornarsene a Messina subito dopo il matrimonio; donna Gesuela accondiscese di buon grado, era quello che avrebbe voluto fare in ogni caso. La principessa aveva tuttavia un altro scopo: interrompere la nascente intimità tra la cognata e il fratello ammiraglio. Sospettava che lui in passato avesse agevolato certe storie di Gesuela e temeva che ora volesse la sua parte e potesse esserne incagliato, Gesuela voleva un marito: voleva a tutti i costi un marito. Orsola non sapeva che il limite posto dal fratello alla propria munificenza – il voler sapere l'uso di quei denari soltanto da Agata, e non dalla madre, che ne era esclusa –, era valso all'ammiraglio una violenta lite con donna Gesuela e che da allora la loro amicizia si era incrinata.

9.

Il matrimonio di Anna Carolina Padellani
e Fidenzio Carnevale

La settimana prima delle nozze di Anna Carolina, la zia Orsola aveva messo a disposizione di Agata una carrozza per fare delle passeggiate con Carmela e Annuzza; sperava così di renderle meno penosi i giorni prima dell'ingresso nel monastero. Non le fu difficile: Agata era fiera di mostrare alle due la città del padre, la sola metropoli della penisola.

Le portava sul lungomare, da dove si vedevano vascelli di viaggiatori stranieri, e talvolta perfino gli yacht inglesi a propulsione meccanica in visita alla città e agli scavi di Pompei. Lei sognava di partire su uno di quei panfili per conoscere il mondo, mentre Carmela sognava di conoscerne i ricchi proprietari. Quelle passeggiate a Carmela piacevano moltissimo. Annuzza, invece, non era contenta di essere a Napoli. Agata le offriva il gelato in coppa e lei si lamentava che non lo servivano con la brioche come a Messina. L'andatura delle carrozze era troppo veloce e il traffico caotico. Perfino le verdure napoletane, secondo Annuzza, erano inferiori agli zarchi e alle borragini di Messina, tanto più freschi e succulenti.

Un giorno, la carrozza passò sotto il cavalcavia del campanile di San Giorgio Stilita. Annuzza, finalmente ammirata, volle sapere a chi appartenesse. Agata sussultò e cambiò discorso; poi non volle dire altro. Poco dopo diede ordine al cocchiere di fermarsi davanti a una bottega di ceraio per comprare a Carmela una candela a forma di angelo. Annuzza sbirciava tra l'incuriosito e lo sgomento il possente muro di cinta privo di aperture. Agata non volle farvi caso: aveva deciso di non pensare ai prossimi due mesi. Confortata dalla promessa dell'ammiraglio Pietraperciata e rassicurata sull'amore di Giacomo, era convinta che lei avrebbe lasciato il monastero per le nozze.

Il matrimonio di Anna Carolina e Fidenzio Carnevale doveva essere intimo per il lutto, elegante per fare colpo sui Carnevale e con pochi ma scelti invitati per facilitare i contatti esteri della famiglia dello sposo, agenti di parecchie miniere di zolfo siciliane. Dopo lo scontro con il re del 1837, quando le fregate britanniche avevano minacciato di bloccare il traffico navale del regno, gli inglesi erano rimasti arbitri incontrastati delle esportazioni di zolfo, e per questo la zia Orsola, con l'aiuto del fratello, aveva invitato alcuni inglesi, tra i quali James Garson.

Anna Carolina era l'immagine della felicità: faceva la sua figura nell'abito di taffettà a mazzetti di fiori rosa, le scarpe con fibbie di finti brillanti. Per essere più attraente, si era fatta mettere gocce di atropina negli occhi: dalle pupille dilatate sulle iridi castano chiaro vedeva opaco ma si sentiva bellissima, e così la vedeva Fidenzio – un ragazzo bruno dai baffetti ben curati –, tutto occhi per la sua sposina. Il cugino principe aveva fatto del suo meglio come padrone di casa e la tavola nuziale sorprese e deliziò i Carnevale. Era illuminata da sei enormi candelabri rinascimentali a otto bracci, d'argento cesellato, poggiati su vassoi dal fondo di specchio che ne riflettevano la luce su un enorme lampadario settecentesco di Murano, simile a un bastimento con mille vele spiegate. Il centrotavola era formato da statuine d'argento alternate con alzate di cristallo colme di cioccolatini e confetti, preparati dalle monache di Santa Patrizia. Piatti e bicchieri di cristallo avevano il bordo d'oro zecchino con lo stemma dei Padellani.

Su ordine della madre, Agata e Carmela indossavano gli abiti di lutto. Il giorno prima, Annuzza aveva fatto avere ad Agata un altro biglietto di Giacomo in cui lui la assicurava che il prossimo matrimonio sarebbe stato il loro. La caparbietà di una quattordicenne innamorata, il suo naturale ottimismo, la voglia di godersi la vita, ereditata dal padre, e la cocciuta determinazione della madre rendevano Agata certa che l'avrebbe ottenuto. Quella mattina si era arricciata i capelli in boccoli larghi e soffici e vi aveva appuntato tre camelie rosa raccolte nella terrazza della zia, legate da un nastro di tulle: si "sentiva" fidanzata. Al vederla la madre incupì; per lei, monacare la figlia era una sconfitta, ma così doveva essere.

Il pranzo di nozze stava per finire. Gli invitati bevevano ancora e, satolli, mangiavano dolci e sgranocchiavano gli ultimi confetti. Seduta tra le cugine Severina ed Eleonora, Agata ebbe un attimo di tristezza: pensava al padre. Lo sguardo vagava mesto sulla tavola e sugli invitati; poi cadde su James Garson, seduto lontano da lei, tra gli ospiti non di famiglia. Con barba e baffi dorati, e nell'uniforme della marina britannica, blu scuro e con alamari d'oro, era bello; le ragazze al tavolo gli lanciavano occhiate di ammirazione. Lui si stava portando un pezzo di torta alla bocca e rimase con la forchetta in aria, ma l'occhio di Agata era già passato sull'invitato accanto a lui.

Era il momento del congedo. Spostandosi con sapienza e navigando tra gli invitati, James era riuscito a scovarla nel vano di una finestra. Agata sembrava contenta di vederlo. Attraverso le letture comuni, tra i due si era stabilita una parvenza di complice intimità.

"Parto fra due settimane, le mie nozze avverranno a giugno."

"Sarà felice," disse Agata, la voce lieve.

Lo sguardo di lui sembrò indurirsi. "Mi auguro la stessa felicità che ho visto oggi sui volti degli sposi," e aggiunse: "A voi auguro che siate felice, dovunque voi siate".

Agata era impallidita: lui sapeva, dunque, del monastero. In quel momento Carmela le si avvicinò e fece sgusciare la mano nella sua, fiduciosa. Agata gliela strinse e, abbassando lo sguardo, mormorò un grazie sommesso.

10.

11 maggio 1840.
Ingresso di Agata al monastero di San Giorgio Stilita

Era l'11 maggio 1840. Agata si vestiva per l'ultima volta
nella stanza che per nove settimane era stata la sua in casa della zia Orsola. Guardava sconsolata il letto di ferro battuto, il
tavolino di mogano rotondo col piede a colonna, la toilette
con lo specchio regolabile e la chaise-longue che le avevano
tenuto compagnia nei momenti belli e in quelli brutti. Ab-
bottonò il corpetto e si posò il pettinatoio sulle spalle per finire di acconciarsi i capelli. Li aveva arricciati nei soliti boccoli, ma più larghi. La madre era entrata nella camera senza
far rumore e la osservava dalla porta.

"Sei pazza? Andare in convento con i ricci!" Doveva fare il suo ingresso nel monastero con i capelli lisci, la zia badessa glielo aveva raccomandato. Per una volta Agata non obbedì; le fece notare che ci andava per due mesi soltanto, non
da educanda e nemmeno da postulante. Avrebbe lasciato i capelli com'erano. Per tutta risposta quella, afferrato il pettine,
glieli allisciò tirandoglieli bruscamente. Agata stava per fer-
marla; poi vide nello specchio una lagrima sul viso di lei e abbassò la mano. Sempre con gli occhi puntati sull'immagine
riflessa nello specchio, Agata assisteva alla distruzione dei suoi
riccioli. Lasciò che la madre le attorcigliasse i capelli in una
crocchia e gliela appuntasse sulla nuca, e mentre la guardava
tratteneva le lagrime a fatica. Fu allora che i suoi occhi cominciarono a iniettarsi di sangue. La madre si era portata un

velo nero, per precauzione, e dopo aver appuntato per bene forcine e mollette, lo pose sul capo di Agata, coprendole il viso in silenzio.

L'ammiraglio Pietraperciata, che era ammanicato con la curia, e Ortensia, la moglie del cugino principe, accompagnavano le due donne al monastero di San Giorgio Stilita. Agata aveva salutato la zia Orsola e le persone di servizio senza emozione alcuna. Appena entrata in carrozza, diede via libera ai singhiozzi e in quello stato arrivò al monastero.

Era come se la badessa e le due monache che li aspettavano sapessero che Agata sarebbe arrivata in lagrime. Le monache la presero, le tolsero scialle e velo senza darle la possibilità di protestare e la spinsero tenendola per le braccia attraverso la sala del Capitolo, le stanze di passaggio e la breve rampa di scale, finché non raggiunsero il coro. Quindi la costrinsero a inginocchiarsi davanti alla ringhiera di legno dorato che dava sulla navata della chiesa. Agata appoggiò la fronte sul legno e continuò a lagrimare.

"Non piangere e godi: guarda che meraviglia!" le disse una. "Ringrazia il Signore che ti ha portata in un orto di salute!" aggiunse un'altra. "Ingrata!" borbottò una terza, vedendo Agata restia.

Il profumo d'incenso saliva spesso e pungente dall'altare maggiore. In basso, le losanghe bianche e blu del pavimento di maiolica della chiesa luccicavano, e così gli ori delle pareti di stucchi e delle cornici. Agata pregava Dio di darle la forza di rimanere in quel posto per i due mesi pattuiti, e pian piano si calmava. Fece per alzarsi e si vide attorniata. Chi le domandava se le era piaciuto il coro, chi si congratulava per il matrimonio della sorella, chi le chiedeva la sua età e tante altre che le ponevano la retorica domanda: "Vuoi farti monaca? Vuoi farti monaca?". Le due guardiane la trascinarono fuori dal coro senza darle l'opportunità di rispondere – la badessa le aspettava.

Il salotto della badessa, ridecorato nel Settecento, era sovraccarico di mobili, quadri e ornamenti: nel susseguirsi di badesse, ognuna aveva voluto lasciare un tangibile segno del proprio passaggio. Agata si era ripresa con la limonata e i biscotti offerti. Si guardava intorno, curiosa. "Suvvia, saluta tua madre," le disse dolcemente la badessa. "Ora chiamo due novizie, appartengono ai Padellani di Uttino e sono parenti nostre, che ti porteranno in giro. Poi ti raggiungerò io per mostrarti il resto del convento."

Le monachelle erano cugine prime tra loro e si somigliavano come due gocce d'acqua: volto olivastro, naso aquilino e labbra strette. Avevano la stessa voce, bassa e stridula. Iniziarono la visita dal chiostro, a cui si accedeva dal grande portone di legno intagliato. Rettangolare e diviso in due quadrati – uno giardino e l'altro orto – da un'esedra decorata con stucchi e statue di creta, a quell'ora il chiostro sembrava deserto. Quattro aiuole simmetriche inscrivevano la fontana monumentale, rotonda e di marmo bianco con maschere, delfini e cavalli marini, che dominava il giardino. Dinanzi a questa e rivolte al visitatore, due statue di Cristo e della Samaritana – superiori alla grandezza umana e inclinati uno verso l'altra, l'uno pronto ad avanzare e l'altra vezzosamente riservata, come fossero nel bel mezzo di una conversazione galante –, erano totalmente prive di spiritualità e ben più confacenti a un palazzo o a una villa aristocratica.

Tutto era grandioso, ornato, ricco. I corridoi, ad archi di piperno e con volte a crociera, reggevano ampie terrazze di maiolica su cui si aprivano le porte finestre delle luminose celle del primo piano, le più ambite. Le celle del secondo piano avevano porte finestre altrettanto grandi, ma godevano solo di una stretta balconata. Nell'orto, al di là dell'elegante esedra, crescevano aranci, limoni e altri alberi da frutto; nelle aiuole si coltivavano verdure, ortaggi, erbe aromatiche e medicinali.

Mentre accompagnavano Agata in giro, le due ragazze chiacchieravano di chierici e confessori con lo stesso linguaggio che le cugine Tozzi usavano nei riguardi dei loro corteggiatori.

A un tratto suonò la campana di Terza. Le monachelle ammutolirono. Il chiostro si popolò di figure nerovestite; sgusciavano da ogni scala e porta e procedevano fruscianti lungo i corridoi porticati, le oltrepassavano e si infilavano svelte nella porticina di legno che conduceva al piano di sotto al comunichino. Agata voleva rimanere sola; colse la palla al balzo e si offrì di aspettare le sue guide nel chiostro, mentre andavano a Terza con le altre. "Non importa, possiamo seguirla da qui," la rassicurarono le due, e spalancarono le ante di una delle sei porte ad arco che davano sul lato sud del chiostro: al di là, si apriva un'alcova con finestra a grata e sedili laterali, da cui si vedevano la navata centrale e l'altare maggiore. La chiesa di San Giorgio Stilita, vista dall'alto, era magnifica. I quadri delle cappelle di fronte, gli stucchi, le volute, i putti e le corone di fiori e frutta bianchi e oro sui pilastri e sulle pareti sembravano vicinissimi, mentre l'altare di marmo bianco, illuminato da otto candelabri d'argento, era come un'isola di luce. Agata trattenne il fiato. Dai sedili di pietra, le novizie seguivano le preghiere compunte.

Al ritorno le monache si fermavano a salutare Agata. Erano per la maggior parte giovani e allegre. "Vuoi farti monaca?" era di nuovo la domanda sulla bocca di ognuna, e al ripetuto "no" di Agata, a volte immediato, a volte veloce, a volte accompagnato dallo scuotere del capo, altre volte duro e secco, ridacchiavano e aggiungevano che avrebbe presto cambiato idea. Quando l'orda passò, Agata si sentiva bruciare le gote. Le monachelle le raccontavano che erano entrate nel monastero insieme, all'età di otto anni, e si trovavano bene, ma non aggiunsero altro perché la badessa si era avvicinata e con un semplice cenno del capo aveva ordinato di allontanarsi.

"Cominciamo dalle cucine," decretò la badessa, e le si appoggiò al braccio; Agata glielo porse e si sentì completamente a suo agio con la sorella del padre. Le due erano della stessa altezza, una sottile e l'altra pesante, ma i loro passi si accordarono subito.

Dietro un melograno c'erano dei laboratori; in uno si macinavano varie farine e nell'altro si impastava. La prima stanza delle cucine era un susseguirsi di forni a legna, numerati e identici. Sulla parete più piccola c'erano due forni di dimensioni diverse, ambedue molto più grandi degli altri. Su una pietra del muro portata a vivo, era scolpita una frase scritta con caratteri irregolari: "La seconda settimana di dicembre non si fa pane: il forno grande e piccolo è della signora badessa". La badessa la indicava ad Agata, era una scritta del secolo precedente, e soggiunse, con tono lieve: "Anche allora non obbedivano alla badessa, se la poverina dovette scolpirlo sulla pietra!". Poi divenne seria: "Lavoro e preghiera, questa è la vita della benedettina. Qui il nostro lavoro è preparare i dolci, per venderli o regalarli. È un compito pesante, se fatto sul serio e bene". Negli occhi della zia brillò un lampo: "Quando ero più giovane mi prendevo tutti i forni per cucinare le pastiere per i parenti!".

Attraversavano la sala del Capitolo per andare al coro. La badessa le spiegava che le monache si governavano da sole e che quello era in un certo senso il loro parlamento: lì avvenivano le delibere sulle ammissioni, come la sua, con votazioni a scrutinio segreto. Poi aggiunse con orgoglio che ai tempi in cui i monasteri maschili e femminili coesistevano separati nello stesso edificio, era la badessa che comandava sull'abate, e non viceversa.

Quella seconda visita al coro fece una grande impressione ad Agata. Era una grande sala quadrata, dal pavimento di maiolica e costruita sul portico della chiesa, con cui comunicava attraverso la grata dorata di legno a rombi, abbellita da piccole volute che riproducevano un motivo floreale: come quella del parlatorio, la grata di legno rendeva le monache invisibili alla congregazione e impediva loro, frammentandola, la piena vista della chiesa. Gli scanni a due ordini erano intarsiati di legni preziosi e accoglievano duecento monache. Al centro c'era il podio per la badessa, che osservava compiaciuta lo stupore della nipote davanti a tanta grandiosità. "Io ringrazio Dio di essere monaca," disse. "Qui si canta l'intero Salterio ogni settimana. Tutti i giorni innalziamo le lodi al Signore cominciando dall'Ufficio notturno e continuando con il Mattutino, le preghiere di Prima, Terza, Sesta e Nona, Vespri e infine Compieta."

In quel momento suonava la campanella e le monache – mani conserte, occhi bassi, la cocolla con maniche spioventi – prendevano posto silenziose negli scanni. Schiacciata contro la parete dell'acquasantiera, Agata le osservava. Al cenno della badessa le monache iniziarono il canto a cappella con un'unica voce pura, chiara, incorporea. Volti rugosi e freschi, scarni e paffuti, tutti diafani e impassibili. Occhi puntati sul luccichio di ori e argenti dell'altare, labbra morbide che si aprivano e chiudevano all'unisono come bocche di coralli, era un canto meraviglioso. Agata ci rimase male quando le monache cominciarono a sfilare dal coro, silenziose com'erano entrate, a due a due: calavano il capo dinanzi la badessa e poi si inginocchiavano in direzione dell'altare in basso.

La badessa la portò sui camminamenti che partivano dal coro e seguivano sotto i tetti l'intero perimetro della chiesa

– erano corridoi stretti, che prendevano luce da doppie lanterne aperte sul soffitto. Sulla parete lungo la navata si aprivano alcove con grate di legno dorato da cui le monache potevano assistere alla messa e godere la piena vista della chiesa. Sulle mura esterne, invece, le badesse appartenenti alle famiglie dei seggi di Capuana e di Nido avevano costruito altarini impreziositi da ricami, argenti, smalti, statuette, quadri e crocifissi a uso personale e così vacuamente ribadivano la potenza dinastica della famiglia di ognuna. Quei corridoi luminosi e aerati sembravano un luogo non di preghiera ma di rimpianti: da lì, sola e non vista dalla congregazione, la monaca patrizia ricordava gli affetti di famiglia ed era tormentata dalla vita mondana. La zia badessa le mostrava gli altarini delle altre badesse Padellani e si dilungava sulle storie del potere della famiglia e sulla pietà delle antenate. Agata sudava e le bruciavano gli occhi, come se vi fossero entrati i granelli di sabbia di un vento di scirocco che scendeva dalle lanterne sul soffitto e l'avvolgeva immobilizzandola. In quel momento e per la prima volta Agata percepì, come se fosse corporea, l'altera solitudine della clausura.

11.

I durissimi due mesi di prova

Più di una volta, durante la prima, lunga giornata al monastero di San Giorgio Stilita, Agata si era consolata al pensiero che a sera sarebbe rimasta finalmente sola. Rimase di stucco quando le fu detto che avrebbe dormito con la badessa. In ottemperanza alla Regola benedettina, l'alloggio di questa consisteva in un ambiente spoglio col letto privo di testiera e un enorme armadio a muro in cui le monache coriste conservavano gli argenti della dote; apriva sulla grande terrazza maiolicata sopra le arcate del chiostro, dove due file di grandi vasi di terracotta con aranci, camelie e gelsomini creavano uno spazio privato. Il letto di Agata era stato aggiunto ai piedi di quello della zia, accanto al giaciglio di una delle sue due converse, Angiola Maria – un donnone di mezza età dai lineamenti marcati –, mentre l'altra, Sarina, una giovane alta, magra e con lo sguardo dolce, dormiva in un cantuccio accanto al gabinetto.

La badessa recitava le giaculatorie all'inginocchiatoio. Agata era già sotto le coperte. La fiammella della lampada a olio bruciava fioca per tutta la notte e lei faticava ad addormentarsi. Ogni volta che sollevava le palpebre incontrava le pupille ardenti di Angiola Maria, puntate su di lei come tizzoni di carbone. Alla fine Agata si girò e non si mosse, ma si sentiva ancora addosso quello sguardo inquietante.

All'alba, una scossa: piegata su di lei, Angiola Maria la chiamava per le preghiere di Mattutino e la spingeva con le mani per farla alzare. Da allora la conversa elargì alla nipote dell'amata padrona le sue rozze sollecitudini.

La prima settimana era passata velocemente e non in modo del tutto sgradevole. La badessa le aveva dato da leggere vari libri religiosi e monastici. La sera, dopo Nona e prima di Compieta, la aspettava nel chiostro. Sotto le lunghe ombre del tramonto, passeggiavano nel giardino respirando i profumi sprigionati dalle piante e dalla terra annaffiata, e parlavano. Agata cominciava ad amare intensamente la pia sorella del padre.

Il monastero di San Giorgio Stilita aveva più di mille anni e un tempo aveva avuto fino a trecento monache, "tutte con i quattro quarti di nobiltà," le diceva la zia senza celare l'orgoglio di casta. Lo spirito dell'Illuminismo del secolo precedente aveva diminuito le vocazioni e l'occupazione napoleonica aveva messo fine alle ammissioni per un decennio, "ma non ha distrutto la ricerca di Dio attraverso la clausura," aggiungeva la badessa, arricciando leggermente il naso, e le raccontava che dopo la restaurazione dei Borbone, nel 1815, c'erano state molte nuove vocazioni. Il monastero aveva un altro chiostro, oltre a quello principale, su cui aprivano altre celle non in uso, e la badessa sperava che in futuro potessero riempirsi di benedettine.

Molte delle ottanta monache confesse, le coriste, erano giovani, e così anche le centoventi converse – religiose provenienti dalle fasce sociali meno abbienti e spesso illetterate che, non potendo versare la dote, avevano preso i voti di castità e povertà e servivano una monaca di rango. Le converse erano escluse dall'Uffizio divino. Quando la campanella suonava le ore canoniche della preghiera, le monache recitavano i salmi nel coro, mentre le converse si riunivano nella sala antistante al comunichino e recitavano insieme *Pater*, *Ave* e *Credo*. I lavori manuali più umili erano compito di un centinaio di serve – donne di rango inferiore alle converse, anch'esse vestite con la tonaca ma senza il soggolo plissettato appartenente soltanto alle coriste, e che non pronunciavano i voti. Oltre a occuparsi dei lavori domestici, le serve uscivano dal monastero per eseguire gli ordini delle monache e fare commissioni. Queste e la monaca servigiale erano le uniche abitanti del monastero cui fosse permesso di uscire e avere contatti col mondo esterno.

Il Capitolo del monastero aveva deliberato eccezionalmente che Agata fosse ammessa non come probanda, cioè per un periodo di prova – come le aveva detto la madre e come sarebbe stata la prassi –, bensì direttamente come postulante, lo stadio precedente quello di novizia: una delle tante eccezioni per privilegiare i grandi casati del seggio. La zia badessa le aveva lasciato intendere che, da monaca confessa, avrebbe potuto ottenere un officio di suo gradimento tra quelli di maestra delle novizie, celleraria, ebdomadaria, erbolaria, infermiera, farmacista, rotara, servigiale e sagrestana.

Agata adesso aveva una cella tutta per sé al secondo piano, nel corridoio delle novizie, con cui avrebbe diviso parte della giornata. Il primo impatto con quelle ragazze era stato conflittuale. Figlie non volute e di peso all'alta aristocrazia napoletana, erano giovani donne orgogliose del proprio casato e gelose dei privilegi di cui Agata già godeva in quanto nipote della badessa. Le novizie sapevano tutto di lei – ma lei non sapeva nulla di loro –, ed erano maldisposte verso "la siciliana", come la chiamavano. Non c'era tra loro nessun'altra Padellani di Opiri e dunque Agata era isolata; peggio ancora, le due cugine novizie appartenevano al ramo cadetto dei Padellani, i conti d'Uttino, da anni in lite con gli Opiri per questioni di eredità, e la prendevano in giro. Non contente, avevano voluto umiliarla dinanzi alle altre, alludendo all'indigenza in cui era caduta la madre e schernendola con l'insistente domanda: "Raccontaci se la badessa pagherà la tua dote". Agata aveva reagito con alterigia e da allora tra loro si era stabilito un rapporto di reciproca antipatia, se non di ostilità, che si estese alle amiche delle Uttino e la isolò ulteriormente dalle altre.

La zia aveva incoraggiato Agata a usufruire della sala dell'archivio, che fungeva anche da biblioteca del monastero. Gli scaffali alle pareti erano di mogano come il soffitto a cassettoni e l'altarino di fronte alla porta d'ingresso, su cui era esposta un'immagine della Vergine con una cornice anch'essa scolpita in mogano. I libri di valore erano protetti da ante di vetro: salteri, incunaboli e breviari istoriati dalle benedettine. Agata si rifugiava negli scanni al riparo dagli sguardi curiosi – semmai ce ne fossero stati, perché la sala era poco frequentata – per leggere e anche per scappare dalle compagne. Accanto alla sala c'erano i forni e le cucine. Le sue letture erano accompagnate al mattino dal profumo croccante dei biscotti, mischiato a quello muscoso del mogano tirato a cera, mentre nel pomeriggio – dedicato alle pastiere e ai piatti su ordinazione – gli aromi particolari delle diverse infornate le stuzzicavano l'appetito. Lì Agata leggeva felice.

La Regola benedettina era l'impalcatura su cui si reggeva l'Ordine. Nel VI secolo Benedetto da Norcia, disgustato dalla corruzione della Chiesa romana, aveva voluto fondare un ordine che avrebbe messo i suoi seguaci sulla strada che porta a Dio e li avrebbe sostenuti nel percorso attraverso una rigida divisione della giornata e un sano equilibrio tra preghiera e attività fisica. *Orare est laborare et laborare est orare*. La preghiera venne chiamata *Opus Dei*, ufficio divino, seguiva la passione e la morte di Cristo e divenne la ragion d'essere dei moniali. Il silenzio era fondamentale. Di giorno poteva essere interrotto durante la ricreazione dopo i pasti; dopo Compieta era rigoroso. Agata aveva apprezzato la rigida routine di Miss Wainwright e, dopo l'iniziale sgomento, trovava rassicurante la scansione della giornata benedettina nelle ore canoniche; si esaltava alla lettura dei salmi e della *Regola*, e tuttavia, guardandosi intorno, notava, sgomenta, che la prassi nel monastero era ben lungi da quella descritta. La regola del silenzio era ignorata dalle monache nell'intimità delle loro celle e infranta nei corridoi e nel chiostro dal sommesso bisbigliare; la regola del digiuno e del mangiare semplice era violata giornalmente da pasti ricchi, con numerose portate, fino a sette "cose" nei giorni normali, di più in quelli festivi. L'*ora et labora* era diventato una farsa: monache e novizie mancavano alle ore di preghiera, con una scusa o con l'altra, e il loro principale lavoro manuale, oltre al ricamo, spesso per loro stesse, consisteva nella manifattura di dolci, con l'assistenza di serve e converse. Agata si chiedeva perché la badessa tollerasse quelle infrazioni alla Regola, ma non osava parlarne.

L'orto era curato dalle serve delle cucine e da alcune converse. Le coriste disdegnavano i lavori di giardinaggio, che invece Agata prediligeva; la badessa le aveva permesso di aiutare Angiola Maria, che fungeva da capogiardiniere. Ogni mattina la conversa raccoglieva erbe e fiori, vi aggiungeva un pugno di lavanda e riempiva un sacchettino di mussola che offriva alla badessa – e ora anche ad Agata: da sotto la camicia, esalava per tutta la giornata un profumo fragrante. Angiola Maria si era presa Agata davvero a cuore; le insegnava le proprietà delle erbe officinali e non mancava di farle dono di quello che pensava le fosse gradito: favicelle fresche da mangiare crude, baccelli di piselli tenerissimi, una farfalla prigioniera in una moschiera di vetro, coccinelle portafortuna in un barattolo.

Una mattina, Agata passava davanti alla cucina per andare nella sala dell'archivio con il suo sacchettino profumato in mano; Brida, una delle serve cuciniere, le fece cenno di entrare. Era una serva rispettata da tutte per il buon carattere e la maestria nel cucinare. Di taglia minuta, sarebbe sembrata una bambina se non fosse stato per il viso rugoso, eppure era una lavoratrice instancabile: muoveva le pentole più pesanti e faceva le ore piccole per completare l'infornata del pane, spesso posticipata per lasciare spazio ai dolci delle coriste. Agata, che come parte della sua induzione aveva lavorato nelle cucine, apprezzava il parlar franco di quella donna che lavorava col sorriso sulle labbra e, in più, aveva un repertorio di giaculatorie per ogni situazione. Quel giorno la cuciniera era torva. Le disse, senza alcun preambolo: "Ti consiglio di levarci mano con Angiola Maria, è meglio per te, e per tutte le altre". Agata c'era rimasta male. Si ricordò che la zia le aveva raccomandato di essere gentile con le serve ma di non dare loro confidenza. La guardò con disdegno e continuò la sua strada.

La sera di quello stesso giorno Agata era a letto ma non riusciva a dormire – le era venuto un fastidioso prurito su petto e spalle. Nel silenzio sentiva un chiacchierio sommesso. Uscì nel corridoio e seguì il rumore fino alla cella da cui proveniva. Guardò dalla toppa. Una dozzina di novizie si erano tolte la tunica e accennavano goffi passetti di danza negli scarponi maschili di pelle nera, pavoneggiandosi nella biancheria intima adornata di pizzi, ricami e nastri di seta e mostrandola alle altre. Due, appollaiate sul letto e a piedi nudi, parlavano della vita di corte e dei pettegolezzi raccontati loro dalle sorelle maritate, e nel mentre si accarezzavano braccia, seno e collo; poi, tra risatine sommesse, sollevavano le sottane e le maniche per mostrare le carni nude a lunghe occhiate complici. Agata ne rimase sconvolta e si diresse verso la propria cella quasi in punta di piedi, quando sentì il cigolio di una porta, seguito da risolini. Si appiattì contro la parete, il cuore in gola.

L'indomani mattina, nell'orto, Angiola Maria le offrì il solito sacchettino profumato: Agata lo accettò e sollevò lo sguardo in segno di sfida verso la porta aperta della cucina, ma le parve che non ci fosse nessuno.

La sera, quando entrò nella sua cella, trovò sul pavimento tre grossi scarafaggi – di quelli iridescenti, verdi e neri, con le ali, che le facevano ribrezzo – e li spinse a piccoli, pavidi calci sul balcone. Poi pianse di rabbia.

Gli scarafaggi aumentavano di giorno in giorno. Agata era sospettosa di tutte. Le sembrava che le novizie ammiccassero, quando passava davanti a loro. Fu coinvolta in una lite con una novizia molto ricca, che nutriva l'ambizione di diventare badessa e la considerava una rivale. Questa avrebbe desiderato la cella assegnata ad Agata: sosteneva che "la siciliana" non avrebbe avuto diritto di occuparla perché la sua dote non sarebbe stata sufficiente a pagarne l'affitto – a San Giorgio Stilita le celle migliori erano infatti acquistate e godute dalle monache come un vitalizio – e aveva aizzato altre giovani: una sera braccarono Agata in un corridoio e a spintoni la fecero entrare nello sgabuzzino delle scope. La costrinsero a inginocchiarsi dinanzi a loro. Le carezzarono le gote con gambi d'ortica e la coprirono di insulti. Agata cominciò a sentirsi perseguitata. Passava dai corridoi timorosa e quando andava nella sala dell'archivio, allungava il passo davanti la cucina: aveva la sensazione di essere guardata male.

Poco dopo un'assistente cuoca si ammalò e donna Maria Clotilde, la priora, trasferì Agata di nuovo nelle cucine, dove si era mostrata affidabile e volenterosa. Questa volta Agata sentiva l'ostilità dalle altre serve e non soltanto di Brida. Un giorno doveva sollevare un paiolo colmo di crema bollente; le fu dato un cencio per non bruciarsi nel prendere il manico, ma non sufficientemente spesso. Chiese a Brida di dargliene un altro, e quella gliene lanciò uno ancora più sottile gridandole di far presto altrimenti la crema si sarebbe attaccata al fondo; nella foga, Agata si bruciò il palmo della mano e tre dita con il manico rovente. Dovettero mandarla dalla sorella infermiera, che lenì la scottatura con impacchi di radice di tormentilla.

Quella sera, Agata trovò inchiodato sul lato interno della porta della sua cella un foglio col disegno di una croce, il suo nome scritto sotto in rozzi caratteri, e un filo di seta rossa attorno allo spillo appuntato al posto di Cristo. Da allora cessarono sia gli scarafaggi che i biglietti, ma anziché esserne sollevata Agata era ancora più turbata perché non sapeva chi e perché le avesse mandato gli scarafaggi e chi l'avesse protetta con lo scongiuro.

Era inquieta; non sentiva la minima vocazione di farsi monaca e non vedeva l'ora di lasciare il monastero. Giugno stava per finire e lei pensava sempre di più a Giacomo.

Il caldo si faceva sentire perfino sotto le arcate del chiostro che in genere erano fresche. I due mesi erano agli sgoccioli. La madre non aveva dato alcuna nuova di sé e la badessa non sapeva dove fosse. Nessuno della famiglia aveva scritto o fatto visita ad Agata, come se si fossero messi tutti d'accordo per abbandonarla. Quando l'11 luglio, lo scadere del periodo di prova, venne e passò, Agata fu presa da cupa disperazione. L'uniformità dell'abito monacale la opprimeva. Il cicaleccio mondano delle novizie la inorridiva. La scansione della giornata ora la turbava. Si considerava vittima di due volontà esterne e contrastanti: la famiglia che la voleva monaca e la congiura di serve e novizie che volevano che lasciasse il monastero.

Era passata anche la festa dell'Assunta, e la madre continuava a non farsi viva. Al ricordo della festa della Vara dell'anno precedente, l'insofferenza contro il chiostro assurse al parossismo e Agata decise di forzare la mano alla badessa. Aveva letto la storia di una santa la cui vocazione era fortemente contrastata dalla famiglia; la giovane si vestiva da monaca e pregava tutto il giorno, ma i genitori non vollero accontentarla. Allora smise di nutrirsi, cadde nel mutismo e non volle più lavarsi. Alla fine il padre le permise di prendere il velo. Agata avrebbe fatto l'opposto della santa. Ripeteva a destra e a manca che avrebbe lasciato il monastero. Scendeva nel chiostro con la cintura stretta in vita per far risaltare fianchi e seno, e con i capelli sciolti e arricciati per ribadire la propria appartenenza al mondo. Si aggirava per il convento e lavorava canticchiando come faceva a Messina. Durante il silenzio, camminava per il chiostro strascicando i piedi; scuoteva i bei riccioli castani e se li carezzava. La maestra delle novizie, donna Maria Giovanna della Croce, con cui andava d'accordo, dovette ordinarle di legarli. Agata la ignorò, più di una volta; alla fine fu costretta a obbedire all'ordine della badessa, che esigeva una spiegazione. Ma nemmeno a quella acconsentì a parlare, se non per dirle che voleva tornare a casa da sua madre.

Quindi, iniziò a digiunare.

12.

*Due cognate discutono cosa fare
per l'infelicità della nipote*

Il venditore di patate bollite aveva montato banchetto e fornello contro il muro, accanto al portale del monastero di San Giorgio Stilita. Sul banco c'era la pentola bollente e a lato una piramide di patate crude: sotto, un pentolone con il coperchio ben chiuso e coperto da uno straccio sporco, con quelle già bollite, pronte per essere vendute. Una carrozza nobiliare si accostò al portone, proprio mentre l'uomo sollevava il coperchio per rimescolare il bollore schiumoso. La fuga di vapore impregnato di amido investì la principessa di Opiri; quello continuava imperterrito a rimestare le patate, noncurante del fastidio causato alla nobildonna e dei "Cummigliatele!" gridati dal cocchiere. Orsola si protesse il volto col ventaglio e si infilò nel portone d'ingresso. La badessa l'aveva mandata a chiamare per parlarle di Agata – era urgente – e lei era perplessa: come prestabilito, non aveva messo piede al monastero durante i due mesi di prova, e dai biglietti di ringraziamento ricevuti da Agata per i suoi regalini – un'immaginetta segnalibro e un articolo su sant'Agata trovato in una rivista francese – aveva avuto l'impressione che la figlioccia stesse bene.

Le due cognate sedevano una di fronte all'altra nel parlatorio, separate dalla grata. Erano parenti lontane, e pur non somigliandosi avevano lo stesso tic: nei momenti di tensione sollevavano il sopracciglio destro e sbattevano le palpebre spasmodicamente arricciando il naso. Era stato proprio quel tratto – e non la profonda religiosità che accomunava le due donne – a spingere il principe, legatissimo alla sorella monaca, a volere Orsola come seconda moglie. La badessa andò subito al dunque: temeva per la salute fisica e spirituale di Agata. Aveva sperato che dopo i primi giorni si sarebbe inserita nel Cenobio e le era sembrato che fosse così, tanto che, dopo averla ospitata nella sua cella, gliene aveva data una molto bella e tutta per sé. La badessa raccontava alla cognata i vari passi dell'induzione di Agata, che le era parso fossero andati bene – la prima discesa al comunichino, i primi salmi cantati insieme, le belle passeggiate nel chiostro discutendo la Regola –, e si chiedeva dove e cosa avesse sbagliato con lei; a quel parlare, Orsola ricordava la sua gioventù, quando era stata felice educanda e poi novizia dalle clarisse e il desiderio di prendere il velo anziché maritarsi era stato cassato dai genitori. La principessa rimpiangeva di non essersi monacata dopo la prima vedovanza, e ascoltava distratta. "Agata sembrava andare d'accordo con la maestra delle novizie, leggeva i testi che quella le dava e li discuteva – insomma, un buon inizio." La badessa fece una pausa. "Poi a un tratto cambiò, senza un motivo specifico." E il suo sopracciglio si alzava e si abbassava. Agata preferiva la solitudine della sala dell'archivio alla compagnia delle altre giovani, con cui aveva avuto disaccordi e piccoli litigi, nel qual caso la nipote usava un tono sprezzante. La badessa aveva sperato che fosse una fase passeggera e la teneva d'occhio, nel chiostro. Con lei Agata era affettuosa ma riservata.

Sin dai primi di luglio, ogni volta che si incrociavano, Agata aveva continuato a chiederle se la madre fosse tornata da Messina. Non aveva mostrato alcuna emozione quando le aveva risposto che anche lei era senza nuove. Ma ben presto era diventato evidente che ne era rimasta fortemente delusa. Aveva cominciato a provocare il Cenobio accentuando gli aspetti mondani del suo vestire, dando scandalo. L'ultima settimana era passata all'estremo opposto: si trascurava, era sciatta e perfino sporca. Non mangiava. Seguiva l'ufficio divino riluttante, camminava a grandi passi sotto i portici, le mani strette dietro la schiena, come un uomo. "Sono indizi di uno squilibrio, forse di una malattia mentale, e bisogna fare qualcosa," concluse la badessa. Non volle dire altro, per non turbare la cognata di cui sentiva il respiro affannoso.

Dovevano decidere se aspettare il ritorno di Gesuela o intervenire immediatamente e togliere Agata dal monastero. Le due donne risolsero di chiedere a Michele, il principe, di mandare un messaggio tramite il personale di corte alla cognata e al fratello di lei, il barone Aspidi, l'unico a cui Gesuela desse retta; avrebbero riesaminato la situazione la settimana seguente. Ma Orsola non voleva andarsene. Piangendo sommessamente, rivelava alla cognata il proprio desiderio di vita moniale e l'affetto ispiratole negli ultimi mesi da quella nipote acquisita che aveva trattato come una figlia. Il battito del cuore di Orsola diveniva più rapido e la fronte le si imperlava di sudore. La badessa sentiva il suo respiro affannato.

"Te', prendi questo, ti fa bene," le disse, e girò la ruota.

Sul fondo di ferro apparve un vassoio con un bicchiere di limonata fresca e una sfogliatella tiepida e croccante.

13.
Fine agosto 1840.
Il tradimento di donna Gesuela Padellani

Agata aspettava la madre speranzosa. Si era lavata e vestita con cura e le due bande di capelli divisi in centro le coprivano le orecchie e si univano in una crocchia sulla nuca. La sera prima la badessa era entrata nella sua stanza per informarla della visita e raccomandarle di mettersi in ordine. Lei si era illuminata in volto e la badessa, nel lasciarla, le aveva accarezzato la guancia.

Donna Gesuela entrò nel parlatorio con occhi spavaldi e passo baldanzoso – il bel volto ombrato. Era stata costretta dal fratello ad abbreviare la visita ai parenti di Palermo perché un funzionario di corte lo aveva sollecitato a farla andare immediatamente a Napoli. Ascoltò contrariata quanto la cognata aveva da dirle.

La badessa portò Agata fuori dalla clausura nel parlatorio e la madre le porse freddamente la mano per il bacio rituale. Lei gliela coprì di baci piccini, poi eruppe in un pianto sommesso. Le raccontò la sua infelicità con le novizie, l'ostilità delle serve, il desiderio di libertà.

"Suvvia, calmati, le prime settimane erano andate bene..." La badessa le posò il braccio sulle spalle e la confortava: "Dicci invece cosa ti è successo, raccontalo e potremo aiutarti...". Agata si rialzò lasciando cadere la mano della madre, che nulla aveva detto, e chiese, esitante, di esser lasciata sola con lei; la badessa la accontentò.

In piedi davanti alla madre, la implorava di toglierla dal monastero: era sicura di non avere la vocazione. Ce l'aveva messa tutta, ma non l'aveva. Lei era nata per vivere nel mondo; se non si fosse maritata avrebbe lavorato come istitutrice o insegnante e non avrebbe pesato economicamente su di lei. Le riprese la mano e gliela baciava. La madre, intristita, le carezzava i capelli. In quel momento entrarono nel parlatorio Angiola Maria e Sarina con una guantiera di dolci e biscotti. Agata si era dovuta fare da parte e non vedeva l'ora che se ne andassero, ma le due, dopo i soliti convenevoli la encomiarono a lungo per la bravura nel riconoscere le piante medicinali e per la diligenza nello studio. Anziché mandarle via, donna Gesuela dava loro conto. A quel punto suonò la campanella di Sesta. La madre si alzò di fretta e disse che doveva andare in chiesa; promise di ritornare subito dopo la funzione e con un sorriso tirato se ne andò.

Le converse avevano fatto rientrare Agata nella clausura e poi erano andate a recitare gli *Ave* e i *Pater*. La monaca portinaia le aveva seguite nel chiostro. Agata era rimasta sulla porta; le osservò fino a quando non scomparvero alla sua vista. Ritornò al vestibolo e fece per entrarvi, quando notò una fila di formiche che traversavano il pavimento del portico. Anziché tagliarlo ad angolo retto scegliendo il percorso più breve per raggiungere il muro su cui poi salivano attorno all'arco, le formiche attraversavano il pavimento diagonalmente formando una sorta di zigzag lungo i bordi delle pietre lastricate e, confondendosi, seguivano crepe che portavano a vicoli ciechi e poi ritornavano sui loro passi. Agata era come ipnotizzata da quel mobile enigma. All'improvviso, capì. Come le formiche, dalla morte del padre la madre l'aveva spinta verso la vita claustrale, senza mai un discorso diretto ma rendendole sgradevole la vita domestica, isolandola da sorelle e parenti, piantando in lei i germogli della paura del futuro e della povertà, privandola dei piaceri della musica e del canto e rendendole impossibile l'amore con Giacomo – come quel folle zigzag delle formiche. L'aveva oppressa con predizioni di imminente catastrofe finanziaria; l'aveva isolata dalla famiglia per renderle più accetta la via del chiostro.

Ora capiva perché, quando la madre andava a pranzo e in visita da parenti, si portava Anna Carolina e lasciava a casa lei, con l'ordine che Nora le servisse i rimasugli; perché non le era permesso di andare in visita dalla zia Orsola o perfino dalle cugine al piano di sotto; perché le aveva proibito di scrivere alle sorelle di Messina e di frequentare Sandra; perché le aveva limitato il tempo al pianoforte con la scusa che disturbava i vicini, e aveva posto alle sorelle il divieto di scriverle e farle visita al monastero. Agata avrebbe parlato con la madre al suo ritorno. Guardava la meridiana sul muro della chiesa. Era passata un'ora. La messa era terminata. Il fruscio delle cocolle striscianti sul pavimento rivelava che le monache ritornavano, silenziose, dall'ufficio divino, pronte per il pranzo. Poi, silenzio. Agata temette il peggio. Lanciò un urlo ed ebbe la sua prima convulsione.

Aprì gli occhi, vedeva sfocato. Accanto, il dottor Minutolo, in ginocchio, e un nugolo di monache bisbiglianti. Il medico le somministrava una bevanda acida, e, aiutato da Angiola Maria, la sollevava e la portava verso una poltrona di vimini con i bastoni che passavano dai braccioli come una bassa portantina. Agata cercò di divincolarsi: non voleva allontanarsi dal parlatorio. Si abbarbicava alla speranza che la madre sarebbe ritornata nel pomeriggio e per l'agitazione sembrò ricadere in un'altra crisi. Volle stendersi di nuovo a terra e l'assecondarono. Chi le portava un guanciale per la testa, chi dell'acqua da bere, chi una pasticca di zucchero e menta.

Il tempo passava e della madre non c'era l'ombra. Agata piangeva sommessamente. Due converse entrarono con l'ordine della badessa di portarla nel coro. Agata non voleva, la madre sarebbe tornata. Gridò alle donne: "Devo aspettarla qui, così mi ha detto!". Quelle chiamarono la badessa. Agata sentì i suoi passi pesanti e per sviarla si trascinò sull'inginocchiatoio davanti l'immagine della Madonna dell'Utria. Unì le mani in preghiera.

"Lasciamola stare: prega. Si sta riprendendo," sussurrò la badessa alle due converse, e se ne andarono insieme.

Agata non aveva altro ricordo di quel pomeriggio. Le fu detto che dopo l'ufficio divino la badessa l'aveva trovata bocconi sul pavimento, a faccia in giù e con il respiro normale, davanti alla miracolosa immagine della Madonna dell'Utria, sorridente nel ritrovato luccichio dei suoi gioielli e tornata all'antico splendore. Quell'immagine della Vergine, venerata con particolare devozione dalle benedettine, nel corso dei secoli si era impreziosita di ex voto d'oro e di gemme – che brillavano appuntati sui capelli, al collo, sulle dita e sullo sfondo del quadro, coprendolo completamente. Due anni prima, i più bei gioielli le erano stati rubati, e non erano mai più stati ritrovati. La badessa aveva fatto di tutto per porre rimedio a quel sacrilegio, inclusa la promessa del perdono alle responsabili, ma senza risultato. Quel pomeriggio, grazie all'intercessione di Agata, il Signore aveva persuaso le ladre a restituire le gioie.

Le monache accorsero da tutte le parti e si inginocchiarono a lato di Agata, ancora distesa a terra ma ora girata e con un cuscino sotto la testa, osannando al miracolo, frutto della preghiera della nipote della badessa. Alcune anziane salmodiavano con le loro belle voci modulate. Angiola Maria gironzolava attorno senza farsi notare. Ascoltava. Osservava. Non c'era voce che mettesse in dubbio il miracolo. Allora scappò dalla lavanderia, esultante, e poco dopo si sentì il suono staccato dei colpi di campana del campanile – annunciavano a tutta Napoli che a San Giorgio Stilita era avvenuto un miracolo.

La vocazione della figlia del defunto maresciallo Padellani era ufficialmente confermata e la gazzetta del quartiere le diede ampio spazio nelle sue pagine.

14.
Dopo il miracolo della Madonna dell'Utria,
Agata nega la vocazione, sta male, offende
il cardinale e finalmente va dalla zia Orsola Padellani

Era poco prima di Mattutino, in giro non c'era anima viva. La campana dei forestieri risuonò lungo i corridoi delle novizie. Agata, febbricitante, delirava. Aveva perso conoscenza più di una volta, e la badessa aveva chiamato di nuovo il dottor Minutolo. Aiutato da donna Maria Immacolata, la sorella farmacista, il medico salassò la giovane e la costrinse a bere dei decotti che le abbassarono la temperatura. Agata cominciò ad assopirsi e il medico la lasciò con Angiola Maria. Prese la via del ritorno attraverso il meandro dei corridoi, discutendo con la sorella farmacista le cause del malessere. Al tintinnio della campana, le novizie correvano a origliare dietro la porta. Ognuna aveva pronta la sua storia, vera o non vera: Agata aveva avuto delle visioni celestiali, le erano comparse le stigmate, la Madonna dell'Utria la chiamava a sé, in cielo. Non c'era novizia, o postulante, o educanda che non volesse congratularsi per il miracolo e verificare di persona la propria versione dell'accaduto. Il viavai nella stanza di Agata, iniziato dopo Mattutino, non si arrestò per tutta la giornata.

Agata aveva ripreso a vaneggiare; nei giorni seguenti rifiutò cibo e medicine, col risultato che le ritornò la febbre alta. Questa volta il medico diagnosticò una diffusa debolezza di mente e corpo e prescrisse riposo totale, mangiare in bianco e brodo di carne. Per evitare le visite, la badessa mandò

Angiola Maria a farle da guardiana. Nel frattempo, la fama del miracolo si era allargata dal rione all'intera città di Napoli e aveva raggiunto tutti i monasteri. La "Gazzetta di Nido e di Capuana" lo aveva riportato col massimo clamore e le richieste di incontrare la "miracolata", come Agata veniva chiamata, fioccavano da ogni parte.

Prigioniera del monastero, tradita e abbandonata dalla madre, Agata era in balìa degli eventi. Se la prendeva con Angiola Maria, che, su ordine della badessa, non la lasciava mai sola. E quella sopportava paziente e mormorava "Miracolata mia, miracolata mia" a tutti gli sgarbi. Agata rispondeva a monosillabi e per i primi giorni non volle lasciare il letto. Rifiutava di lavarsi, pettinarsi, perfino di cambiare la biancheria impregnata di sudore. Quando apriva gli occhi, li fissava sulla parete disadorna di fronte a lei. Odiava il proprio corpo, che era ormai il solo oggetto del suo potere. Lo privava di nutrimento e lo feriva, ficcandosi le unghie nelle braccia e tagliuzzando con un vecchio rasoio da tonsura la pelle delle cosce con tagli paralleli. E deperiva a vista d'occhio.

Il dottor Minutolo camminava meditabondo lungo il portico del chiostro, a passi strascicati, dietro la serva che suonava la campana – un'altra vittima di quel male, questa volta una giovane conversa rosa da un cancro al seno. Lui non se ne dava pace. Rallentò per dare l'opportunità alle due giovani monache che oziavano attorno alla fontana di nascondersi dalla sua vista. Passava davanti ai salotti della badessa, che di solito erano chiusi. Quella mattina stavano cambiando la disposizione dei quadri nella prima sala di ricevimento per aggiungerne uno nuovo, regalo della regina. Martello in mano e in cima alla scala puntellata contro il muro da due converse, Angiola Maria aspettava l'ordine di piantare il chiodo, mentre altre due converse, in punta di piedi, reggevano il quadro con le mani e lo spostavano lentamente lungo la parete sotto l'occhio attento della badessa.

Alla vista del medico, donna Maria Crocifissa lasciò le converse per andargli incontro. Ambedue avevano conosciuto monache che avevano portato il digiuno agli estremi, e lei era determinata a evitare che lo stesso succedesse ad Agata; discussero a bassa voce il da farsi e conclusero che un cambiamento d'aria sarebbe stato benefico: Agata sarebbe andata dalla zia Orsola non appena ricevuto il permesso dalla madre. Altrimenti, la badessa avrebbe dovuto chiederlo al cardinale.

Il dottor Minutolo aveva ripreso il cammino e il tintinnio della campanella echeggiava nel chiostro. La badessa era ritornata al compito interrotto. "Spostatelo un dito a destra, poi è perfetto!" ordinò, ma il quadro non si mosse: ciascuna delle converse elaborava e considerava quanto aveva afferrato dalla conversazione di quei due, per ripeterlo alle altre.

Agata ricordava i capelli lisci e corvini e l'aura di potere del cardinale, quando aveva officiato il funerale del padre. Seduto al tavolino rotondo della badessa, le sembrò rimpicciolito. Le porse la mano inanellata e dopo il baciamano la trattenne in piedi davanti a lui; la osservava, incerto, con uno sguardo scrutante che mutava dal benigno all'ostile. La badessa si era appartata su una seggiola e leggeva delle carte.

"Ho sentito che non mangi. Fai male, figliola," le disse, paterno. "Nostro Signore vuole che le sue monachelle siano in buona salute e contente."

"Eminenza, cercherò di mangiare."

"Avete sentito, donna Maria Crocifissa?" disse allora il cardinale rivolto alla badessa. "Vostra nipote ha promesso di comportarsi bene e di mangiare." Poi si girò verso Agata e ripeté ad alta voce, con un tono minaccioso: "Hai promesso, non è così?". La guardava, e le sue pupille la incantavano. Agata cominciò a tremare e perse di nuovo la voce; annuì calando la testa ripetutamente, senza smarrire il contatto degli occhi. Dopo un tempo che le era sembrato interminabile, il cardinale sollevò il braccio come se volesse benedirla. Agata calò lo sguardo, in segno di rispetto. Una mano le sfiorò la guancia e poi seguì il contorno della mandibola. Una fiera taliata e poi il riflesso immediato – Agata respinse quella mano con uno schiaffo. Sbalordita dall'enormità del proprio gesto, pavida, attendeva l'inevitabile.

"Perdonatemi, Eccellenza..."

"Donna Maria Crocifissa, andiamo dalle sorelle, ci aspettano. Agata ha promesso. Rimarrà con voi." Il cardinale non distoglieva gli occhi dal viso smunto di Agata. A capo chino, lei fissava la croce sul petto di porpora, poi su, su, fino al pomo di Adamo e sul rilievo azzurrastro della vena gonfia, sul mento liscio, sulle labbra strette, sul naso leggermente aquilino. Fin quando non inchiodò lo sguardo in quello di lui.

"Puoi andare."

Da allora, Agata si incaponì nel digiuno. Voleva la madre e chiedeva di lei ogni giorno. Negava la vocazione e ribadiva la sua determinazione a lasciare il monastero. Quel parlare, dopo il miracolo della Madonna dell'Utria, dava scandalo. Le parole di Agata rivelavano che confondeva realtà e fantasia. Per questo, e anche per assecondare il suo desiderio di solitudine, la badessa le concesse di rimanere nella sua cella, in attesa del consenso della madre a mandarla dalla zia Orsola. Ma donna Gesuela se n'era andata a Palermo senza dirle se e quando sarebbe tornata.

Quando venne a saperlo, Agata cominciò a rifiutare anche l'acqua. Si tormentava i capelli, se li strappava a ciocche. A quel punto la zia Orsola decise di assumersi la responsabilità e se la portò a palazzo Padellani.

15.

*Agata apprende che la madre vuole maritarla a un altro
e decide di tornare al monastero*

Agata aveva creduto che dalla zia Orsola, dove occupava
la stessa stanza e aveva la stessa cameriera, avrebbe ripreso la
vita di prima, ma non fu così. La pettinatrice, dopo aver messo a posto i capelli della zia, non passava più ad acconciare i
suoi riccioli. La zia non la invitava più ad accompagnarla alle messe cantate e ai Vespri negli oratori, che tanto le piacevano, lei doveva ascoltare la messa nella cappella del palazzo
con la servitù e le bambine del cugino principe. Sedeva alla
tavola della zia quando erano loro due o c'erano ospiti anziane, altrimenti mangiava da sola nella sala da pranzo piccola. Non le era permesso entrare in salotto quando la zia giocava a carte. I parenti e le cugine non si erano fatti vivi; insomma, Agata era isolata dal resto del mondo come se fosse
già monaca.

Ciò nonostante, la zia Orsola la copriva di attenzioni e di
affetto. Ogni mattina la portava fuori con la carrozza chiusa
e le offriva gelati e dolcini, che però erano serviti loro senza
che dovessero scendere. La incoraggiava a passare i pomeriggi, mentre lei giocava a carte, a leggere nella terrazza, che
era stata ricavata dalle soffitte ed era molto profonda e circondata da stanze su tre lati, per far sì che la parte interna fosse totalmente al riparo dagli sguardi altrui – come un chiostro. La zia le permetteva anche di suonare il pianoforte. Agata a poco a poco cominciava a pensare al futuro e perfino a

sperare; con la zia non osava parlarne – sapeva che tutto dipendeva dalla volontà della madre, a cui aveva scritto. Aspettavano la sua risposta, che tardava a venire.

Una volta, dalla carrozza, credette di intravedere Giacomo in via Toledo: era di spalle ed entrava in un negozio di abbigliamento maschile. Da allora Agata nutrì la convinzione che lui si sarebbe fatto avanti, presto, e si lasciava andare a un romantico struggimento per l'amato. Prendeva di nascosto dagli scaffali della biblioteca libri di poesie e tragedie di scrittori francesi e italiani; si soffermava sulle scene d'amore e di pathos, e meditava su quei versi come se fossero versetti dei salmi. Si spalmava sulla pelle sciupata la pomata fragrante di bergamotto della zia e si acconciava i capelli in riccioli; in pochi giorni era tornata bella, seppure magrissima.

Dei parenti, Agata aveva il permesso di frequentare soltanto Sandra, ma a palazzo Padellani e non in casa Aviello. Con l'entusiasmo e l'irruenza della gioventù, Agata parlava con lei delle sue letture, e Sandra, la più colta delle sorelle, le rivelò che le tragedie eroiche di Corneille erano tra le sue preferite. *Horace*, in cui i tre figli del romano Publio Orazio sfidano e sconfiggono i tre fratelli Curiazi della nemica Alba, la esaltava: il solo superstite del combattimento, Orazio, è rimproverato dalla sorella Camilla, sposa di uno dei Curiazi, di non aver anteposto i sentimenti familiari all'amor patrio, e allora lui, preso dall'ira, la uccide. Il padre difende il figlio fratricida dinanzi a re e popolo, sostenendo la difesa dell'amor patrio, e il popolo romano decide di graziare l'eroe. "Ha ragione san Paolo, quando afferma che l'uomo non fu creato per la donna, ma la donna per l'uomo," diceva Sandra, e spiegava alla sorella, sublimandolo, il suo ruolo di sostegno del marito carbonaro: lei, da patriota, sopportava senza un lamento la lontananza da lui, spesso fuori Napoli in missioni segrete, e l'assenza di benessere economico. "Ma non ti manca, la sera?" chiedeva Agata. "No, è talmente bello, poi, rivederlo e sentirmi degna di lui sapendo che anch'io contribuisco alla nostra causa..."

Agata pensava alla sorella di Orazio. Ma se una donna si innamora di un uomo che poi diventa nemico della propria nazione, come può accettare che l'amato sia ucciso dal proprio fratello?, si chiedeva, e poi diceva alla sorella: "E il fratello, non deve pensare che sta uccidendo il marito della sorella? Non potrebbe risparmiarlo?". Sandra la esortava ad abbandonare quell'atteggiamento indegno di una donna moderna: "Quello che dici renderebbe impossibile a qualsiasi donna di innalzarsi ed essere vera patriota. Tommaso lo dice sempre: la donna del patriota deve ricordarsi che certi sacrifici sono necessari per raggiungere il fine preposto e superiore: l'unità della nazione e il bene del popolo italiano". E le raccontava, facendo nomi e cognomi, di madri che incoraggiavano i figli a partecipare a moti e spedizioni libertarie sapendo che sarebbero morti. "Non lo capisco. Preferirei andarci io, in guerra, anziché mandarci i miei figli," rispondeva Agata. "Eppure accadde, dopo la Rivoluzione francese, con la Société des citoyennes républicaines révolutionnaires, a Parigi. Ma non funzionò. Siamo diverse dagli uomini," sancì la sorella, soddisfatta, "san Paolo aveva ragione."

Finalmente, una mattina la principessa di Opiri ricevette l'attesa lettera dalla cognata. Volle leggerla ad Agata alla presenza di Sandra, che a sua volta si era fatta accompagnare dal marito. Era breve; Gesuela ringraziava Orsola per essersi presa cura della figlia e ordinava ad Agata di imbarcarsi sul prossimo postale per Messina e di portarsi tutti i vestiti estivi. Le ingiungeva anche di comprare con Sandra della mussola leggera di suo gusto per un abito elegante. Agata esultò: il fidanzamento! Si pentì di aver pensato male della madre, che da lontano aveva lavorato per la sua felicità. Abbracciò zia e sorella e si lanciò in una lenta piroetta sulle punte, mormorando la dolcissima melodia di La Barcata, "*il fiume va verso il mare e scorre come la vita, disteso a poppa a sognare pen-*

si che il viaggio mai più finirà...". A ogni giro andava più veloce, la grigia sottana si gonfiava e lei si allargava in un sorriso smagliante. Poi, accaldata, si gettò sulla poltrona, a braccia aperte. Sandra aveva il muso di prugna. "Che fa, non hai capito? Mi fidanzo con Giacomo!" le gridò Agata, e si rivolse per aiuto agli altri due. Capì dai loro volti. A quel punto la sorella si sentì costretta a dirle la verità. Amalia le aveva scritto in confidenza informandola che Giacomo si era fidanzato ufficialmente con la ragazza scelta dai genitori, e che la madre aveva combinato due matrimoni: quello di Agata con il vecchio cavalier d'Anna, senza dote alcuna, e il proprio con il generale Cecconi, stanziato a Palermo, dove lei sarebbe andata a vivere. Agata ascoltava, e nel mentre tirava su le gambe e si rannicchiava nella poltrona: con la schiena appoggiata al bracciolo, si infilò il pollice in bocca e se lo succhiava come un neonato. Lo sguardo opaco fissava la maiolica fiorita del pavimento.

Agata si era ricomposta sulla poltrona e parlava fredda, calma. Non avrebbe sposato l'uomo scelto dalla madre: lo trovava disgustoso. Voleva sapere se, essendo minorenne, aveva il diritto di rimanere dalla zia e di andare a lavorare come insegnante o istitutrice senza il consenso della madre e chiese di essere lasciata sola con il cognato.

"Quando potrò essere emancipata da mia madre?" chiese a Tommaso Aviello, come se fosse una cliente.

"Dai quindici anni in poi, ma è revocabile, e nel tuo caso non cambierebbe nulla. Ti darebbe la facoltà di amministrare il tuo patrimonio, ma tu di patrimonio non ne hai. Non ti consentirebbe di vivere da sola e di lavorare, senza il previo consenso della tutrice – tua madre –, che, se non ti mariti, avrà sempre l'obbligo di mantenerti e il diritto di tenerti con sé. La maggiore età di una donna, a ventun anni, non toglie l'obbligo dei genitori di mantenere la figlia zitella, né quello di obbedienza da parte della figlia. Potrai abbandonare di tua volontà la casa materna soltanto quando ti mariti, lo dice il titolo 9 del primo libro del codice civile *Delle persone*."

"E che succede se non voglio obbedire a mia madre?"

"È la tua sola tutrice testamentaria. Te lo dice l'articolo 502: se tua madre ha gravi motivi di malcontento per la tua condotta, può richiedere al presidente del tribunale di arrestarti per non più di un mese, e quello dovrà ordinare l'arresto, senza esprimerne i motivi. Te lo dice l'articolo 290: la figlia non può abbandonare la casa paterna durante e oltre la minorità, se non quando vada a marito."

"Allora non posso cercarmi un posto di istitutrice, senza il consenso di mia madre?"

"Esatto. Non troverai un impiego rispettabile senza il suo consenso, e anche se vi riuscissi non avresti alcuna garanzia di poterlo mantenere."

Agata ascoltava attenta, a volte socchiudeva le palpebre come se cercasse di memorizzare quanto detto. Tommaso aggiunse che la madre avrebbe potuto denunciare alla polizia la principessa di Opiri, se avesse continuato a ospitarla in casa sua anziché mandarla a Messina come le aveva ingiunto. A quel punto, Agata lo implorò di trovarle un nascondiglio in casa sua o dovunque a Napoli, per darle il tempo di cercare lavoro, di andare anche all'estero se necessario, e accennò che a Torino erano rifugiati molti dissidenti napoletani.

Il cognato ammirava il coraggio con cui Agata stava reagendo e la determinazione ad analizzare in modo realistico le scelte che credeva o sperava di avere. Ma dovette farle presente che la polizia e lo spionaggio borbonico erano efficientissimi e che il generale Cecconi era un uomo influente: l'avrebbero scovata ovunque. A quel punto Tommaso le rivelò che lui stesso era sorvegliato dalla polizia e non poteva mettere a rischio, per aiutare lei, la propria libertà e quella di Sandra; proprio in quei giorni temevano una perquisizione domiciliare. Non conosceva un nascondiglio segreto per i suoi libri, figurarsi per Agata. "Non c'è che fare, devi ubbidire alla tua tutrice," concluse. "Non hai scelta."

Quando Agata parlò, lo corresse – lei una scelta sicura ce l'aveva: il convento. "Mia madre mi ha costretta ad andare a San Giorgio Stilita; mi vuole monaca. Sono dalla zia perché stavo male; ora sto bene e posso tornarvi oggi stesso." E aggiunse che la madre non avrebbe osato toglierla da lì contro il suo volere e quello della zia badessa. Inoltre era certa che, compiuti i sedici anni, le avrebbe permesso di cercare lavoro anziché pagare la dote monacale, ed ebbe perfino l'ardire di offrire aiuto al cognato. Gli rivelò che i suoi due bauli, un tempo appartenuti al padre, avevano un doppiofondo inutilizzato; sarebbe stata lieta di nascondervi "cose" di lui e portarle al sicuro nel monastero.

I tre convennero sulla decisione di Agata e la zia inviò un biglietto alla badessa. Gli Aviello si impegnarono a cercarle un lavoro dignitoso come istitutrice, se la madre fosse stata d'accordo, ma la zia Orsola non ne era contenta. Borbottava tra sé che un impiego non si addiceva a una femmina, e in particolare a una Padellani – un buon marito vedovo e anziano sarebbe stato preferibile –, e si ripropose di parlarne alla nipote nel pomeriggio nella speranza che questa volta Agata seguisse il suo consiglio.

16.

Donna Gesuela Padellani arriva a Napoli per togliere Agata dal monastero ma quella rifiuta di lasciarlo

Agata ricamava con la zia Orsola in attesa del consenso della badessa al suo rientro al monastero, che tardava ad arrivare.

Tra una gugliata e l'altra, la zia ricordava il proprio passato, per incoraggiare Agata a non scartare un matrimonio di convenienza. Agata si bloccò e la punta dell'ago, tra indice e pollice tremanti, si inficcò nell'altra mano e una goccia di sangue rotonda spuntò sul lino. La zia se ne accorse, capì, ma non riuscì a star zitta, forse anche perché il ricordo delle sue virtuose rinunce la gratificava sempre. Orsola era profondamente buona, ma insicura e con un pizzico di presunzione. Le raccontò dei suoi due matrimoni, nessuno per amore e ambedue felici, e del suo desiderio di farsi monaca, accantonato ben due volte per obbedienza filiale e, la terza, per due piaceri mondani.

Da ragazza, Orsola Pietraperciata era stata educata al monastero di Santa Chiara. La vita del chiostro le piaceva e lei sentiva fortissima la vocazione. Poi le morì la sorella maggiore, già fidanzata; il padre la tolse dal convento e la maritò al fidanzato di quella, un anziano duca, che l'amò molto; rispettoso della vocazione della giovane moglie, le concesse di ospitare in casa delle pinzochere e di condurre una vita pia. Orsola rimase incinta ma perse il figlio; pochi mesi dopo le morì anche il marito.

Pensò allora di pronunciare i voti, ma il padre, anche lui vedovo, volle che tornasse a vivere al palazzo, e ancora una volta Orsola obbedì. Dopo la morte del padre, il principe di Opiri, un lontano cugino, a sua volta vedovo e con il figlio Michele piccino, le chiese di far da madre al bambino. Lei non era incline alla vita matrimoniale, e glielo disse. "È lo stesso per me," le rispose lui, con sollievo, e promise di rispettare il suo desiderio, purché si prendesse cura di lui e del piccolo. Anche quello fu un matrimonio felice – in bianco.

Vedova per la seconda volta, e indipendente, Orsola non si era sentita di andarsene in un monastero o in un conservatorio: non avrebbe più saputo rinunciare al gioco delle carte e alle serate all'opera – le piacevano troppo. "Eppure," concluse la zia, aggiustandosi vezzosa un ricciolo, "sono convinta che sarei vissuta più felice da monaca. Pensaci, Agata."

La zia era andata al San Carlo e Agata era in terrazza. Il gazebo, circondato da grandi piante di gelsomini e magnolie invasate, e coperto da una rigogliosa ipomoea in piena fioritura, era un rifugio perfetto dagli sguardi della servitù. Agata non aveva pianto, ma i suoi occhi erano gonfi e arrossati e si sentiva debolissima. Gambe e braccia le dolevano come se si fosse caricata di sacchi di mandorle tutto il giorno. I raggi morenti del sole cadevano sul Vesuvio e sulle vette di Castellammare. Si celebrava una delle tante feste religiose di Napoli, e le arrivava l'eco della banda e del popolo esultante come un lontano, smorzato fragore del mare. Dal suo sedile, Agata non vedeva altro che il cielo rosso attraverso il verde del fogliame e l'azzurro violaceo delle campanule. Rosso. Verde. Viola. Passione, speranza, mestizia. Una nuova commozione la invadeva. Respirava a pieni polmoni l'aria libera; si sentiva sola, ma non isolata. Dio la proteggeva, la amava. E la chiamava. Non al monacato, ma a sé. Agata rispondeva al suo amore e rimase a parlare con il suo Dio fino a notte, quando l'umidità che saliva dal mare la avvolse, facendola rabbrividire.

La zia Orsola la aspettava in casa con un biglietto in mano. La badessa la informava che, dopo aver consultato il cardinale, aveva considerato opportuno chiedere al Capitolo delle coriste se erano disposte ad accettare Agata nel Cenobio, per una seconda volta. La risposta era stata inequivocabile: Agata poteva ritornare a San Giorgio Stilita la mattina seguente, dopo Terza, a condizione che dichiarasse la sua irrevocabile volontà di diventare monaca e iniziasse con il primo stadio – l'educandato.

Agata aveva insistito per essere lasciata sola al momento del suo ingresso a San Giorgio Stilita. Al *"Deo gratias"* della portinaia, Sandra Aviello uscì dal vestibolo, e scese col cuore pesante la scalinata del monastero. Al cigolio della porta monumentale si voltò, ma quella aveva già inghiottito la sorella.

Alla stessa ora, donna Gesuela Padellani era sul molo di Messina per prendere il vapore. Furiosa. Aveva ricevuto un messaggio tramite un informatore segreto del suo futuro marito: la figlia intendeva entrare a San Giorgio Stilita per iniziare il percorso della monacanza – di propria volontà e con forte vocazione. Gesuela si chiedeva chi avesse rivelato ai parenti napoletani i suoi piani matrimoniali su Agata – lei aveva scritto alla cognata con grande circospezione, per non sollevare sospetti sul cavalier d'Anna, ma il precipitoso rientro di Agata al monastero era chiaramente dovuto a quello.

Gesuela ripensava alla propria gioventù; anche lei era stata maritata con l'inganno. Era orfana e tredicenne. Faceva da padrona di casa per il fratellastro trentenne ed era contenta – andavano d'accordo in tutto e per tutto, e non si sarebbe mai aspettata da lui un matrimonio combinato così presto, tantomeno con don Peppino Padellani, alle soglie dei quarant'anni. Invece lui l'aveva portata a Napoli col pretesto di un viaggio di piacere e in poche settimane l'aveva maritata a quello. Poi lei e Peppino si erano voluti bene, avevano raggiunto dei compromessi e avevano trovato contentezza; ma l'indigenza, i debiti contratti dal marito e gli sforzi per maritare le figlie l'avevano logorata. Proprio quando credeva di aver risolto il futuro di Agata, ed era alle soglie del secondo matrimonio, sarebbe stata costretta a contrarre altri debiti per la dote monacale di quella figlia ribelle; la rabbia nei riguardi di Agata e della cognata non la lasciò durante la traversata e perdurò a lungo.

La porta si era richiusa dietro le spalle di Agata. Quattro serve spingevano i pesanti bauli sulle lastre di pietra del corridoio. Nel giardino del chiostro, nascoste tra la fontana e il Cristo e la Samaritana pietrificati nel mezzo della loro piacevole conversazione, le novizie la sbirciavano beffarde. Conscia dell'enormità di quanto promesso, Agata esitò, sgomenta; poi seguì Angiola Maria, che la conduceva dalla badessa. Passando davanti alle novizie ridacchianti raddrizzò la schiena, sollevò il mento e increspò le labbra in un sorriso di sfida.

La badessa la ricevette nella sala di rappresentanza. Non la abbracciò e le porse la mano per il bacio.
"Capisci cosa significa prendere il velo?"
"Sì, ci ho pensato."
"Prima non volevi." Una pausa. "Mi hanno detto che avevi un innamorato." E la guardò severa.

"Si è preso una sposa ricca. Io non voglio maritarmi più."
Agata la guardava torva, avrebbe preferito non dover svelare
il tradimento di Giacomo.

"Ce ne sono, qui, di monache come te, che avrebbero preferito maritarsi con l'amato, ma non fu possibile," disse la badessa. Poi alzò la voce: "Gesù Cristo non merita di essere la
seconda scelta".

La risposta ad Agata venne facile e spontanea: "Ma io amo
Dio più di tutto, e lui mi aiuterà!".

17.

La vestizione di Agata educanda

La sera prima della cerimonia della vestizione di Agata Padellani, la chiesa, costruita grazie alla munificenza di una cinquecentesca badessa Padellani, era stata chiusa alla congregazione e al clero: era ritornata brevemente proprietà esclusiva del monastero e di quella famiglia. Le monache avevano addobbato gli altari con i loro argenti e candelabri e la chiesa scintillava.

Prima di Compieta, Agata, con la badessa accanto, aveva percorso la navata reggendo il vassoio d'argento su cui poggiava l'abito da educanda. Arrivate all'altezza della cappella dedicata a san Benedetto, fondatore dell'ordine, si erano inginocchiate sul primo scalino. In quel momento la chiesa si riempiva del canto monodico delle monache.

Intende voci orationis meae,
Rex meus et Deus meus.

Agata si era alzata e, da sola, era salita per porre il vassoio sull'altare. Poi era scesa e si era inginocchiata accanto alla badessa. Anche lei cantava:

Quoniam ad te orabo:
Domine mane exhaudies vocem meam.
Intende voci orationis meae,

Rex meus et Deus
Quoniam ad te orabo:
Domine mane exhaudies vocem meam.

Al mattino o Signore, tu esaudirai la mia voce.

Era una molle mattina di fine settembre; sotto le ombrose arcate del chiostro, l'aria era ferma. Tacchettio sugli scalini, fruscio di vesti e un parlottare sommesso – la calma del chiostro era stata spezzata dal gruppo di giovani che scendeva dalla scala delle novizie. Educande e postulanti accompagnavano Agata Padellani al comunichino per la vestizione; erano in tante e la spingevano, la toccavano, la carezzavano. Passavano dal corridoio davanti alle cucine. Sulle soglie, serve e converse le guardavano sorridenti. Le monache anziane avevano occupato i posti di vedetta nelle sei alcove che aprivano sulla navata della chiesa e da lì la salutavano con cenni della mano.

Il gruppo delle festeggianti si infilò nella porticina di legno da cui si accedeva al labirinto di scale e corridoi che portava al comunichino. Si stringevano nell'angusto corridoio lungo il muro del transetto della chiesa, poi scendevano per una scala di scalini ripidi e senza interruzione; raggiunto il minuscolo pianerottolo giravano ad angolo retto su un'altra scala altrettanto ripida. Spinta e maniata dalle altre, affollate attorno a lei, Agata incespicava e più di una volta temette di perdere l'equilibrio e di precipitare sugli scalini.

La sala del comunichino, priva di mobili, odorava di incenso e dell'umidità che trasudava dal muro esterno. Sulla sinistra, la Scala Santa saliva contro l'intera parete e si arrestava, cieca, davanti all'enorme volto di un Cristo biondo e incoronato di spine; ogni primo venerdì del mese, monache in ginocchio per ottenere indulgenze percorrevano su e giù i gradini di legno intagliato senza mai appoggiarsi alla ringhiera. Un imponente quadro seicentesco di Mosè che faceva scaturire l'acqua dalla roccia occupava la parete opposta al comunichino; davanti, la poltrona della badessa. Appena entrate nella sala, le ragazze, come un plotone di soldati, si erano allargate in file compatte, accanto e dietro ad Agata, e avanzavano lente a piccoli passi, fino a quando lei, nel mezzo della prima fila, non arrivò direttamente al centro della porta a quattro ante che copriva la grata del comunichino. Le due educande addette ad aprirla presero posizione, davanti ad Agata; poi, in sincronia, piegarono le ante sulle cerniere ben oliate e silenziose. Le luci di centinaia di candele irruppero nella sala mentre la musica dell'organo invadeva la navata, seguita dal canto delle coriste. All'unisono, i chierici impettiti ai loro posti sugli scalini dell'altare maggiore puntarono gli occhi sul comunichino, alla destra dell'altare. Visto dall'interno della chiesa, sembrava l'ingresso di una sontuosa cappella: una grande raggiera di ferro e ottone, fiancheggiata da due candelabri, capolavoro degli ottonari napoletani, sormontava la grata tripartita dietro la quale le monache ascoltavano la messa e ricevevano l'eucaristia attraverso l'apertura centrale.

La congregazione era numerosa: la gente del quartiere era venuta in massa – memore del miracolo della Madonna dell'Utria, e per rispetto ai Padellani – ma di loro c'erano soltanto il principe con moglie e matrigna, per non far notare l'assenza della madre dell'educanda. La benedizione solenne della tunica avvenne all'altare di san Benedetto, prima della celebrazione della messa. Il canonico e i chierici diedero il via ai canti, seguiti dai fedeli. I turiboli tenuti alti dai quattro chierici ai lati del canonico oscillavano sincronizzati. Ogni qualvolta raggiungevano l'apice della parabola sprigionavano nubi di incenso e mirra, misti ad antichi unguenti – secondo la tradizione delle monache armene, fuggite nel VII secolo e fondatrici del monastero. Il profumo saturava l'intera chiesa e saliva sino al coro, che aveva iniziato il salmo XVI a voci pari.

Il canonico discese dall'altare.

Exurge, Domine, praeveni eum et supplanta eum:
Eripe animam meam ab impio frameam tuam

Il canonico passò la tunica ad Agata attraverso il comunichino.

Ab inimicis manus tuae.

Agata calzava le scarpe pesanti delle monache e aveva acconciato i capelli in due bande piatte che, passando sopra le orecchie, erano poi raccolte e sostenute sulla nuca da un pettine. Le educande la spogliarono per rivestirla con la tunica di lana nera, dalle maniche strette sino al polso e con un piccolo scapolare pendente dalle spalle. Poi le fecero indossare il grembiale di mussola bianca e le legarono al collo un fazzoletto della stessa stoffa.

Ego autem in iustitia apparebo conspectu tuo:
Satiabor cum apparuerit gloria tua.

Completata la vestizione, la nuova educanda fu la prima a ricevere l'ostia divina. Agata chiuse gli occhi mentre la particola le si scioglieva in bocca. Quando li riaprì rivolse lo sguardo alla congregazione. Nei primi banchi credette di scorgere Giacomo con accanto una donna, e serrò di nuovo gli occhi, stretti.

18.

L'educandato di Agata

La prima settimana da educanda era andata bene per Agata. Il cardinale le aveva confermato padre Cuoco come confessore. La badessa, che fino alla vestizione aveva quasi evitato di parlarle a solo, adesso le dimostrava l'affetto di prima, anche se con maggior ritegno, e la incontrava ogni giorno, brevemente, prima dei Vespri, nel "tempo delle monache", quando potevano leggere, pregare e meditare da sole a loro piacimento.

L'istruzione religiosa era affidata alle maestre delle educande e delle novizie, assistite da novizie prossime alla professione solenne; le giovani erano trattate severamente. La giornata di studio era scandita non dalle lezioni ma dai rigidi orari della preghiera, con pochi spazi per la ricreazione. Allora Agata si teneva a distanza dalle altre educande, che la cercavano per sentire da lei la *vera* storia del conflitto con la madre. Preferiva studiare sui libri che le avevano dato, ma il suo pensiero tornava spesso alla madre, il cui arrivo da Messina le era stato preannunciato dalla badessa.

Donna Gesuela non si era recata direttamente al monastero appena sbarcata dal vapore, come aveva inizialmente pensato di fare: su consiglio del generale Cecconi, aveva parlato con parenti e amici per capire cosa fosse successo alla figlia, in modo da riportarla a Messina senza incrinare i rapporti con i Padellani.

Era il giorno fissato per la visita a San Giorgio Stilita. La monaca portinaia la fece entrare nel parlatorio, anziché nel salotto privato della badessa. Donna Gesuela, contrariata dall'esser trattata come tutti gli altri e non da parente, si sedette in pizzo sulla sedia davanti alla grata, tisa tisa e senza appoggiarsi alla spalliera. Nell'attesa, si gonfiava di risentimento.

Poi, un cigolio alle spalle: figlia e cognata facevano il loro ingresso nel parlatorio attraverso la porticina mimetizzata tra le volute verdi e rosse delle colonne dell'affresco. Nell'abbassarsi per il baciamano, Agata mostrò i capelli allisciati e trattenuti dal pettine, che evidenziavano i vuoti dove lei se li era strappati. Quella vista fece dimenticare a donna Gesuela tutte le sue buone intenzioni: le rinfacciò di aver riempito il monastero di proteste contro la vita del chiostro, dichiarando ai quattro venti che voleva maritarsi – a quel punto donna Gesuela alzò la voce, sempre più stridula –, e l'accusò di avere ordito il piano diabolico di far credere agli altri che aveva la vocazione, mentre invece era spinta soltanto dalla disobbedienza: Agata voleva solo evitare il matrimonio con l'uomo scelto da lei.

"Gesuela, finiamola. Non puoi sempre costringere gli altri a seguire la tua volontà. Hai quasi quarant'anni, dovresti essere diventata saggia, ora che sei vedova. Agata resta qui, è la sua volontà... ed era anche la tua, l'ultima volta che ci siamo incontrate." Le parole della badessa inasprirono i toni. Ora donna Gesuela non si teneva più, e accusava i Padellani di essere contro di lei, in particolare la badessa, che aveva tradito la sua fiducia, e minacciò di ricorrere alla giustizia del re per riavere la figlia. Senza scomporsi, la badessa le ricordò che il cardinale aveva seguito la vicenda da vicino: "Lui ha molto a cuore tua figlia, lo sai". No, Gesuela al cardinale non aveva pensato, e a quelle parole era rimasta interdetta. "Allora, permettimi di dirti che l'ho consultato io," incalzò donna Maria Crocifissa, "quando ho ricevuto la richiesta di Agata. È stato lui ad approvare il suo ritorno, previa delibera delle monache professe in pieno Capitolo. Sa anche che Agata vuol farsi monaca di sua propria volontà."

La madre inchiodò gli occhi in quelli della figlia, che ricambiò lo sguardo senza distoglierlo fino a costringere donna Gesuela, sconfitta, a sottrarsi a tanta sfida.

Da allora, e fino al giorno della professione semplice, Agata non ebbe più alcun contatto con la madre.

19.

Agata pensa all'amore mentre impasta il pane

L'incontro con la madre aveva segnato profondamente Agata. Si sentiva veramente sola e non cercava di porvi rimedio: schivava la compagnia delle altre giovani e delle monache. Lavorava, studiava e leggeva. Era triste. A novembre, dopo la festa dei morti, temette di scivolare di nuovo nella malinconia, da cui la salvarono il canto e la scansione della giornata. Era ordinata per natura e l'alternanza tra lavoro e preghiera le dava un senso di soddisfazione e di conforto. Rincantucciata tra gli scanni vuoti dietro alle coriste, si univa al loro canto e salmodiava, aprendo gola e cuore a Dio e pregando che la salvasse da un mondo al quale non apparteneva.

La giornata delle educande era regolata non soltanto dall'uffizio divino e dalle lezioni, ma anche dai lavori umili. La condizione di entrare da educanda, imposta ad Agata dal Capitolo, era dunque una punizione di cui lei era stata ben lieta. Le piaceva sporcarsi le mani coltivando l'orto, impastando il pane, pulendo gli argenti, pieghettando i candidi soggoli di lino delle monache, stirando le tonache e rammendando. Frequentava le lezioni con piacere e imparava velocemente quello che le veniva insegnato; poi, da sola, completava la propria istruzione leggendo quello che le capitava sotto mano nella sala dell'archivio, o i libri che si era portata.

A Messina la madre non permetteva alle figlie di stare in cucina, che era al pianterreno. Agata vi andava quando la madre non era in casa, ma aveva imparato poco. A Napoli, Nora le aveva insegnato a cucinare sul braciere i piatti poveri che conosceva lei. Vista la sua ignoranza, la monaca ebdomadaria mise Agata a fare il pane, ma, anche in quel caso, non fu semplice come aveva pensato.

La cucina era uno stanzone rettangolare con al centro una tribuna luccicante di piastrelle smaltate che terminava in un'altissima cappa retta da colonne robuste; il focolare, sotto la cappa, alimentato dallo scantinato, era una lastra di ferro circolare, rovente, con fori di diametro diverso per calderoni, pentole e padelle. Sui lati corti della cucina si aprivano la stanza adibita alla cottura nei forni a legna e l'antirefettorio – ambedue con banchi di marmo lungo le pareti, poggiati su grossi legni che uscivano dal muro, usati come tavoli di appoggio per la lievitazione e per trinciare le carni.

Gli scantinati si estendevano fin sotto i due refettori – il piccolo, per educande, converse e postulanti, e il grande, riservato a monache e novizie – ed erano collegati con la cucina attraverso una scala. Aria e luce arrivavano da due pozzi protetti da una ringhiera. Erano usati come riposto e cantina, e avevano un proprio pozzo, ricco d'acqua, e una grande vasca di lavaggio.

A San Giorgio Stilita arrivavano sacchi di farina e di grano dalle terre del monastero: la molitura veniva fatta dalle serve in vecchie macine di pietra, nell'orto. La farina da dolci era conservata in grandi barili di metallo, mentre quella da cucina in sacchi grigi sui quali erano scritti il tipo di farina e la data della molitura. La farina per il pane era di qualità ancora diversa. Brida ebbe il compito di insegnare ad Agata la panificazione. Per prima cosa, volle mostrare come scegliere la farina. Infilava la mano nel sacco e poi vi spingeva dentro la mano di lei. "Devi stare attenta al colore: la farina migliore è giallo chiaro e dev'essere assai molle al tatto," e così dicendo le tirava fuori la mano dal sacco. "Lo vedi? Questa è buona perché ti rimane attaccata al dito. Ora prendine una manciata e strizzala." Ne prendeva una manciata anche lei, poi apriva le dita a una a una e faceva notare ad Agata che la farina di prima qualità non polverizzava immediatamente, ma formava piccoli grumi sul palmo aperto – era quella con cui avrebbero fatto ostie, brioche e pane per la tavola. Da quella, poi si setacciava la farina più delicata per i biscotti che si consumavano nel monastero. La farina di terza qualità, quella per il pane delle serve, per le fritture, per ispessire le salse, per fare la pizza, era invece meno bianca, aveva un colore quasi sporco e, se compressa, mostrava dei puntini grigi. Agata era ipnotizzata da quelle operazioni e si sentiva viva, ricettiva, la pelle della mano diventava sensibile.

La prima cosa che Brida volle insegnare ad Agata fu la preparazione del lievito. Prese un pugno dell'impasto già preparato e incominciò con lo schiacciarlo. Poi lo lavorò sul piano per raffinare la consistenza dell'impasto. Agata la guardava ammirata. Brida raccolse le raschiature della madia e tutti i pezzettini di pasta e i ritagli che trovava in giro e poi aggiunse una piccola quantità di farina per dare a quella pallottola di resti la consistenza di un impasto assai denso. Lo lavorò con pochissima acqua fin quando non diventò una bella pagnotta dura e compatta che ripose in un pentolino foderata da un vecchio tovagliolo di lino. Lo coprì con il coperchio e poi lo avvolse in uno strofinaccio pulito, pronto per essere aggiunto al pane da impastare nei giorni seguenti. Brida la guardò soddisfatta e disse "Se ben conservata, questa pasta di lievito può durare a lungo", e poi le raccontò che quel lievito veniva dalla pasta madre portata da Aleppo centinaia di anni prima dalle fondatrici del monastero, le monache biancovestite degli affreschi sulle pareti della scala principale. Costrette dall'avanzata dei saraceni a scappare in fretta e furia, le monache erano riuscite a portare con sé solo le sacre reliquie e una pallottola di lievito. Durante la durissima traversata del Mediterraneo avevano sofferto di terribile arsura, e la madre badessa, schiacciata la pallottola, se l'era tenuta tra i seni molli di tiepido sudore per evitare che il lievito, seccando, morisse.

La panificazione divenne il lavoro preferito di Agata. Scavava una conca poco profonda a mo' di cratere nella farina ammonticchiata sul ripiano. La lavorava con due dita, aggiungendovi pian piano acqua tiepida, poi prendeva velocità e allargava il buco con il manico di un mestolo rotto, unendo altra acqua e incorporando altra farina nell'impasto fluido fin quando l'originaria montagna di farina era diventata un lago dalle alte sponde. A quel punto squagliava il lievito con acqua calda, e lo aggiungeva all'impasto fluido per farlo amalgamare. Era un lavoro che non richiedeva particolare concentrazione, e Agata intanto pensava: *Perché sono venuta a finire qui? È questa la mia vita?*

Agata aggiungeva altra acqua, ispessiva l'impasto troppo liquido, rivoltava i bordi di farina nella conca e li assorbiva nel magma bianco senza creare canali da cui quello potesse colare sul ripiano. Quando tutta la farina era impastata bisognava lavorarla, da questo dipendeva la bontà del pane. Lei lavorava l'impasto in piccole quantità e con forza. Per ottenere l'elasticità voluta lo sollevava – se era pesante, inarcava la schiena indietro per non perdere l'equilibrio – fin quando non si staccava in un solo pezzo dalla tavola, e lo sbatteva energicamente lavorando di pugno. Infine, lo stendeva con il mattarello per raffinarlo e cacciarne via l'aria. *È questo il lavoro che volevo per me?* Raggiunta la consistenza voluta, l'impasto, raccolto in grandi palle, era messo a lievitare al tiepido, in grandi terrine coperte. *Che senso c'è in tutto questo?*

Le risposte alle domande di Agata venivano sole sole mentre lavorava la pasta lievitata e manipolava, dava forma e consistenza e decorava il pane. Quel pane viveva. I sensi acerbi della quindicenne si risvegliavano, e gioivano. Agata si sentiva parte di un tutto che non aveva fine né principio – la vita, la crescita – e associava il mistero della panificazione a quello dell'eucaristia. Che una infinitesimale parte della pallottola di pasta fermentata portata da Aleppo tra i seni della badessa, unita ad acqua e farina di Napoli, potesse ancora dare pane fresco, saporito e croccante era un ripetere il miracolo della vita e la sua crescita. In quei momenti, Agata, con le dita appiccicate di pasta, glorificava Dio ed era grata e felice di essere stata prescelta per onorarlo in tal modo.

La vera difficoltà cominciava con il controllo delle braci del forno e dei tempi di cottura. Nonostante ripetesse mentalmente gli *Ave*, i *Pater* e i *Credo* prescritti dalla ricetta, pane e biscotti non le riuscivano mai bene. Il forno non era cosa sua. Se ne disperava, e Angiola Maria le venne in aiuto. Parlò con Brida e quella accettò di occuparsi della cottura se nel contempo Agata si fosse occupata di trinciare le carni. Ad Agata piaceva non soltanto sezionare i quarti di carcassa che arrivavano nei giorni di festa e togliere i nervi, ma anche fare i lavori più noiosi che richiedevano una particolare attenzione, come disossare polli, capponi e perfino quaglie e colombi lasciandone intatta la pelle. Quel lavoro, fatto durante la panificazione, aumentava in Agata il senso profondo del sacrificio di Cristo.

Era tradizione che le monache preparassero dolci da vendere o regalare: tutte dovevano saper cucinare la specialità del monastero – la pastiera napoletana –, ma ciascuna aveva una specialità tutta sua. Agata si dedicò ai dolcini siciliani che si preparano a freddo, quelli di pasta reale ripieni di conserva di pistacchio e zuccata, e coperti da una velata bianca e lucida decorata da palline d'argento, foglie e rose di pasta di ostia e disegni floreali in tinte pastello. La sua immaginazione si sbizzarriva nella decorazione. Aveva inventato un metodo suo: usando le piante dell'orto come le aveva insegnato Angiola Maria, aveva ottenuto colori naturali molto belli e con pennelli ricavati dalle piume di piccione creava composizioni fantasiose sulla candida glassa delle cucchitelle, che sembravano scatolette di porcellana francese e che, grazie al passaparola, si vendevano velocemente attraverso la ruota. Monache e novizie erano gelose perché la badessa le permetteva di dipingerle nella sua stanza, mentre loro dovevano completare i dolci in cucina. Ai loro occhi era un vantaggio disonesto e un serio affronto al loro stato e alla loro dignità – attraverso i dolci, le monache di clausura non soltanto esprimevano la loro manualità e i loro gusti, ma comunicavano anche al mondo esterno la loro personalità.

20.

Aprile 1841.
Agata conosce il padre attraverso le storie della zia badessa e si lega a quella

Nel monastero gli specchi erano proibiti, ma non c'era monaca che non ne avesse uno, nascosto, o conversa che non usasse un piatto di metallo appositamente lucidato o un vetro con la stagnola. Un pomeriggio la badessa e Agata passeggiavano nell'ombra delle arcate del chiostro discutendo le loro letture preferite. Lo sguardo acuto della zia controllava il doppio chiostro. Nell'orto, al di là dell'esedra e già coperto dall'ombra, le serve ritiravano gli strofinacci asciutti dalla corda tesa tra il melograno e l'albero di limoni. Il sole batteva ancora sulle terrazze e nel chiostro monumentale. Alcune monache si riposavano su sedili sotto le esedre osservando l'acqua che zampillava dalle bocche dei cavallucci marini della fontana. A un tratto, un raggio di sole cadde obliquo sul fogliame rigoglioso della camelia accanto alla fontana, illuminandolo: aveva colpito uno specchio incautamente lasciato in bilico sulla balaustrata della terrazza, e dardeggiava. Con inaspettata rapidità, e senza far rumore, la badessa si precipitò nel giardino per vedere meglio. Gli occhi di tutte nel chiostro erano sulla tondeggiante figura. Lo specchio cadde e colpì la scarpa di cuoio della badessa. In un baleno, monache e serve la circondarono e, a bassa voce, le offrivano aiuto e conforto. "Non è nulla, proprio nulla," mormorava la badessa, claudicando.

Nonostante le scarpe spesse, l'alluce della badessa suppurò e la costrinse al riposo forzato. Agata andava a farle visita quando poteva. I compleanni della sorella minore, Carmela, e del padre cadevano in aprile. Agata sentiva in modo particolare la loro mancanza, ma non volle parlarne con la zia. Invece la badessa, come se lo sentisse, cominciò a raccontarle del padre. Dieci anni li dividevano, ma erano particolarmente legati; lui non si dava pace del fatto che lei avesse accettato la decisione della famiglia di farla monaca. "Guarda un po'," osservava, sollevando le sopracciglia con orgoglio, "si sbagliava. Io sono felice come monaca. Il Signore ora mi ha mandato te, e qui ti piacerà come è piaciuto a me. Sarai badessa anche tu, un giorno."

Agata le chiedeva il perché di quell'atteggiamento del padre. Da giovane Peppino leggeva libri all'Indice, era massone, le diceva la zia, facendosi il segno della croce nel pronunciare "massone". "E poi c'era Sua Maestà..." E spiegava alla nipote incuriosita che, nonostante il re avesse quindici anni più di lui, i due erano diventati amici, e Peppino era rimasto gentiluomo di camera fino a quando era andato a Messina. Il re era pigro e capriccioso; gli piaceva cacciare e inventare burle a danno di chiunque, e Peppino, anche lui scherzoso, era pronto ad assecondarlo. Ma nel re c'era un lato innovatore e moderno, di cui Peppino parlava con ammirazione: la fondazione della colonia di San Leucio. Sollecitato dagli illuministi napoletani, re Ferdinando aveva creato uno stabilimento per la lavorazione della seta con uno statuto basato sulla meritocrazia, secondo cui le famiglie di tessitori vivevano nella colonia in abitazioni moderne, con scuola, ospedale e tutto ciò di cui una comunità ha bisogno. "Come un monastero dei tempi antichi, in più avevano perfino la vaccinazione antivaiolosa!" diceva la zia, e poi commentava che, dopo, il re era tornato alla naturale pigrizia e si era limitato ad assecondare le riforme della moglie, che era in combriccola con un inglese, il ministro Acton. "Prima dei terribili fatti di Parigi," così la badessa alludeva alla presa della Bastiglia, "i reali avevano fatto tanto per

144

modernizzare l'università, promuovere la tecnologia e le arti. Ma ai monasteri il re pensava poco: lui e la regina volevano che il Regno di Napoli fosse il baluardo del modernismo e il primo stato della penisola." E aggiungeva, con un pizzico di soddisfazione: "Non ci riuscirono".

La zia sorvolava sugli orribili anni seguiti alla decapitazione dei reali francesi, quando la regina Maria Carolina, sorella di Maria Antonietta di Francia, rinnegando le simpatie massoniche aveva tolto ogni appoggio al gruppo progressista del regno. Era fiera del fatto che il fratello, che aveva assistito al cambiamento del re da bonaccione a repressivo, gli fosse rimasto leale e, nei brutti periodi, lo avesse seguito ben due volte nell'esilio siciliano, mentre gli altri Padellani festeggiavano il francese usurpatore.

La zia si era poi dilungata sul motivo del protratto celibato del padre: donnaiolo, alle soglie dei quarant'anni aveva sposato Gesuela, tredicenne. In famiglia tutti si aspettavano che Carlo, il fratello maggiore, che non era interessato alle donne, non avrebbe avuto figli. Lui pensava di diventare principe e contrarre allora un matrimonio adeguato e "importante". Ma Carlo sorprese tutti sposando, all'età di cinquant'anni, una vedova di Lecce che gli diede un figlio maschio e morì. "Il tutto avvenne in meno di un anno, povero Carlo."

"Tuo padre era contento di essersi preso tua madre," diceva la zia, "le voleva bene e la trattava come una bambina, il che fu male. È rimasta capricciosa, anche se è una buona donna." Donna Maria Crocifissa aveva criticato la cognata; se ne pentì e si ripromise di parlarne in confessione. Dopo di che, aggiunse con un sorriso: "Ricordo perfettamente la prima volta che me ne parlò, si vede che gli aveva fatto una bella impressione sin da piccola, perché era molto istruita. Mi raccontò che, verso la fine del secondo esilio del re, a Palermo ci fu la prima di una nuova opera, *Così fan tutte*, nel nuovo teatro del barone Pisani, un amico suo che anch'io conoscevo. Gesuela quella sera stessa gli cantò parola per parola una bellissima aria da quell'opera, si vede che la conosceva di già". Sembrava inseguire il ricordo di quel motivo. "Chissà com'era," mormorò. Agata la rammentava bene, la madre la cantava ancora, accompagnata da lei al pianoforte, e le canterellò a bassa voce l'aria di Dorabella *È amore un ladroncello*. La zia, abbassate le palpebre orientali, ascoltava rapita e batteva il ritmo con il mignolo. Trasportata dalla leggerezza zuccherina di quelle strofe, Agata aveva ripreso da capo e la zia le era andata appresso finché schiuse gli occhi, ammutolì e per la seconda volta ebbe a pentirsi.

"Dopo il ritorno del re e della regina," la zia aveva ricominciato con i ricordi, "il regno era pieno di spie e di poliziotti." Com'era già successo in passato, Peppino aveva parlato al re degli eccessi della polizia. "Ma quella volta tuo padre perse il favore del re e gli fu negata la promozione nell'esercito. Sempre fedele, ne diede la colpa all'influenza della cerchia della duchessa di Floridia, che si era comportata da grande amica nei confronti suoi e di tua madre quando le erano serviti da paraninfi, e poi, ingrata, aveva tradito la loro amicizia. Ecco perché dovettero trasferirsi a Messina quando tu eri appena nata!" La badessa si rammaricò al ricordo e poi aggiunse sospirando, ma con un mezzo sorriso, che lui, ogni volta che veniva a Napoli, non mancava di passare a salutarla.

21.

Ottobre 1842.
Agata postulante diventa aiuto farmacista

Agata divenne postulante a sedici anni, dopo due anni di educandato; nessuno dei Padellani presenziò alla messa dell'occasione. La badessa aveva chiesto ai familiari di diradare i contatti con lei, per consentirle di immergersi nella vita moniale e mantenere il precario equilibrio raggiunto; i parenti napoletani vi avevano aderito con sollievo – la siciliana ribelle era un imbarazzo –, tranne Orsola e Sandra, le uniche che le volevano bene e che, proprio per quello, erano state ligie alle richieste della badessa. Isolate dal resto del mondo, le educande conducevano una vita separata dalle postulanti, dalle novizie e dalle coriste, e protetta da tutti. Agata studiava con piacere e aveva anche un nuovo interesse: la manifattura dei paperoles – tempietti e altaroli che contenevano minuscole reliquie, o semplicemente immagini sacre su un fondo foderato di raso e incorniciato, creati dalle monache del Settecento usando, al posto dei filati d'oro e d'argento, perle e pietre preziose, strisce di carta dorata e colorata, fili di paglia, vetri colorati, paillette e specchietti. Una monaca francese rifugiata a Napoli li aveva introdotti a San Giorgio Stilita; non più di moda e disdegnata dalle coriste per la povertà dei materiali usati, l'arte dei paperoles era stata mantenuta dalle converse della monaca, ormai anziane, che avevano poche apprendiste.

Agata dipendeva dalla generosità della zia badessa e da

quanto guadagnava dalla vendita delle cucchitelle e aveva scoperto un nuovo modo di guadagnare denari per le sue modeste necessità. Creava i suoi paperoles con scarti di materiali raccattati qua e là o con i rimasugli di seta regalati dalle coriste e si era specializzata in altarini e decorazioni floreali. Le piaceva molto quel lavoro di pazienza e di concentrazione. Si sentiva avvolta nel bozzolo tessuto dall'amorevolezza della zia badessa e delle altre maestre, e sperava che, come la crisalide si trasforma in farfalla, anche lei al momento della professione semplice avrebbe ricevuto il dono della vocazione e sarebbe volata vicino a Dio. Agata rifiutava caparbiamente di considerare l'alternativa: monacarsi controvoglia. Ce la metteva tutta per *voler* essere monaca, e aveva persino diradato la lettura dei libri che si era portata di nascosto e che incarnavano la tentazione della società civile.

Le monache avrebbero dovuto alternarsi nelle varie posizioni, da quella di badessa a quella di ebdomadaria – la monaca incaricata delle cucine –, ma non era più così. Da più di quindici anni, la stessa monaca servigiale si occupava dei rapporti con il mondo esterno. La monaca farmacista, donna Maria Immacolata, che fungeva anche da erbolaria, curava la salute delle sorelle da molto tempo e aveva bisogno di un'assistente, ma poche sorelle erano interessate al suo lavoro. Il suo titolo latino era *monaca infirmaria*, in quanto rappresentava a un tempo il farmacologo, il medico e lo speziale.

Quando divenne postulante, nell'ottobre 1842, Agata ricevette l'incarico di assisterla. Donna Maria Immacolata, austera, dagli occhi scurissimi, aveva una bella voce morbida e bassa, un soffio quasi. Con quella voce, donna Maria Immacolata incideva nel silenzio la storia dell'ordine. Parlava di come l'arte medica si fosse sviluppata nelle abbazie benedettine nel Medioevo. La loro medicina basava la "speranza della guarigione" sulla misericordia di Dio e sull'"azione dei semplici", cioè del *medicamentum simplex* – un'erba medicinale o un medicamento fatto con piante officinali. Nacquero così, dentro le mura dei loro monasteri, l'orto dei semplici per la coltivazione delle erbe medicinali e la farmacia, l'*armarium pigmentariorum*, per la loro conservazione nel tempo. Dopo la riforma cluniacense, i benedettini sostennero che il raccoglimento e la preghiera erano preferibili alle pratiche dell'umiliazione della carne come strumento di ascesi, "ma vedrai che ci sono ancora sorelle che usano cilici e altri mezzi per mortificare il corpo," le diceva, e lasciava che il suo sussurro vibrasse con una tonalità appena più alta. Era loro compito curare le ferite senza fare commenti o dare giudizi; la monaca farmacista doveva assistere le sorelle malate o in preda a dolori senza porre domande o esprimere il proprio giudizio morale. "In certi casi," e la voce di donna Maria Immacolata si affievoliva ancora, "non è opportuno chiamare il medico. Delle cose delle femmine ci occupiamo noi."

L'orto dei semplici era diviso tra i due chiostri del monastero. Angiola Maria, assistita da Checchina, una conversa di donna Maria Brigida, e da varie serve, dirigeva i lavori dell'orto del chiostro principale e si occupava anche di quelli del chiostro delle novizie, dedicato esclusivamente alle piante medicinali, e sotto la giurisdizione di donna Maria Immacolata. Nei periodi di raccolta e conservazione – essiccamento, trasformazione in pillole, tinture e oli essenziali – Angiola Maria sorvegliava tutti quei lavori, avendo imparato da sola i rudimenti della lettura per controllare le ricette.

La prima volta che donna Maria Immacolata aveva portato Agata nell'orto dei semplici si era fatta accompagnare da Angiola Maria; insieme l'avevano aiutata a identificare ogni pianta e di ognuna le avevano elencato caratteristiche e proprietà medicinali. Erano poi passate ai suggerimenti più pratici relativi alla coltivazione e alla cura. C'era un ordinato caos di piante singole, di altre a file, di arbusti, cespugli e piante invasate. Donna Maria Immacolata si fermò davanti al cisto di Creta, un arbusto dalle foglie verdi non particolarmente attraente: "Lo utilizziamo in tisane e infusi, fa da tonico e rafforza l'organismo. La sua resina veniva bruciata per prevenire malattie. Ora è una componente dell'incenso dei cardinali, e quando officia il cardinale ne raddoppiamo la dose. Il profumo è molto dolce. Mi chiedo sempre se il nostro cardinale se ne accorge. Certe volte alle funzioni sembra svagato...". E le due si guardarono dritto negli occhi, causando ad Agata un disagio che non seppe decifrare. Si piegò ad ammirare la macchia di fiori color malva che crescevano in profusione ai piedi di un arbusto: ciascun fiore nasceva da un bulbo. Pensò di coglierne uno per la badessa.

"Fermati!" la bloccarono all'unisono le altre due.

"Hai toccato lo stelo?"

Silenzio.

"L'ha toccato!"

Donna Maria Immacolata le afferrò il polso e glielo strinse forte; Angiola Maria, al pozzo, tirava affannata il secchio. Le fecero immergere la mano nell'acqua, e con le unghie le grattavano le dita e il palmo.

"Il suo nome è *Aconitum*, lo chiamiamo arsenico vegetale," le spiegò donna Maria Immacolata.

"Sta' attenta! Bisogna maneggiarlo con attenzione. È un veleno potente." Non era un suggerimento, quello di Angiola Maria, piuttosto un comando.

22.

Gennaio 1844.
Agata è sicura di preferire la monacanza
al matrimonio voluto dalla madre

Dall'interno del monastero era possibile mantenersi al corrente sul mondo esterno, come rimanerne totalmente all'oscuro. Secondo la Regola, le monache potevano scrivere e ricevere lettere soltanto con il permesso della badessa, facilmente concesso da donna Maria Crocifissa, che autorizzava anche visite nel parlatorio non sorvegliate. In più, le monache inviavano e ricevevano messaggi verbali tramite le serve fidate e mantenevano un traffico costante di pacchi e regali con parenti, amici e confessori. Ogni giorno partivano dal monastero decine di guantiere di dolci avvolte in carta velina o oleata, a seconda del tipo, impacchettate con cura in grandi fogli di carta marrone e legate sapientemente con spago robusto; scatoloni contenenti lenzuola e asciugamani ricamati su ordinazione dalle converse, e cesti di biancheria intima da lavare nella casa natale delle monache, inclusi indumenti civettuoli e all'ultima moda, cuciti tra i teli; più raramente, le monache mandavano in regalo paperoles a benefattori, prelati, parenti. Le stesse serve facevano acquisti per le monache e portavano al monastero regali dai familiari – libri religiosi e non, cioccolatini, dolci con la panna, confetti, e perfino gioielli sacri: crocifissi, catenelle, medagline, fermagli, portachiavi.

Il mondo entrava e usciva attraverso quella sorta di traffico sotterraneo che mescolava fede e piacere, vanità e curiosità, notizie e pettegolezzi. Nulla era veramente bandito e nessuno poteva dirsi veramente impermeabile a quanto accadeva oltre le mura del monastero.

Il periodo di postulato di Agata si era protratto oltre il consueto per la mancanza d'interesse della madre – il pagamento della dote doveva essere concordato prima che la postulante fosse ammessa al corso preparatorio alla professione semplice –, ma quella ignorava le lettere che Agata le scriveva, e così facevano le sorelle di Messina, evidentemente su suo ordine. La zia Orsola, l'unica ad aver mantenuto i rapporti con Agata, soffriva di artrosi e quando andava al convento si faceva accompagnare da Sandra.

Agata sapeva poco e niente della famiglia, e ancor meno degli avvenimenti nel regno, ma non le dispiaceva: voleva ignorare il mondo esterno – era il suo modo di sopravvivere nella clausura. Era spesso malinconica, ma non totalmente infelice. Credeva di essere a buon punto nel processo di distacco dal mondo. Sperava ancora che Giacomo non l'avesse dimenticata, e a volte aveva creduto di averlo riconosciuto tra i fedeli, dall'alto. Questa speranza era più un'abitudine di conforto che una vera speranza. Al compimento dei diciotto anni, la badessa le comunicò che era giunto il momento di iniziare gli studi per l'esame della professione semplice e le chiese di esortare ancora una volta la madre a presentare le sue proposte per il pagamento della dote. Agata scrisse all'indirizzo fornito dalla badessa per motivi di lavoro: il generale e la moglie si spostavano spesso da Palermo, dove avevano casa, e in quel periodo erano a Catania. Come tutte le altre sue lettere, anche quella non ebbe risposta.

Qualche giorno dopo, una giovane monaca, dopo una visita nel parlatorio, portò trafelata la notizia che l'Etna era in eruzione. Una piccola folla di veli neri fece cerchio attorno a lei nel chiostro – Agata tra loro. Aggiungendo di suo, la monaca raccontò che l'intera Sicilia orientale era scossa dal terremoto e che c'erano state molte vittime. Catania era in pericolo: alzando le pallide mani al cielo, la monaca dichiarò che la colata lavica stava per ingoiare il monastero dei benedettini di San Nicolò l'Arena, ricostruito proprio sulla lava dopo il terremoto del 1693, e diede il via a enfatiche implorazioni a sant'Agata, patrona della città, e a san Benedetto. Le altre avrebbero voluto saperne di più, ma si unirono precipitosamente alle litanie, sentendosi puntate dagli occhi di falco della priora che le aveva seguite dall'alto della terrazza di fronte.

Come una marea l'attaccamento al mondo esterno – cose, persone, luoghi – montava irreprimibile e frenetico. Come stava la madre? E Carmela, dov'era? Erano morte persone che lei conosceva? Frustrata dall'impossibilità di sapere, Agata sbatteva la pasta di pane sulla tavola con violenza, facendo saltare in aria i mucchietti di farina agli angoli. Trinciava la sfasciatura e tirava i nervi con tale forza da strappare la carne. La sera era paga della stanchezza e dei dolori ai muscoli. Alla fine implorò la badessa di prendere informazioni presso le sorelle sposate a Messina. Amalia e Giulia risposero prontamente. Più che di "terremoto", in verità si era trattato soltanto di lievi scosse e tremori, e l'eruzione dell'Etna non aveva affatto minacciato Catania. Ambedue informavano la zia badessa che la madre ce l'aveva con Agata perché aveva rifiutato di maritarsi con il cavalier d'Anna. Non aveva risposto di proposito alle sue lettere e aveva ingiunto loro di non scriverle. Il d'Anna la voleva ancora e aveva dichiarato che avrebbe aspettato, consapevole che Agata poteva legalmente lasciare il monastero. Amalia desiderava far sapere ad Agata che, dopo il matrimonio della madre, Carmela, rimasta a Messina presso di lei, avrebbe desiderato molto rivederla.

Il conflitto tra madre e figlia non rimase segreto a lungo, a Messina come a Napoli, con il risultato di risvegliare i Padellani dal torpore – a uno a uno andarono a far visita ad Agata – e di far irrigidire Gesuela sulla sua posizione.

I primi a venire erano stati la zia Orsola e l'ammiraglio Pietraperciata: ambedue volevano rassicurare Agata che avrebbero rinnovato gli sforzi per ottenere il consenso della madre alla sua monacanza; le portarono i saluti del cugino Michele, il capo del casato, che approvava in pieno la sua decisione di farsi monaca. Poi venne la moglie del principe, Ortensia, una donna alta dalla bellezza scipita con cui Agata aveva parlato pochissime volte. Anche quella la encomiava per la decisione e prometteva di parlare in suo favore a donna Gesuela. La principessa fece luce sulla causa del rinnovato interesse da parte della famiglia per Agata, che ne era rimasta perplessa: la badessa aveva scritto direttamente alle sorelle e al principe, chiedendo il loro sostegno per la vocazione di Agata, informandoli delle empie intenzioni di Gesuela e lasciando intendere che non avrebbe gradito altre Padellani di Opiri a San Giorgio Stilita, se Agata fosse stata strappata dall'orto di salute in cui la sua stessa madre l'aveva collocata. Ortensia, che aveva quattro bimbette, ci teneva assai a monacarne almeno una a San Giorgio Stilita.

Vennero anche Eleonora e Severina Tozzi, ambedue maritate e senza figli. Eleonora aveva avuto degli aborti e sembrava molto provata. Severina, più giovane e maritata da poco, chiese ad Agata di pregare perché le venisse un figlio maschio, ammiccando: "Mio marito ci tiene assai, non mi dà pace...". Le cugine parlavano come se fossero in confessione, di tutto e di tutti, senza peli sulla lingua, anche sulle intimità coniugali.

Mentre Eleonora si rimpinzava delle sfogliatelle offerte in parlatorio da Sarina, e tra un morso e l'altro gliene chiedeva la ricetta, Severina sussurrò ad Agata che Eleonora era stata minacciata dal marito che, se non fosse riuscita a portare avanti la prossima gravidanza, lui ci avrebbe "levato mano" e avrebbe chiesto l'annullamento. Agata ricordava Eleonora come una ragazza vivace, attraente e abilissima ballerina; ora, a ventidue anni, era ingrassata e aveva perduto il bel portamento e la sicurezza. Come se le avesse letto il pensiero, Severina bisbigliò: "Vedessi ora quanto balla male, grassa com'è!". Poi, d'un fiato, aggiunse: "Ricordi quella volta che nell'alcova ti facesti un valzer con il capitano Garson?", e le raccontò di averlo rivisto a un ricevimento qualche sera prima. Dopo il matrimonio lui aveva smesso di frequentare la società napoletana: si diceva che la moglie gli avesse imposto di vivere a Mentone, non lontano da Nizza. Quando lui tornava nel regno, si occupava degli affari di famiglia e frequentava esclusivamente la folta colonia di inglesi. Da qualche settimana, invece, Garson era dappertutto. "Devo chiedere all'ammiraglio Pietraperciata, lui saprà. Io dico che si sono lasciati. Oppure lei è morta. C'è chi dice che è diventata melanconica, e vive in un posto per matti." Agata aveva appoggiato la fronte sulla grata; sentiva la musica del valzer, ma non vedeva il viso di James, era Giacomo il suo cavaliere, e lei ballava tra le sue braccia e si sentiva addosso i suoi occhi scuri.

Un getto di fiato tiepido e pastoso le cadde addosso, Agata non era riuscita a tirarsi indietro in tempo – Eleonora aveva appiccicato il volto alla grata, per dare più enfasi alla sua richiesta. "Lo sappiamo tutti che hai una devozione speciale per la Madonna dell'Utria, e col potere della tua preghiera hai fatto ricomparire i gioielli rubati" le disse Eleonora; e poi chiese che la cugina implorasse per lei dalla Vergine la grazia di un figlio. "Prega anche per tua sorella Sandra, ne ha bisogno quanto me..."

Dopo quella visita Agata era caduta in una malinconia diversa. Le infelicità coniugali delle cugine la turbavano; incrinavano la certezza che la vita con Giacomo sarebbe stata di gran lunga preferibile a quella nel chiostro. Avrebbe voluto fermare il pendolo del tempo e rimanere così com'era, postulante a San Giorgio Stilita, e mantenere facoltà di lasciare il monastero quando la madre si sarebbe arresa al suo rifiuto di maritarsi con il cavalier d'Anna. Per sempre.

Poi diventava irrequieta, voleva ritornare alla vita civile, leggere giornali e romanzi, seguire la politica, fare amicizie, maritarsi. Subito.

Un giorno, smaniosa, svuotò di fretta il baule della biancheria e sollevò il doppiofondo. Tirò fuori un libro a caso, *Pride and Prejudice*, poi gettò nuovamente la roba in disordine nel baule e lo richiuse, temendo di essere scoperta. Leggeva il romanzo a spizzichi e bocconi, quando poteva, e non vedeva l'ora di tornarvi. Si identificava con le sorelle Bennet e i loro innamorati; il ricordo di Giacomo le tornava vivido e provava un rimescolio. Non se la sentiva di farsi monaca. Voleva Giacomo. Lo voleva. Arrivò al punto di prepararsi un decotto per placare le sue voglie. Ma il giorno dopo ricominciava. Si era convinta che Giacomo fosse a Napoli e, come lei pensava a lui, così lui la cercasse. Alla prima opportunità andava ad ascoltare la messa dal camminatoio a lato del coro, e scrutava la navata cercando Giacomo dalla grata di fronte l'altarino della beata Elisabetta Padellani, ma non lo vide – mai.

Agata cercava di guardarsi dentro, di spiegarsi il suo comportamento, ma non ci riusciva. Lei non si capiva, e non voleva parlarne con padre Cuoco, non osava. Sapeva di essere troppo confusa. Eseguiva i suoi compiti, studiava e lavorava come le altre postulanti, ma si sentiva come il brigantino in cui era venuta a Napoli con il feretro del padre durante la tempesta: sballottata qua e là, insicura di tutto e di tutti.

Il 5 febbraio 1844 era il suo diciottesimo compleanno, nonché il giorno della festa di sant'Agata. Lei seguiva la messa dal camminatoio. Finalmente! Ma non ebbe il tempo di rimirarselo: Giacomo era accanto a una giovane donna vestita di verde con un cappello bordato di pelliccia. Tra loro, due bimbetti. Lui era irrequieto; si guardava in giro e finiva sempre con il capo rivolto al comunichino. Il bambino vicino a lui gli prese la mano; Giacomo, sbruffando, la strappò via. La donna con il cappello aveva chinato il capo per dire qualcosa al bimbetto, poi aveva ripreso la posizione di prima. Quello piagnucolava e continuava a cercare la mano del padre, che fece un cenno impaziente alla serva nel banco dietro al loro. Il bambino piangeva disperatamente; non voleva andarsene, e lui lo spinse in malo modo fuori dal banco. "Non fare così al nicarello!" esclamò Agata; poi assistette livida al seguito. La serva aveva lasciato il suo banco ed era a lato di Giacomo. Lui sollevò di peso il bimbetto e lo depositò come un sacco di patate accanto alla donna, che lo trascinò urlante lungo la navata centrale. La donna con il cappello verde sembrava non essersi accorta di nulla. L'altro, più piccino, era attaccato al cappotto della madre, e cercò a sua volta di prendere la mano del padre. Lui gliela tolse di malagrazia e la sollevò; il bimbetto, aggrappato alla manica, cercava di afferrargli la mano; non riuscendovi, scoppiò a piangere. Giacomo lo ignorava.

"Non è degno di me," mormorò Agata, e si rivolse alla immagine della beata Elisabetta Padellani. Giacomo, intanto, si era messo il dito nel naso e ve lo rigirava per bene, poi se lo pulì sul lato del cappotto, mentre la moglie rappacificava il bambino tuttora in lagrime.

Quella notte Agata finì di leggere *Pride and Prejudice*. Era perdutamente innamorata di Darcy. L'indomani, presa da frenesia, scrisse un bigliettino a James Garson e lo mandò alla libreria Detken con una serva:

Caro signor Garson,
chiedo scusa se vi disturbo dopo quasi quattro anni. Non so
se vi ricordate di me, ma ho ripreso tra le mani il primo romanzo
che mi regalaste: l'ho riletto con occhi diversi. Mi ha dato spe-
ranza. Auguro tanta felicità a voi e alla vostra famiglia. Da qui
prego per voi.

Per tutta risposta, lui le mandò un nuovo libro.

23.

*Novembre 1844. Agata, presa dai romanzi
che le manda James, vuole altro e di più,
dubita della sua vocazione e ha un colloquio
con il cardinale*

Alla fine di novembre del 1844 donna Gesuela mandò
Sandra a comunicare alla badessa, senza alcuna spiegazione,
che non si sarebbe opposta alla monacanza della figlia: non
poteva garantire il pagamento della dote monacale, ma avrebbe fatto del suo meglio. La badessa decise che l'anno successivo, compiuti i diciannove anni, Agata si sarebbe preparata
per gli esami per l'ammissione alla professione semplice e poi,
dopo l'anno di noviziato, al compimento dei ventuno, per
quelli per la professione solenne.

Agata non accolse con sollievo la decisione della madre.
Da quando aveva compiuto diciott'anni si sentiva adulta, cambiata. Non più paga della protezione del chiostro, era irrequieta
e curiosa. Voleva tornare alla vita civile e lavorare, e si era convinta che prima o poi la madre glielo avrebbe permesso, lei
aveva tutti i requisiti per lavorare come Miss Wainwright. Ma
ora Agata voleva altro, e di più. A ogni biglietto in ringraziamento di un libro, con i suoi commenti, Garson le mandava
un altro libro – poesie e romanzi, all'inizio in inglese e poi in
italiano e perfino in francese, moderni e no, romantici, avven-
turosi e melodrammatici, che la rendevano ancora più inquieta. Sognava di emulare le eroine dei romanzi e desiderava l'a-
more di un uomo. Tanto. Tantissimo. Poi l'assaliva la realtà:

povera e non voluta in famiglia, era con le spalle al muro. Allora cercava di "volere" la vocazione, ma ben presto soccombeva al richiamo del mondo. Chiese a Sandra di nascondere qualcosa da leggere nella cesta della biancheria che lei le mandava da lavare, e ascoltava avidamente quanto riferivano le monache dopo le visite dei parenti. Dai giornali di Sandra apprese un guazzabuglio di informazioni sugli avvenimenti nel mondo, che non riusciva a mettere in ordine: in Germania c'era stata la rivolta dei tessitori contro i padroni delle filande per migliorare le condizioni di lavoro e i salari; nelle Isole Antille, l'insurrezione del popolo di Santo Domingo contro la Repubblica di Haiti, che a sua volta aveva ottenuto l'indipendenza ribellandosi alla colonizzazione francese; in Inghilterra, le organizzazioni degli operai chiedevano riforme elettorali inclusive e il suffragio universale; in Terra Santa, l'Impero ottomano, sotto pressioni interne ed esterne, aveva concesso il ritorno degli ebrei; in Calabria l'esercito regio aveva soffocato nel sangue la rivolta sollevata dai fratelli Bandiera, due adepti della Giovine Italia, una setta rivoluzionaria che propugnava la creazione di una repubblica e non di un regno dell'Italia unita. Aveva inoltre appreso, tramite Sandra e anche dalle altre monache, che un libro scritto da Vincenzo Gioberti, un sacerdote piemontese esiliato a Bruxelles, *Del primato morale e civile degli italiani*, propugnava l'unità d'Italia in una confederazione presieduta dal papa.

Agata capiva che, sotto la calma apparente del regno e del resto del mondo, le tensioni sociali rummuliavano come il magma dell'Etna, pronte a eruttare. Non più sicura della protezione del monastero, aveva paura di un futuro incerto.

S'era rivolta alla maestra delle novizie, donna Maria Giovanna della Croce, che divenne per lei un esempio e un'informale guida spirituale. Con il suo aiuto aveva apprezzato il silenzio come una delle vie che portano a Dio, e aveva raggiunto il livello di consapevolezza in cui ogni azione diventa preghiera, la preghiera diventa contemplazione e quella trascende la realtà portando all'immensità del Divino. Agata le diceva che nel chiostro si sentiva isolata. "La nostra vita è stabile, ma non ripetitiva e neppure monotona: abbiamo i tempi della liturgia, la giornata lavorativa è scandita non soltanto dalle lodi di Dio e dalla dimensione personale della solitudine. Non c'è giorno che sia uguale all'altro. Noi non siamo isolate," le rispondeva quella. Agata le diceva che voleva fare del bene e alleviare le sofferenze degli altri, dei bambini, dei malati. "La preghiera ci unisce al mondo esterno e, come un turibolo d'incenso, bruciando purifica ciò che ci circonda." La sofferenza e il calvario di Cristo, su cui era modellata la giornata moniale, null'altro erano che un modo di crescita. Discutevano delle rinunce implicite nella condizione di monaca. "I momenti critici sono normali, fanno parte della nostra crescita spirituale e ci aiutano a maturare la scelta della clausura. Non devi aver paura dei cambiamenti, ma essere docile alle sorprese che la vita ci riserva e assaporarle in pieno." Agata le rivelava l'intenso desiderio di innamorarsi, esser feconda, avere figli e donna Maria Giovanna della Croce la incoraggiava con il suo dolce sorriso. "La rinuncia ai figli non implica rinunciare alla fecondità. Noi dobbiamo rimanere vergini per essere feconde e vivere ogni attimo con Amore per l'universo. Io sono innamorata del silenzio, per amore di Dio e per Dio soltanto. Come Maria, sorella di Marta, voglio rimanere ai piedi di Gesù e ascoltare la sua parola. Fallo anche tu."

Agata ci provava.

Ma, a colloquio con Dio, Agata gli rivelava l'incrollabile certezza – che doveva soffocare durante il giorno – di non essere fatta per la clausura. Ogni notte la verità si faceva avanti prepotente, e lei, al lume di candela, si immergeva nella lettura di poesie e delle storie d'amore tragiche e struggenti dei romanzi nascosti nel doppiofondo del baule, desiderando lo stesso per sé. Di giorno tornava a credere alle parole suadenti di donna Maria Giovanna della Croce. "Aspetta. Tu ami Dio. Saper aspettare insegna a godere," le diceva, "la vocazione verrà. Affidati a me e cerca di vedere le cose con i miei occhi."

Prima di essere ammessa alla professione semplice e diventare formalmente novizia, la postulante dovette superare un colloquio con il padre spirituale e con la badessa.

Agata non mentì e disse sia al padre spirituale sia alla badessa di essere contenta di prendere i voti di castità e povertà, ma che non sentiva la vocazione; avrebbe fatto di tutto per trovarla. Credeva di aver superato i colloqui. Invece il cardinale in persona volle parlare con lei.

Erano nel salotto della badessa, soli e in piedi uno di fronte all'altra.

Si guardavano, muti. Agata fu la prima a distogliere lo sguardo: dal tondo sopra la porta, la luce filtrata dal chiostro cadeva sul pavimento in un ovale come la forma delle pastenove che lei ritagliava nella pasta frolla. "Sento dire che credete di non avere la vocazione, e ve ne preoccupate," esordì il cardinale. Agata calò la testa in assenso. "Non vedo perché," continuò lui, con una leggera irritazione nella voce, "santa Teresa d'Ávila dovette aspettarla per anni, la sua vocazione. Peccate di superbia, se volete accelerare i tempi. La vocazione verrà, il vostro padre spirituale ne è convinto. Avete portato a termine bei periodi di lavoro nell'infermeria e i vostri dolci vanno a ruba. Ditemi invece cosa vi aggrada di più della vita del chiostro." E le si avvicinò.

Agata sollevò lo sguardo – non aveva dimenticato che anni prima le aveva toccato il viso – e rispose tutto d'un fiato, per porre fine al colloquio: "Ascoltare il coro e cantare".

"Spiegatemelo."

"Mi avvicina a Dio."

In quel momento suonava Nona. Una campanella gentile e insistente. Lui rimase a guardarla. Poi si mosse e le passò vicino in un fruscio porporino, senza sfiorarla. Spalancò le ante della porta che dava nella sala dove la badessa e il suo segretario aspettavano.

"Andiamo al coro insieme. Tutti. Da oggi in poi Agata Padellani, la nostra futura novizia, canterà assieme alle coriste."

Le monache attraversavano la sala del Capitolo e si incamminavano lungo i corridoi dirette al coro a occhi bassi, non senza lanciare lunghi sguardi obliqui sui bordi svolazzanti della tonaca del cardinale, che, seguito dai chierici, faceva la loro stessa strada a passo sostenuto, dritto e fiero accanto ad Agata.

Agata sgusciò dentro il coro e fece per andare verso i seggi in fondo. Deciso, il cardinale l'afferrò per il braccio: "Voglio vedervi. Mettetevi qui, accanto alla madre badessa". E sotto gli occhi sbigottiti delle coriste, l'aspirante novizia dovette avvicinarsi alla badessa e rimanere lì, in piena vista, e tutta un rossore. Al via della badessa, Agata attaccò le Lodi. Era il salmo CXVIII, il più lungo dell'intero Salterio.

Sola dinanzi a Dio, Agata cantava. Come David. E le calava dentro una grande calma.

Piaccia a te, che siano indiritti i miei passi all'osservanza di tue giustificazioni.

Allora io non sarò confuso quando sarò stato intento a tutti i tuoi precetti.

Con cuore sincero a te darò laude dell'aver io imparati i giudizi di tua giustizia.

Custodirò le tue giustificazioni: non abbandonarmi fino all'estremo.

Ogni tanto la badessa guardava di sottecchi il cardinale. Era sulla soglia del coro, labbra serrate, tutto occhi per Agata.

24.

Aprile 1845.
Alle soglie della professione semplice,
Agata si tira indietro e infine cede

La madre non aveva risposto alla lettera in cui la badessa le comunicava che Agata, dopo un colloquio con il cardinale, era stata accettata per la professione semplice e nel contempo la esortava a concludere le trattative per il pagamento della dote.

Invece, al sentire la bella notizia la zia Orsola era andata a congratularsi con Agata assieme al fratello ammiraglio, che oltre alla precedente offerta dei mille ducati per la dote monacale si era dichiarato disposto a pagarne altri settecento per il ricevimento. La zia le comunicò che la madre non soltanto aveva stanziato denari per la sua dote, ma adesso approvava in pieno la decisione di monacarsi – anche questa volta, senza fornire spiegazioni, a una sola condizione. Questo rendeva certa la sua professione semplice.

Nei lunghi anni di vita claustrale Agata era regredita al mondo dell'infanzia – preordinato dagli adulti e in cui l'obbedienza è obbligo assoluto –, e aveva avuto accesso a un mondo spirituale in cui la preghiera era lo scalino verso la pace. Aveva letto diligentemente tutto quanto a sua disposizione, dalla scienza medica alla teologia, ed era stata scrupolosa nelle letture sacre. Al di fuori dello scrupolo, Agata oscillava tra la speranza di essere visitata dalla vocazione in cui le era di sostegno *Imitazione di Cristo*, quattro brevi libri di un monaco del Medioevo, Tommaso da Kempis, e la certezza di voler vivere nel mondo e incontrare l'amore come le sorelle Bennet.

Era proprio sull'amore che Agata si tormentava. Lei amava Dio. Ma voleva anche l'amore di un uomo da cui avere figli, un amore fatto di baci, carezze, brividi che culminava nell'unione di due corpi. E più si avvicinava il momento della professione semplice, più la straziava dire addio alla speranza dell'amore che porta alla maternità. L'ineluttabilità del destino moniale era addolcita dall'affetto che nutriva per la zia badessa. Per lei, Agata accettava di diventare monaca. Si incupiva al pensiero di cosa ne sarebbe stato di lei dopo la sua morte.

Agata passeggiava nel chiostro. Passi regolari, capo chino, mani incrociate in grembo – all'apparenza serena; di dentro, in subbuglio alla inaspettata richiesta della madre: dopo averla ignorata per tanti anni, ora voleva che trascorresse con lei le due settimane prima della professione semplice.

La terrorizzava lasciare il monastero per la casa di Sandra, incontrare i parenti, rivedere la madre e le sorelle, che tanto aveva agognato negli anni precedenti. Aveva paura della strada, delle carrozze, della folla, dei cavalli, dei cani, dei gatti, delle finestre senza grate, dei suoni della città. Pensava a quanto avrebbe perduto durante quelle due settimane. Sarebbe stata disorientata dalle giornate non scandite dalle ore canoniche, dalla mancanza del canto nel coro. Abbassando gradualmente le proprie aspettative, si era abituata ai minuti grandi piaceri della clausura – le attese: se le uova nel nido di rondini della grondaia o il grappolo di boccioli di oleandro si sarebbero aperti; se a cena avrebbero servito la minestra maritata al pomodoro o schietta; se la farfalla bianca che svolazzava sulla pianta di ricino sarebbe andata a posarsi sul dorso della mano destra o sul palmo della sinistra. Aveva imparato ad amare il poco. Si era assuefatta alla solitudine. Tremava al pensiero del chiacchiericcio delle donne e all'idea di dover rispondere alle inevitabili domande. E al pensiero di essere di nuovo tentata da tutto quello a cui aveva penosamente rinunciato – allora Agata desiderava essere monaca a tutti gli effetti.

E così avvenne. Agata cominciò a pensare alla accogliente casa di Sandra piena di libri e di stampe di Pompei. E al pianoforte, che tanto le era mancato e che probabilmente non avrebbe saputo più suonare. E alla musica. All'arpa, al violino, all'oboe. Al mandolino. Poi alla danza. E scivolò nel ricordo del valzer, il ballo preferito, mai dimenticato. Era di nuovo nell'alcova del salone dei Tozzi, e ballava con James Garson; insieme piroettavano, battevano il tempo, cambiavano ritmo come se fossero un corpo solo. Era pronta per la vita. Come con pochi energici colpi di spugna cancellava, durante le lezioni, le scritte di gesso dalla lavagna, così, con pochi colpi, Agata aveva cancellato gli anni trascorsi a San Giorgio Stilita. E non soltanto. Giacomo Lepre non esisteva più per lei. Era James che lei desiderava, insopportabilmente.

Agata aveva appena completato, nella farmacia, la conservazione della corteccia del salice d'argento. Ne era arrivata una carrettata piena da un terreno del monastero, ed era stata un'operazione laboriosa. Una volta lavata ed essiccata, aveva tritato ed essiccato la corteccia una seconda volta per essere certa che non ammuffisse, e poi l'aveva conservata in piccoli sacchi, su cui aveva scritto accuratamente la dose da usare: i sacchi sarebbero stati distribuiti ad altri monasteri, in cambio di altre erbe medicinali. Il decotto di salice d'argento veniva somministrato, oltre che alle monache febbricitanti o che accusavano dolori reumatici, alle giovani monache che soffrivano di desideri carnali, come calmante.

Una sera Agata, tutta presa da James, dovette correre in farmacia per farsi un decotto di salice d'argento. I sacchi con la corteccia erano stati portati a destinazione e per la prima volta Agata rubò. Le calmò i sensi l'agnocasto, un rimedio tramandato dalle monache armene. Poi rannicchiata nel suo letto, si sciolse in un pianto di sollievo e di vergogna.

La pace del chiostro, conquistata a fatica, diventava più pesante di giorno in giorno. Poi, un giogo. Evitava donna Maria Giovanna della Croce. Salmodiava nel coro – e fremeva per andar via. Aveva per le mani il ricamo, e lo lasciava senza finire la gugliata. Le regalavano carta argentata per i paperoles, e la spiegazzava nella tasca. Tutto ciò che nel chiostro le era piaciuto, ora le dispiaceva. Agata voleva soltanto amare ed essere riamata da un uomo.

Passava la notte a leggere alla luce della candela, come una forsennata, la storia d'amore scritta da Madame de Staël tra Corinna e un inglese, in cui l'eroina era ammirata e temuta dagli uomini, e per questo destinata alla solitudine. Il romanzo spiegava l'Italia e l'essere italiani, e non soltanto agli stranieri. Poi gli scritti di Giuseppe Mazzini, che Tommaso aveva fatto nascondere tra la biancheria pulita per paura di perquisizioni. Il pensiero visionario di quest'uomo le apriva un mondo nuovo davanti agli occhi, che pian piano diventava raggiungibile e reale; il mondo a lei noto cedeva a immagini sconosciute.

Di giorno Agata era la futura novizia, pronta al momento solenne in cui si sarebbe promessa sposa a Gesù, e di notte era la lettrice clandestina di ciò che era vietato dal re e messo all'indice dalla Chiesa; la mattina si svegliava con il sapore di sogni proibiti. S'era fissata su James Garson e sui libri che lui le mandava. Agata si *sentiva* stranamente affine a certe monache che fino ad allora aveva evitato o non aveva voluto notare: ognuna aveva trovato una propria forma di amore proibito, nel chiostro. Ma lei non voleva finire come loro.

La professione semplice si avvicinava. La finzione era diventata un peso insopportabile. Agata non poteva farsi monaca, era lampante. E doveva dirlo alla zia badessa.

Donna Maria Crocifissa era indisposta. Mandò a chiamare Agata non appena sentì da Angiola Maria che la nipote voleva parlarle. Era seduta sulla terrazza, trasformata in un vero e proprio giardinetto, piena com'era di graste rotonde e rettangolari in cui Angiola Maria riusciva a far crescere di tutto. In quel periodo erano in fiore l'origano, difficilissimo da coltivare invasato, e la menta, a profusione. Una camelia invasata, la Oki-no-nami, "onde del mare", era in piena fioritura. Sullo sfondo del fogliame bolloso – una acconciatura di capelli lucidi e verdi – spiccavano, come se fossero spillati, i fiori corposi dai petali rosa striati di rosso vivo e bordati di bianco, dal cui centro usciva, eretto, un denso ciuffo di pistilli gialli. Ipnotizzata dall'opulenza e dal profumo delle Oki-no-nami Agata taceva. La badessa tossicchiò per attirare la sua attenzione. Agata esitò, poi disse brutalmente: "Non ho la vocazione, non voglio farmi monaca". E aspettò pavida.

Quella si coprì il volto con le mani smagrite e così rimase, il petto scosso da singhiozzi, le spalle piegate in avanti, il capo chino. Le sue mani erano simili a quelle piccole e femminee del padre.

Sarebbe diventata monaca. E basta.

25.

*Agata trascorre in famiglia le ultime due settimane
prima della clausura e incontra James*

Era stato deciso con grande anticipo che Agata avrebbe
lasciato il monastero per la casa degli Aviello esattamente il 3
giugno 1845.

Da quando era diventato chiaro alle persone più vicine a
donna Maria Crocifissa che la badessa non aveva a lungo da
vivere, Angiola Maria era diventata più attenta ai pettegolezzi del chiostro e, tramite serve fidate, aveva traffici con il mondo esterno. Tra le novizie correvano svariate voci – che la madre di Agata avesse ottenuto una grossa riduzione sulla sua dote e inoltre condizioni favorevoli sul pagamento a rate, che la
professione semplice fosse stata anticipata per favorire un visitatore di riguardo, che una potenza straniera fosse interessata a lei, e perfino che il cardinale avesse pagato la dote della parente per intero. Angiola Maria avvertiva Agata di quanto arrivava alle sue orecchie e la incoraggiava a non permettere alle malelingue di amareggiarla; le stava particolarmente vicina, quando poteva, e si era fatta promettere che l'avrebbe
informata di qualsiasi fatto insolito.

La sera prima di uscire dal monastero, Agata lavorò sino
a tardi nella farmacia per lasciare tutto a posto. Angiola Maria l'aveva spinta ad andarsene, assicurandole che ci avrebbe
pensato lei a fare ordine e che le avrebbe portato in camera
una tisana per conciliarle il riposo.

Agata aveva salutato la badessa e le monache a lei care.

Aveva ancora da riempire i bauli con tutto ciò che possedeva: temeva che qualcuna avrebbe potuto curiosare tra le sue cose, se le avesse lasciate nella cella. A un tratto si sovvenne di non aver salutato donna Maria Brigida, la zia ormai demente. La trovò rannicchiata tra le braccia della sua serva preferita, Nina, un mucchietto d'ossa nella camicia da notte come un uccellino nudo, era assopita e si succhiava il dito. Quando Agata ritornò nella sua cella, notò sul comodino, accanto a scatoline di tisane, pacchetti di erbe mediche e barattoli di tinture da portare in regalo alle sorelle, un bicchiere con una bevanda ambrata ancora tiepida. Sicura che fosse un pensiero di Angiola Maria, e commossa, volle subito scriverle un biglietto di ringraziamento. Era un compito lungo, che la assorbiva – doveva adottare una grafia chiara e parole semplici per la conversa semianalfabeta: non sentì bussare alla porta, e nemmeno l'uscio che si apriva.

Agata non trovava la parola giusta. Pensò di fare una pausa e prendere un sorso di tisana. Allungò il braccio e sollevò il bicchiere. Come una tenaglia, una mano forzuta le afferrò il braccio e un'altra le strappò il bicchiere dalle dita; lei oppose resistenza all'aggressore e il vetro le sgusciò via frantumandosi sul pavimento. Angiola Maria, carponi, raccoglieva le schegge di vetro e piangeva. Agata non ci capiva niente. Poi notò sul letto il vassoio portato da Angiola Maria: c'era sopra un'altra tisana, di colore simile a quella che lei era stata sul punto di bere, e allora capì. Qualcuna le voleva male. Angiola Maria aveva tastato il liquido versato a terra. "È un veleno. Ho più di un'idea su chi potrebbe essere stata." E la rassicurò che non sarebbe più avvenuto, lei vi avrebbe posto riparo. Rimase poi ad aiutarla a chiudere i bauli e le fece bere la sua tisana, che ebbe un effetto meraviglioso: Agata si addormentò subito.

Agata e Sandra erano dirette a casa Aviello nella carrozza chiusa prestata loro ancora una volta dalla zia Orsola. Agata guardava fuori senza scostare la tendina, vedeva tutto opaco. Era curiosa, ma anche ansiosa. Napoli era cambiata, ed era più bella. L'impianto dell'illuminazione a gas, opera dei francesi, era stato inaugurato sei anni prima; tutte le strade principali avevano i loro bei lampioni. La gente era vestita secondo una moda a lei sconosciuta, e sembrava più ricca: circolavano sontuose carrozze lucide e nuove, c'erano più negozi, e meno straccioni per strada; molte facciate dei palazzi erano state rifatte e nuovi edifici erano in cantiere. Sandra le teneva stretta la mano; le disse che la madre e Carmela le aspettavano a casa, mentre il generale Cecconi sarebbe arrivato la settimana seguente da Palermo, col vapore *Rubattino*. E poi tacque. Agata si girò: la sorella aveva lo sguardo spento.

Il portiere del palazzo in cui abitavano gli Aviello aprì lo sportello con un grande inchino. Abbagliata dalla luce riflessa dalla bianca pietra dell'edificio, e sgomenta alla vista degli uomini che bighellonavano lì davanti e nel cortile, Agata vacillava. Poi Sandra la prese per il braccio e cominciarono a salire la scala. La madre l'abbracciò come se si fossero lasciate da poco; commentò soltanto la sua altezza – Agata era cresciuta molto – e non accennò né al passato, né al futuro. Carmela, ormai una signorina, si attaccò alla sorella e le stette accanto come un'ombra tutto il giorno. Agata riconosceva i segni del tempo e delle vicissitudini della vita sui volti delle tre: il bel corpo della madre era diventato pingue; vestita sontuosamente, la generalessa faceva ancora una gran bella figura, ma di tanto in tanto un'ombra le calava sullo sguardo e allora lei si stringeva le dita ingioiellate come se volesse farsi male. Sandra era dimagrita. Vestita senza cura e tesa, sembrava pensierosa; ma quando le sorelle ne incrociavano lo sguardo, Sandra era pronta al sorriso. Carmela era diventata una fiorente tredicenne dai modi spiccatamente provinciali e molto simile alla madre.

Quelle due settimane sarebbero dovute essere la prova finale del rifiuto della vita mondana da parte della postulante, ma in realtà per la prima settimana Agata si era ritrovata in una semiclausura. Non le fu permesso uscire in città, né fare passeggiate a piedi o in carrozza. Ricevette poche visite dai parenti curiosi della sua dote – lei era considerata una messinese e dunque diversa –, ma nessuno era davvero interessato a lei.

Quando non c'erano visite, la madre e le sorelle uscivano e la lasciavano sola. Le era gradito, perché ormai sentiva la mancanza della solitudine. Si avvicinava titubante al pianoforte, e suonava, insicura; a poco a poco riacquistava una certa dimestichezza, lontana tuttavia dalla perizia di un tempo. Leggeva tutto quello che le capitava sott'occhio e parlava, quando erano soli, con il cognato. A quarant'anni, Tommaso Aviello era un bell'uomo dai capelli brizzolati. Agata lo ricordava come uno che credeva con passione nei capisaldi della carboneria – l'uguaglianza e la dignità degli italiani, uniti in uno stato retto da una monarchia costituzionale –, fiero che, nel 1820, il Regno delle Due Sicilie fosse stato l'unico al mondo ad aver indetto un'elezione a suffragio universale, anche per gli analfabeti. Lo considerava un sognatore con i piedi per terra che manteneva il buon umore e un avvocato perspicace che analizzava e risolveva le situazioni più complicate.

Adesso, Tommaso era scoraggiato. Aveva sperato che il re si rendesse conto di avere la possibilità di unificare la penisola allargando il regno verso nord. Ma il re s'era trincerato dietro il più bieco isolazionismo e, insicuro della lealtà delle truppe regie, aveva umiliato i militari impiegando mercenari e indebitandosi con i banchieri Rothschild. Aveva gradualmente eroso le libertà conquistate, mentre la polizia e i servizi segreti avevano accresciuto i ranghi e il potere con i loro successi: la popolarità di Mazzini era in calo, la Giovine Italia, il movimento da lui fondato, aveva fallito in ben tre colpi insurrezionali, e Napoli non era più il fulcro della carboneria. Tommaso temeva che il movimento a cui aveva dedicato la vita stesse per estinguersi in tutta l'Italia.

Poi Tommaso riprendeva coraggio e parlava del *Primato degli italiani*, della possibilità di una unione doganale e di una federazione tra gli stati italiani con alla testa lo Stato pontificio – ma il papa era un reazionario. "Qualcosa dovrà pur succedere, il popolo patisce e il nazionalismo non può essere soffocato. Napoli è tuttora piena di società segrete. Il re, umiliato dagli inglesi che dominano i mari e il commercio, si comporta come un loro subalterno – si deve ben scuotere, lo farà!" Tommaso sembrava speranzoso. Dopo poco piombava di nuovo nel pessimismo. "La situazione interna è precaria. Come tanti, dovrò considerare la via dell'esilio, andare in Toscana. Non ho quasi più clienti, e devo mantenere la famiglia." Più di una volta le disse che non si fidava del generale Cecconi, un tempo reazionario, che ora sembrava volersi avvicinare alla carboneria. Era una spia della polizia.

Nonostante gli amari sfoghi, Tommaso usciva spesso e da solo, e allora aveva un incedere baldanzoso e tornava a casa di buon umore. Agata pensava di non poter contare su un uomo che fluttuava dal depresso all'esaltato, ed era preoccupata per Sandra.

L'arrivo del generale Cecconi, un anziano di bella presenza, dai baffi e barba candidi e sopracciglia nere e cespugliose, provocò un cambiamento nella madre – Gesuela divenne tutta sorridente, parlava con voce pacata e soddisfaceva con diligenza ogni sia pur piccolo desiderio del marito. Stavano a casa e ricevevano visite da parenti e amici, a cui Agata doveva presenziare. Il generale nutriva il più assoluto disinteresse nei confronti di Agata e Carmela, mentre non perdeva occasione per parlare con Tommaso e fare complimenti a Sandra.

Ad Agata capitò di sorprendere Sandra in lagrime. Sedeva su una poltrona quasi incurante. Sembrava cercare una liberazione. Agata non chiese, ma Carmela poi le confidò che Sandra era infelice perché il marito non le voleva più bene – lo aveva sentito dire dalla madre.

Agata trovava insopportabili la conversazione di società, i modi affettati e perfino la compagnia dei familiari. Giunse al punto di rimpiangere la quiete del chiostro. E la agognò, disperatamente, quando, durante una visita della zia Orsola, la madre le comunicò il programma del cugino principe.

"Michele e Ortensia daranno un gran ricevimento per un duca inglese di sangue reale, venuto espressamente per presenziare alla cerimonia della tua professione semplice," le disse mentre prendevano il gelato.

"E come lo sa, questo inglese, della mia professione semplice?" Agata era sospettosa.

"Suvvia, non fare quella faccia! I principi di Opiri hanno relazioni con reali stranieri, ne vengono tanti a Napoli. Michele avrà parlato di te con loro." Gesuela cercava l'aiuto della cognata, che non le fu offerto. Poi, vedendo la figlia ansiosa, aggiunse: "È un onore, per noi tutti. Mi aspetto che tu mi faccia fare bella figura". Intervenne il generale Cecconi; con la sua voce poderosa spiegò ad Agata che la recente ripresa dei contatti diplomatici con l'Inghilterra e altre nazioni europee aveva aumentato numero e qualità dei viaggiatori stranieri a Napoli e anche a Palermo – panfili di reali erano frequenti ospiti dei porti del regno e molti visitatori di riguardo svernavano nei nuovi grandi alberghi o erano ospitati nei palazzi dei nobili e di commercianti e imprenditori arricchiti. Il generale si guardò intorno con prosopopea e finse di non notare il comportamento di Tommaso: da quando lui aveva preso la parola, quello aveva girato la testa verso la finestra e sembrava fissare i tetti del palazzo di fronte.

Ruppe il silenzio la zia Orsola, fino ad allora in disparte: si offrì di regalare ad Agata un abito da sera castigato, per il ricevimento, ed espresse il desiderio di prestarle una parure di ametista e filigrana d'oro. Chiese anche se la nipote poteva dormire da lei, la notte del ricevimento.

Agata non poteva indossare alcun gioiello, doveva portare l'abito scuro da postulante, il velo corto sui capelli e ai piedi le scarpe moniali di pelle nera, le rispose Gesuela, piccata. Il marito intervenne di nuovo, e la persuase a soddisfare la cognata sull'ultima richiesta: per quella notte, Agata avrebbe dormito dalla zia.

Il ricevimento dei principi di Opiri fu magnifico. La fuga di saloni del piano nobile di palazzo Padellani, tutti aperti per l'occasione, ripetuta all'infinito nelle specchiere alle due estremità dei saloni, aumentava la luminosità dei lampadari di bronzo e cristallo nello stile dell'imperatore Napoleone – dono di Murat al principe di Opiri. Agata avanzava tra gli ospiti fiancheggiata dai padroni di casa; dopo di lei, si aspettava soltanto l'altezza reale britannica. Abbagliata dal tutto e assordata dalla musica del quartetto che suonava nel salone grande, dal brusio di conversazioni lontane, dalle voci e dalle risate dei gruppi a lei vicino, Agata si sentì venir meno; poi si fece forza e andò avanti. Si muoveva meccanicamente e obbediva a chiunque le fosse vicino – i cugini, la zia Orsola, o altri. La sontuosità del palazzo addobbato a festa e l'eleganza degli invitati non le fecero più impressione, e nemmeno la dovizia del cibo. Ricambiava baci e abbracci da sconosciute bardate di gioielli; salutava con una smorfia che voleva essere un sorriso gli uomini che si avvicinavano a guardarla, e che poi imbarazzati le porgevano la mano. Come una scimmia ammaestrata, elargiva un buonasera qua, un buonasera là, grazie, prego, arrivederci, e rispondeva ai complimenti e agli auguri di gente mai vista prima.

Quando il principe venne a prendere Agata per presentarla al duca inglese, lei seguì obbediente il bel cugino, alto e biondo come un austriaco e tanto diverso dai Padellani. Gli invitati si facevano da parte per lasciarli passare, e Michele accennava loro un saluto con il capo, mentre le raccontava come aveva conosciuto l'illustre ospite. L'ammiraglio Pietraperciata, compagno di collegio dello zio cardinale e molto vicino a lui, gli aveva chiesto informalmente se avesse avuto nulla in contrario a fare assistere il reale inglese alla professione semplice della cugina. Poi lo zio cardinale gli inoltrò la richiesta formale da parte del reale, aggiungendo che era stato lui stesso a scegliere Agata. "È un grande onore per noi Padellani, e può avere risvolti importanti." E il cugino le bisbigliò all'orecchio che lo zio cardinale – di cui si parlava come di un futuro candidato al trono di san Pietro – sperava di instaurare un dialogo con il clero cattolico inglese, in fase di grande rinascita da quando il parlamento britannico aveva abolito le restrizioni civili imposte ai cattolici. Lo zio conosceva bene anche il famoso chierico anglicano John Newman, ora convertito al cattolicesimo, che qualche anno prima era venuto a Napoli. Accondiscendendo a presenziare al ricevimento, Agata aveva aiutato Michele a stabilire un contatto diretto con la monarchia inglese, e lui gliene era grato. "Mi rendo conto che è penoso, per voi," aggiunse il cugino, e le strinse il braccio.

L'altezza reale inglese era corpulento. Agata si chinò in una riverenza nello stretto abito nero. Quando sollevò lo sguardo, si rese conto che James Garson era accanto al duca – faceva parte del suo seguito. Arrossì, imbarazzata. Nei biglietti di ringraziamento per i libri ricevuti, a volte si era lasciata andare a parlare di sé e a criticare il convento, nella certezza che non lo avrebbe mai incontrato.

"È contenta di diventare monaca?" le chiese il duca.

"Sì," arrossì Agata.

"L'amore di Cristo dev'essere potente, per farle abbandonare il mondo, non è così?" incalzava quello.

Agata ci pensò, prima di rispondergli: "Qualsiasi amore, se vero, ha la stessa potenza. Ho letto di gentildonne inglesi che si sono innamorate di uomini stranieri in Arabia e in India, e che hanno abbandonato il loro mondo per quello ben più povero e primitivo dell'amato".

"Il nostro ospite vorrebbe sapere della clausura," intervenne il principe.

"Vivere in un magnifico chiostro pieno di alberi e piante fiorite, con una fontana gorgogliante, e adorare Gesù Cristo è il massimo della felicità per chi abbia la vocazione. Ciò che appare una prigione diventa una reggia. La nostra badessa, anch'essa una Padellani, mi dice che al monastero di San Giorgio Stilita è stata felice dal primo giorno che vi è entrata. Io le credo. E vorrei emularla."

Il duca annuì soddisfatto. La ringraziò e fece un inchino; poi si rivolse a Ortensia che gli stava vicino. Elegantissima nell'abito di raso verde, risplendente nella parure dei famosi smeraldi Padellani che mettevano in rilievo la cascata di riccioli biondi sulle orecchie, lo invitava a visitare l'armeria. La piccola folla che si era formata attorno a loro, tutta occhi e orecchie per la conversazione tra il nobile straniero e la principessa, subito dimentica di Agata, si accodò a loro; dopo un attimo di esitazione, il principe li seguì.

James Garson non si era ancora mosso. Rimasero soli, uno davanti all'altro. Lui si piegò verso Agata e le sussurrò: "E voi, l'avete la vocazione?".

Per il resto della serata non la perse d'occhio, ma lei era talmente confusa che non se ne accorse. Al momento dei commiati, Agata venne messa accanto ai padroni di casa, acuendo il suo disagio al contrasto tra il proprio abito scuro e quelli splendidi dei cugini. Il primo ad andarsene fu naturalmente l'ospite d'onore. Mentre i principi parlavano con il duca, James si rivolse ad Agata: "Potrò mandarle dei libri, dopo la professione semplice?".

Agata si illuminò: "Lo faccia, per favore!", e tornò seria. "Ma non potrò risponderle e dirle quanto mi siano piaciuti, a meno che la badessa non me ne dia il permesso."

"Va bene." E con un guizzo degli occhi aggiunse: "Ne parleremo dopo. Sono sicuro che ci rivedremo".

Era stato bello ritornare dalla zia Orsola. Agata aveva notato che nulla era cambiato nella stanza che era stata sua, e che c'erano gli stessi servitori di prima – invecchiati, come la casa. Nel salottino della zia, il sole aveva sbiadito la carta da parati al punto che i disegni ramati erano quasi invisibili; i bordi delle tende di damasco verde, portate su dal piano nobile e mai accorciate, strusciavano sulle mattonelle di maiolica ed erano sfilacciati; l'allacciatura delle molle centrali dell'imbottitura delle sedie non era più salda e la molla pressava sul raso rosso dei sedili dando loro l'aspetto di piccoli crateri in eruzione. Invece, le piante erano cresciute molto e bene; la terrazza sembrava un giardino pensile. Zia e nipote prendevano la cioccolata nel gazebo prima di andare dagli Aviello. Il cameriere annunciò una visita: il capitano Garson. Agata si sentì avvampare, e abbassò il volto sul vassoio di biscotti fingendo di cercarne uno con i pinoli.

"Sono venuto per controllare le camelie e portarvi due nuove specie; una proviene dalla Mile End Nursery, a fioritura precoce; i fiori hanno un colore straordinario, rosso vivo," spiegava James, mentre i camerieri avanzavano a due a due con i pesanti vasi tra le braccia, e guardava Agata, "che contrasta stupendamente con gli stami gialli come l'oro, e fertili. L'altra è belga, la Mont-Blanc, proprio sul punto di sbocciare in fiori doppi, peoniformi e ricchissimi di petali." E piantò gli occhi su Agata. "Bianco puro." Lei arrossì di nuovo.

La zia e il capitano passarono a parlare dell'ibisco, e si scambiarono informazioni sulla varietà siriana. Agata conosceva soltanto le piante del giardino dei semplici – Angiola Maria era molto gelosa delle "sue" piante nel chiostro principale – e chiese cosa fosse l'ibisco, di cui stavano parlando. "Sono qui, nei vasi lungo la ringhiera," le spiegò James, e si offrì di accompagnarle a vederli; la zia non volle alzarsi e suggerì che andassero loro due.

James faceva notare ad Agata i petali delicati a forma di imbuto. Il rosa pallido diventava più scuro alla base e formava un anello rosso sangue attorno ai lunghi pistilli; le raccontò che i romani li mangiavano come insalata – Cicerone ne faceva scorpacciate – e che era anche una pianta medicinale. "Il fiore appassisce il giorno dopo essere sbocciato," diceva, "forse per questo è usato nel linguaggio muto dei giovani. In Polinesia le ragazze se ne appuntano uno sui capelli, per dire che sono libere, mentre il ragazzo in cerca di fidanzata se lo poggia sull'orecchio destro..." James si era piegato, cercava qualcosa; poi raccolse un bocciolo sul punto di aprirsi nella sua gloria effimera. "Questo è l'*Hibiscus syriacus*," e glielo porse. Agata se lo girava tra le dita, e lo scrutava: le foglie erano avvolte una sull'altra come quelle dei parasole e come le pieghette dei soggoli riposti nei cassetti. James aggiunse, deciso: "In Siria, offrirlo a una donna equivale a dirle che è molto bella".

Camminavano verso la zia; a un tratto, lui le chiese: "Are you happy?".

Lei abbassò gli occhi e non rispose.

"Are you happy?" ripeté lui, insistente.

Un gabbiano gridò forte nell'aria. Sembrava un pianto.

Il giorno dopo, Agata si comportò con tutti con una levità che nemmeno lei sapeva spiegarsi.

26.
18 giugno 1845.
La professione semplice

Dopo il ricevimento del cugino, gli inviti per Agata fioccavano; la madre avrebbe gradito che ne accettasse qualcuno, ma lei si era impuntata: voleva rimanere a casa e nella sua
stanza. Questo aumentò la credenza nella sua forte vocazione. In realtà, Agata aveva altro da fare: voleva leggere i testi
di Diritto ecclesiastico e i codici sulla clausura che Tommaso le aveva procurato indicandole le parti rilevanti della procedura sulla smonacazione.

Carmela le aveva confidato che il cavalier d'Anna, che continuava a considerarsi fidanzato ad Agata, aveva dichiarato che
dopo la professione semplice si sarebbe sentito libero di fidanzarsi con altre ed era disposto a prendere in sposa lei. Agata aveva dovuto constatare che la sorellina minore era ben contenta di quell'immondo matrimonio, in cui – a prescindere dalla laidezza dell'uomo – il divario tra gli sposi era più di cinquant'anni. Il contratto di matrimonio, già concordato per Agata, prevedeva la donazione alla sposa di due feudi di mille et-
tari l'uno. "Rimarrò una ricca vedova in giovane età e potrò
maritarmi con chi vorrò," le aveva detto, gongolante, la sorellina. In più le aveva confidato di aver appreso dalla portiera
che Tommaso, deluso di non avere eredi da Sandra, aveva avuto un figlio illegittimo da una toscana e ogni giorno, anziché in
tribunale, andava a far loro visita; Tommaso manteneva madre
e figlio di tutto punto, mentre a Sandra lesinava i denari per la

casa. Carmela se n'era accorta perché il generale e la madre pagavano la spesa a Sandra e le avevano anche regalato cinquanta ducati. Oltre che addolorata per la situazione degli Aviello, che aveva sempre considerato una coppia esemplare e moderna, Agata si sentiva responsabile non soltanto della propria sfortuna ma anche della sorte di Carmela e in quello stato d'animo si apprestava alla monacanza.

La mattina della professione semplice una folla di parenti e amici affluì nell'appartamento degli Aviello. Quando in casa non c'era più spazio, gli uomini discorrevano sulle scale. Le donne chiacchieravano ad alta voce aspettando che Agata uscisse dalla sua stanza. Alcune giovani si erano messe al pianoforte e strimpellavano canzoni d'amore.

La pettinatrice se n'era uscita soddisfatta. Agata indossava un abito di moiré bianco, vaporoso e stretto in vita, con mazzetti di fiori bianchi ricamati sul corpetto e sulla gonna; i capelli erano stati acconciati in riccioli sciolti, spioventi su seno e spalle, con gelsomini appuntati con mollette un po' dovunque. Una ghirlanda di candide camelie, dono della zia Orsola, avrebbe tenuto il velo sui capelli. Due delle quattro "madrine" della monacanda – nobildonne scelte dalla madre e praticamente sconosciute ad Agata – la aiutarono a sistemarsi sul capo il velo di tulle, bianco e lungo fino a terra.

Le finestre interne del palazzo erano gremite di volti sorridenti e occhi umidi. Ogni voce portava auguri e complimenti per la monachella. Agata era bellissima: l'emozione le aveva colorito le guance di rosso e le lagrime trattenute davano al suo sguardo una liquida luminosità. Le due madrine la fecero accomodare in una carrozza scoperta e allo schiocco della frusta del cocchiere il tiro di cavalli uscì dal portone fiancheggiato da due file di astanti che scoppiarono in un fragoroso battimani.

Agata obbediva e faceva come le veniva ordinato. Si sentiva estranea al proprio corpo e incapace di provare qualsiasi emozione. Era tradizione che la monacanda andasse in visita a diversi monasteri per farsi conoscere e ammirare dalle altre monache. Al monastero di Donnalbina, l'ultima tappa, suor Maria Giulia, la sorella del padre, si commosse al vederla; bastò quel pianto a sgretolare la corazza di Agata, che vacillò e fu sul punto di svenire. Le monache le fecero preparare due tuorli d'uovo battuti con zucchero e marsala e glieli fecero ingoiare di fretta.

La carrozza attraversava il quartiere di San Lorenzo e si avvicinava al monastero. Il popolo, informato dalla "Gazzetta del Seggio", dal passaparola e dallo scampanio della chiesa, affollava strade e balconi. Chi cercava di toccare la carrozza, chi chiedeva ad Agata di ricordare nelle sue preghiere figli e genitori malati. Lei, pallida, si appoggiava alla spalliera. Ogni tanto sentiva lo scoppio di un mortaretto. Lungo via San Giorgio Stilita, una banda svizzera intratteneva la folla.

Le altre due madrine l'aspettavano nel portico. Al portone della chiesa fu ricevuta da un corteo formato da un prete che reggeva alta una croce e da altri dodici con candele in mano; indossavano i paramenti ricamati in oro su azzurro, come nello stemma dei Padellani. La chiesa, divisa da un tramezzo bianco e rosso, era un tripudio di luci e colori. Alla destra sedevano le signore, ricevute da donna Gesuela, e alla sinistra gli uomini, ricevuti dal principe di Opiri.

Preceduta dal sacerdote con la croce, fiancheggiata dalle madrine e seguita dagli altri preti, in due file, Agata entrava in chiesa. Non appena lei posò la scarpina sul pavimento di maiolica bianca e blu, la folta congregazione saltò in piedi; contemporaneamente, proruppe la musica dell'organo seguita dal canto di un mezzo soprano.

Il corteo raggiunse il centro della chiesa. Il canonico andò loro incontro dal presbiterio. Diede ad Agata una croce d'argento nella mano sinistra, che lei si poggiò sul petto, e una fiaccola nella mano destra. La processione riprese.

Agata passava lenta accanto ai banchi dove avevano preso posto i parenti stretti. Carmela era seduta sul lato interno, quello sulla navata. Al vedere la sorella scoppiò in lagrime: "Non farlo!" diceva sussultando. Agata rallentò il passo. Calò gli occhi su di lei e poi li fissò nuovamente sull'altare che sembrava un sole in fiamme, quindi continuò a camminare.

Era arrivata dinanzi all'altare maggiore. Il cardinale l'aspettava, seduto alla sinistra, a lato dell'Epistola. I preti, dopo averla accompagnata, avevano preso un'altra direzione.

Agata e le quattro madrine erano in ginocchio. La musica riempiva la chiesa. Poi tutte e cinque andarono dal cardinale. Le madrine rimasero in piedi, mentre Agata si inginocchiava davanti a lui. A quel punto la musica e il canto finirono. Silenzio. Un prete dalla cotta mirabilmente ricamata presentò al cardinale un bacile d'argento con le forbicette, con le quali il cardinale recise una ciocca dei capelli di Agata. Allora riprese il canto a cappella delle coriste – alto, puro, sublime.

Agata si rialzò; in quell'istante le voci delle altre si spensero e rimase solo il canto di donna Maria Giovanna della Croce, accompagnata dall'organo. Poi irruppe il coro, per l'ultima volta, mentre, insieme alle madrine e preceduta dallo stesso corteo dell'ingresso, Agata usciva dalla chiesa sotto gli occhi degli invitati e quelli umidi e furtivi dietro le grate. Sul portico il corteo girò a sinistra e Agata, seguita dalla banda degli svizzeri e attorniata dalla folla in delirio, percorse a piedi la strada che portava all'ingresso del monastero.

Fiancheggiata dalle quattro madrine, saliva gli scalini dell'ingresso monumentale di San Giorgio Stilita; il ricordo della sua visita al monastero, da probanda, le strozzava la gola. Il portone di legno si aprì e lei entrò nel chiostro, lasciando le madrine nel vestibolo. Non appena vide la monaca portinaia Agata si sciolse in un pianto sommesso. Le coriste l'aspettavano, pronte ad accompagnarla nella sala del comunichino. Mute.

Agata era in piedi. Non c'era musica, né canto. Dietro di lei, la sala era gremita. C'erano tutte e ottanta le coriste, dietro di loro le altre monache, novizie, converse, postulanti ed educande.

Di fronte a lei, nella chiesa, in piedi davanti al cancello di ottone, il cardinale. Dietro di lui, affollati, i canonici, i preti, gli invitati e i parenti – il duca inglese in prima fila accanto al cugino principe. Agata teneva gli occhi fissi in quelli del cardinale.

La maestra delle novizie la prese per mano e la portò in un angolo, dove assieme alla priora la spogliò dell'abbigliamento di gala, cominciando dal velo e dai fiori tra i capelli e finendo con calze e scarpe, e man mano che le due la spogliavano altre la rivestivano con le ruvide lane da novizia.

Con i ricci scarmigliati, a piedi nudi e nerovestita, Agata ritornò al comunichino. Il cardinale benedisse lo scapolare e glielo passò attraverso le sbarre di ottone. Ad Agata sembrò che le dita avessero cercato il contatto con le sue e ne ebbe ribrezzo. Indossò lo scapolare senza allontanarsi dal comunichino. Poi si girò e andò dritta in fondo alla sala, dove l'aspettava la badessa, seduta nel trono di legno dorato, contro la parete, sotto il quadro raffigurante Mosè che fa scaturire l'acqua dalla roccia. A sinistra, la monumentale scala cieca. A destra, le monache coriste, in ordine di anzianità. Il duca inglese si era inchinato e, col permesso del cardinale, seguiva la cerimonia intima dal foro del comunichino.

Agata si prostrò davanti alla badessa, le piante dei piedi nudi spuntavano dalla tunica. Le monache le strinsero i lunghi capelli in una treccia. La badessa impugnò le grandi forbici per reciderla.

Il silenzio era profondo.

Una voce potente si levò dalla congregazione: "Barbari! Almeno non tagliatele i capelli!".

Tutti si volsero. Bisbigliarono di un pazzo. I preti imposero silenzio. Il cardinale era rimasto impassibile; sapeva chi aveva gridato.

Le monache erano in subbuglio. La badessa continuava a tenere le forbici nella mano sospesa. Poi, la voce salda di una decana: "Tagliate! È un eretico!".

La treccia cadde sulla lastra di pietra.

E Agata prese il velo.

27.
18 giugno 1846.
La professione solenne

Durante l'anno del noviziato, il tempo era volato per Agata: studio, lavoro, preghiera, colloqui con padre Cuoco e con la badessa. La salute della zia era peggiorata; era dolorante, e dopo Nona rimaneva nella sua stanza. Agata andava a trovarla. I medicamenti che il dottor Minutolo e la monaca farmacista le prescrivevano erano di scarso effetto. Ma era serena. Teneva a seguire la scansione della preghiera e si dispiaceva quando non le era possibile. "Alzarsi nel cuore della notte per lodare il Signore purifica e fa amare la vita, oltre che Dio, e mi fa stare meglio." La preghiera, ritmata nell'arco della settimana liturgica con la precisione benedettina, dava un senso e confermava ad Agata, quantunque ne fosse ormai certissima, che la direzione per lei naturale era quella dell'amore coniugale e dei figli.

Da quando Agata era novizia le erano stati concessi dei privilegi e perfino piccole libertà, ed era trattata dalle coriste come una di loro, o quasi; alcune avevano condiviso con lei ciò che non doveva uscire dalle porte del Capitolo – pettegolezzi innanzitutto, su questioni finanziarie e ripicche dinastiche –, ma evitavano di menzionare le situazioni scabrose e i fermenti all'interno della Chiesa che lei, da grande osservatrice, intuiva già. Agata era anche meglio informata. Sandra continuava a mandarle opuscoli e giornali nascosti tra la biancheria pulita, e una delle decane, sorella di un nobile carbonaro che contava molto sulle preghiere di lei, le faceva leggere di tanto in tanto le lettere che lui le mandava sugli avvenimenti politici della penisola.

Le era concesso di salire sul belvedere nel tempo libero, di pomeriggio. Allora respirava a pieni polmoni l'aria libera, e il suo sguardo spaziava dal cielo aperto – non più quello a tendone sul chiostro – al mare blu scuro del golfo. Il trambusto del traffico e le voci dei napoletani salivano fiochi, impastati in un brusio, tanto quanto bastava a farla sentire tutt'uno con il popolo – come quando seguiva la messa da dietro la grata – e di più. Agata aveva bisogno di stare con gli altri e di adoperarsi per loro: in quei momenti pensava di poterlo fare anche dal chiostro, attraverso la potenza della preghiera. Ma non era sempre così, e il suo noviziato fu marcato dall'altalena tra l'accettazione dei valori della monacanza e l'irrefrenabile voglia di vivere nel mondo e la certezza che, con l'aiuto di Dio, ciò sarebbe avvenuto. Il giorno prima avevano celebrato con una messa solenne l'elezione del nuovo pontefice, Pio IX, un cardinale liberale. La famiglia reale e il cardinale erano desolati: avevano condotto una campagna contro di lui, sull'esempio dell'Austria. Ligia ai sentimenti del cardinale, la badessa aveva fatto imbandire un'ottima cena, ma, a detta delle decane, non al livello di quella approntata per celebrare l'elezione del papa precedente, e questo aveva suscitato molti pettegolezzi. Agata non si sentiva monaca e nutriva motivato disincanto nei riguardi del chiostro e della propria famiglia, che dopo la professione semplice l'aveva ignorata. Anche Sandra veniva raramente, e soltanto con la zia Orsola. Dall'alto del belvedere, quel disincanto si fondeva con il bene del popolo: lei fremeva, come le eroine dei romanzi che leggeva, per l'avvento di un mondo migliore in cui giustizia e fratellanza avrebbero soppiantato privilegio ed egoismo. In quei momenti Agata, certa com'era che sarebbe tornata nella società civile, si sentiva libera di spirito e viveva serenamente nel chiostro. La scansione della preghiera e la meditazione, anziché isolarla, la aiutavano a tenersi in contatto col mondo esterno attraverso Dio e ad amarlo.

Ad Agata piaceva recitare il rosario, appoggiata al bordo della fontana del chiostro, da cui guardava le statue di Cristo e della Samaritana in arcana conversazione. Lo zampillio dell'acqua e il ritmo delle parole la portavano al significato della meditazione. *Ora pro nobis peccatoribus nunc et in hora mortis nostrae.* "Perché *nunc*? Allora è adesso che devo essere felice? La vita conta, non la morte. E cosa è la vita senza amore?"

Passetti leggeri, fruscio di grigi grembiali: una novizia aveva avuto una visione di Cristo mentre cucinava, e le monache con lei correvano verso la scala del campanile. Agata non volle accodarsi, ma poi cambiò idea. Le incrociò mentre se ne tornavano: le raccomandarono di chiudere per bene la porta e di riportare la chiave alla priora.

Costruita sull'arcata che nel Medioevo univa San Giorgio Stilita al convento maschile e soppiantata dal campanile barocco della chiesa, l'alta torre campanaria ormai serviva soltanto per annunciare miracoli e l'elezione della badessa. Agata non era mai salita tanto in alto. Disturbati dallo scampanare, i colombi volavano ad ali spiegate attorno alla torre in un carosello; alcuni attraversavano la loggia e le sfioravano il velo. Come loro, Agata girava attorno alle doppie campane e si affacciava a ciascuna delle quattro bifore della loggia, affascinata dalla vista. In basso, nel portico, i fedeli aspettavano notizie – sembravano formiche. Agata fu scossa da un potente sentimento d'amore per loro e si sporse sul davanzale. Per un attimo pensò di avere le vertigini, ma non era così. Era diventata aria e volava attorno alla torre in una spirale che si allargava e si innalzava a ogni giro fin quando lei non si trovò nel cielo. La terra e il mare erano scomparsi. E così le nuvole. Lei saliva, saliva, in cerchi sempre più ampi. A ogni cerchio aumentava il suo amore per il mondo intero. E per il suo creatore. Agata scoppiava di felicità. Cadde in estasi.

Prima dell'ammissione alla professione solenne, Agata doveva superare l'esame del vicario generale e infine due settimane di esercizi spirituali. Era ansiosa: lo scopo dell'esame era un'investigazione sul libero arbitrio, sulla sua volontà di abbandonare il mondo per Dio e sulla sua capacità di condurre la vita claustrale.

Agata temeva la domanda fatidica: "Se tu fossi innamorata di un uomo, lasceresti il chiostro?". Ma non era la sola ad aver paura: il vicario generale era più ansioso di lei. Ambedue sapevano che se durante quell'esame fosse stato evidente che la novizia non aveva la vocazione, avrebbe dovuto lasciare il convento entro ventiquattr'ore. Dove? Lei non avrebbe saputo dove andare. Nel chiostro, Agata aveva sentito storie spaventose: una volta considerata inadatta alla clausura, l'esaminanda veniva lasciata in balìa delle monache che, in un crescendo di rabbia, le strappavano lo scapolare, la rivestivano in fretta e furia con abiti civili e la cacciavano dal chiostro immediatamente, lasciandola sola nel vestibolo ad aspettare la famiglia indignata.

Il vicario generale schivava gli scogli e le poneva domande blande, Agata gli dava le risposte che lui si aspettava.

"Che fareste se Sua Maestà il re vi proponesse di andare a vivere al palazzo reale?"

"I fasti della vita di corte non mi interessano."

"Che fareste se qualcuno vi offrisse una grande somma di ducati purché lasciaste il chiostro?"

"La mia vita non è in vendita."

"Che fareste se una vostra sorella malata vi supplicasse di andare a vivere con lei per aiutarla?"

"Le spiegherei che ho altri doveri e che pregherò per lei."

Gli esercizi spirituali le furono impartiti dal canonico. Agata si trovava a disagio con lui come con gli altri canonici della chiesa: al momento della comunione, più di una volta le era stato sfiorato il viso. Le altre novizie le dicevano che quella carezza era normale e a loro non dispiaceva affatto.

Agata superò le prove, grazie alla indiscussa, caparbia volontà di divenire corista: lo doveva alla zia badessa. Era conscia del fatto che a lungo termine il suo sacrificio sarebbe risultato inutile, la zia si stava spegnendo. Ma non c'era che fare, aveva promesso.

Nel frattempo, fervevano interminabili trattative sulla cifra e sul pagamento della sua dote. Il generale Cecconi era disposto a sovvenzionarla in minima parte e la madre dovette ricorrere a prestiti. Alla fine il Capitolo accondiscese ad accettare una dote minore di quella consueta e pagata a rate. Non c'era segreto, a San Giorgio Stilita, che rimanesse tale: quando le condizioni della dote di Agata divennero note, l'astio contenuto delle monache e delle novizie contro di lei, la prediletta di una badessa ormai agli sgoccioli della propria vita, sbummicò, e così la passione con cui la osteggiavano. Chiuso nella prigionia del chiostro, quel sentimento escludeva la mediazione e sarebbe esploso con violenza: Agata aspettava quel momento impaurita.

Era il giorno prestabilito per la professione solenne, esattamente un anno dopo la professione semplice.

Agata completava la lunga confessione, mentre la chiesa si riempiva di invitati – erano tanti e straripavano sul portico. Indossavano abiti di gala, onorificenze, medaglie, e ancora una volta tra loro c'erano distinti visitatori stranieri. Poi seguì la funzione dalla sala del comunichino, assieme alle sole coriste.

Il cardinale, vestito di magnifici paramenti ricamati di filigrana d'oro, intonò il pontificale; poi, silenzio. L'organo taceva, e così le centinaia di ospiti. Il cardinale si avvicinava lentamente al comunichino. Gli invitati lo seguivano senza far rumore. Agata avanzava verso di lui, fiancheggiata da quattro monache, ciascuna delle quali reggeva in mano una fiaccola. Si fermò quando gli fu di fronte.

Era il momento del giuramento. Le avevano dato la pergamena, scritta in latino. Agata cominciò a leggere; le mancava la voce. "Più forte," le sibilò una delle monache, quella che le aveva porto la pergamena. Con uno sforzo alzò la voce e pronunciò i quattro voti: castità, povertà, obbedienza e perpetua clausura. Si inceppava e a volte doveva fermarsi. Durante una pausa, la candela accesa sfuggì dalle mani di una della monache e cadde a terra.

Aveva firmato il giuramento; la badessa e il cardinale lo sottoscrissero. Si girò: dietro di lei, un tappeto scuro era stato disteso a terra, e quattro candelieri con torce ardevano agli angoli; vi si coricò bocconi. Le quattro monache la coprirono con una coltre nera, con in mezzo un grande ricamo in argento: un teschio. Dal campanile risuonavano i lugubri tocchi dei morti, lenti, e tra l'uno e l'altro dal fondo della chiesa partivano i gemiti delle donne; a ogni tocco si univano i gemiti della fila seguente in un crescendo controllato. Come per una sposa il matrimonio, così per la monaca la professione solenne significava la fine della vita precedente. Attraverso questa morte, Agata diventava sposa di Cristo.

"*Surge, quae dormis, et exurge a mortuis, et illuminabit te Christus!*" Il cardinale pronunciò tre volte l'apostrofe in latino, rivolto verso il teschio.

"O tu, che dormi..." Le monache strapparono il drappo.

"Nella morte, dèstati!" Agata, ancora bocconi, si sollevò sul tappeto.

"Iddio ti illuminerà!"
Donna Maria Ninfa, la monaca confessa, balzò in piedi.

"*Ut vivant mortui, et moriantur viventes.*" Il cardinale benedisse la cocolla e gliela porse. Lei la indossò e poi ricevette la comunione. Dietro di lei si era formata una lunga fila: prima la badessa, poi le monache in ordine gerarchico, a una a una vennero a baciarla mentre la navata e la sala del comunichino erano invase dalle voci delle coriste della congregazione e dalla solenne musica dell'organo. I chierici facevano oscillare i turiboli enfaticamente, e il profumo sprigionato era talmente forte da pizzicare la gola. Dopo una predica di cui Agata non ascoltò una parola, la funzione terminò.

Il parlatorio, addobbato con gli argenti delle coriste Padellani passate e presenti, sembrava il salone di un palazzo. Le tavolate di dolci e rinfreschi erano intatte: gli invitati aspettavano donna Maria Ninfa per servirsene, ma ad Agata ci volle del tempo per rasserenarsi. Poi si aprì la porta; la badessa la spinse dolcemente fuori e le due, insieme, raggiunsero gli invitati. I visitatori stranieri vollero osservare la sua cocolla: era di lana nera con un lunghissimo strascico e larghe maniche – l'ultimo ricordo mantenuto nei secoli del monacato di madame Maintenon. Nel frattempo, gli altri ospiti si buttavano sulle delizie offerte dalla generosità dell'ammiraglio Pietraperciata.

Quella notte, Agata dormì serena. La gioia della zia l'aveva ripagata. In quanto a lei, da allora sarebbe stata donna Maria Ninfa. Il nome l'aveva scelto la madre insieme alla badessa, in ricordo delle origini palermitane degli Aspidi: santa Ninfa era una delle quattro protettrici di Palermo – Agata, Oliva e Cristina. Ma non sarebbe stato sempre così. Nel fondo dell'anima, Agata sentiva che Dio era con lei. E che il suo dovere era di essere al servizio degli altri, nel chiostro e poi nel mondo. Ogni volta la cullavano nel sonno le parole di Tommaso da Kempis: *"Considerati un pellegrino senza patria sulla terra. Soltanto così rimarrai saldo al tuo dovere e andrai avanti nel bene, per condurre una vita di pietà devi stordirti nell'amore di Cristo"*.

28.

Le giornate di donna Maria Ninfa,
nuova monaca corista

Nel VI secolo, quando la Regola benedettina venne for-
mulata, i conventi erano un'organizzazione altamente de-
mocratica; nell'oscurantismo napoletano del secondo quarto dell'Ottocento, San Giorgio Stilita, sotto il prudente badessato di donna Maria Crocifissa, poteva dichiararsi ancora tale. Il Capitolo, a cui partecipavano di diritto tutte le coriste, si riuniva per decidere sull'amministrazione del monastero, sull'ammissione delle educande e novizie e sull'accoglienza di monache da altri monasteri, o sull'espulsione di
monache dal Cenobio. Il voto era individuale e segreto, a
maggioranza semplice – o di due terzi nelle questioni più importanti. Per le faccende minori la badessa decideva in con-
sultazione con le decane, monache anziane e sagge, spesso
ex badesse. Agata, con l'incoraggiamento della zia, sin dal-
l'inizio aveva contribuito alla discussione nel Capitolo.

Donna Maria Crocifissa non era una badessa moderna.
Era tollerante, con un'eccezione: scoraggiava la richiesta dei
Brevi, le licenze che permettevano alla monaca di trascorre-
re qualche settimana con la famiglia. A parte questo sotto il
suo badessato gli spigoli più austeri della clausura erano stati smussati, in particolare le pratiche di mortificazione della
carne: a San Giorgio Stilita l'uso dei cilici era sconsigliato e
quello dei corpetti di ferro vietato. Nei limiti della Regola e
nel contesto della preghiera nel Cenobio, le coriste erano li-

bere di fare ciò che a loro piaceva. Potevano ricevere pacchi, regalare dolci preparati da loro a chi volessero e accogliere più di una visita al mese. La badessa era proclive a concedere la corrispondenza con il mondo esterno. C'erano degli abusi. Per esempio, al primo accenno di mal di testa o di raffreddore certe coriste rimanevano nella propria cella e si facevano portare il vassoio col cibo, anziché andare nel refettorio, e le tante che avevano una propria serva e una o due converse, secondo la loro disponibilità finanziaria, si facevano aiutare da quelle negli uffizi più pesanti, per dedicarsi liberamente alle devozioni religiose o semplicemente all'ozio.

La maggior parte delle monache erano state ammesse al monastero da bambine, e nell'insieme si trovavano bene e vivevano a lungo nel Cenobio – il solo posto che potessero chiamare casa. Quelle che vi erano entrate adolescenti, come Agata, avevano difficoltà ad adattarsi, a meno che non avessero già la vocazione – il che era raro. Spesso, "trovavano" una vocazione indotta dalla famiglia e dall'atmosfera del Cenobio; anche loro, nell'insieme, avevano una buona vita nella clausura.

Ogni corista aveva un confessore, scelto dal vicario generale tra il clero secolare e non tra gli ordini monastici, che poteva esser cambiato su richiesta della monaca. I confessionali erano occupati tutto il giorno e bisognava brigare per avere quelli più grandi, che davano quasi la privatezza di una stanza. Le monache ricche se li erano fatti costruire apposta – ampi e comodi –, e non li prestavano ad altre. Data la lunghezza delle confessioni, la monaca non si inginocchiava ma sedeva su una sedia comoda, e le era concesso offrire al confessore caffè, cioccolata calda e limonata con biscotti, per rinvigorirlo. Molte erano possessive nei riguardi dei loro confessori e li coprivano di attenzioni e regali; alcune ne parlavano come se fossero i loro innamorati. Agata continuava a esser soddisfatta del suo, padre Cuoco, un natio di Nardo, di buona indole e discreto intelletto, e non condivideva quella ossessiva attenzione a confessori e chierici; perfino il cardinale la irritava.

Agata era e si sentiva diversa. Non amava cicalare con le altre coriste, né partecipare ai piccoli ricevimenti che davano a ogni occasione – per la festa del santo protettore, per un anniversario, per una visita –, in cui si pavoneggiavano a vicenda con le porcellane e l'argenteria che tenevano nel loro armadio. In compagnia parlava pochissimo della famiglia e di sé.

Era diversa anche perché povera. La madre non aveva versato interamente la sua dote e dunque il numerario era insignificante. Riceveva di rado regali dalla zia badessa. Non aveva conversa né serva per risparmiare, mandava la roba da lavare a Sandra, e si manteneva con le vendite delle cucchitelle; questo la umiliava.

Leggeva. James Garson aveva mantenuto la parola, e il primo romanzo, *Nicholas Nickleby*, di Charles Dickens, le era giunto pochi giorni dopo la professione semplice. La badessa le aveva permesso di mandargli un paperole in ringraziamento, e lei inseriva dentro la porta del tempietto ricamato o nel coperchio dell'ovale centrale una linguetta che, tirata, avrebbe rivelato il bigliettino con i suoi pensieri su quanto riletto. Non ricevette altra risposta che un libro, e da allora tutti i suoi biglietti di ringraziamento, faticosamente pensati e brevi, vennero ignorati. Agata si convinse che non soltanto James non li riceveva, ma che la scelta dei libri fosse affidata ad altri. Lei continuava a scrivere all'indirizzo del mittente – il solito libraio –, e i suoi biglietti divennero sempre più intimi; a volte annotava i suoi pensieri anche sul dietro delle foglie e dei petali di carta dei paperoles, come se fossero pagine di un diario segreto che nessuno avrebbe mai letto.

Il canto e la musica, che insegnava alle novizie, erano il suo grande conforto. Talvolta si univa con piacere alle altre coriste, per esempio quando andavano in chiesa alla vigilia di una ricorrenza religiosa particolarmente importante. Appartenenti ai grandi casati dei seggi di Porta Capuana e di Nido, ogni monaca portava con sé, oltre al corredo, suppellettili e argenti sacri, che, per mantenere l'umiltà dell'ordine, erano conservati sotto chiave nelle loro celle e venivano usati per le occasioni religiose. Il sagrestano, su ordine della monaca sagrestana, chiudeva la chiesa e le coriste vi entravano portando i loro tesori da esibire sugli altari.

Era emozionante camminare su quel pavimento bianco e blu, che Agata guardava sette volte al giorno dall'alto del coro, e rimanere ferma, in piedi, davanti all'altare maggiore, gonfio di ori e argenti, come se la monaca minuta e nerovestita sfidasse l'ammasso di marmi e metalli preziosi. Quando l'intera chiesa luccicava di mille candele, le monache, come abbagliate da tanta luce, percorrevano la navata vuota e i passaggi laterali soffermandosi davanti alle immagini che dall'alto vedevano soltanto di sguincio, meravigliandosi della loro beltà. Le più giovani correvano ubriache di luce, poi si fermavano davanti alle grandi porte esterne, sbarrate, e riprendevano la corsa verso l'altare maggiore. Altre si soffermavano a pregare davanti alle preziose reliquie del monastero: le teste di san Giorgio Stilita, di san Biagio e santo Stefano, coperte d'argento; parte del legno della Santa Croce; due braccia, uno di san Giuliano e uno di san Lorenzo; la catena di san Giorgio Stilita – quella che lo teneva agganciato alla colonna su cui visse per ventisette anni; e il sangue di santo Stefano e di san Pantaleone che, se liquefatti, cambiavano in tre differenti colori.

Donna Maria Giovanna della Croce era rimasta la sola e grande amica di Agata. Come la badessa, si considerava fortunata ad avere la vocazione. "Riceviamo continue indicazioni da Dio, ma non riusciamo a capirle. Verrà anche a te. Per questo è fondamentale l'ascolto, dello Spirito e degli altri, e far silenzio in noi." E incoraggiava Agata a far spazio al silenzio per permettere alla voce di Dio di chiamarla a sé. "Non aver paura della morte: è soltanto il compimento di un ciclo," le diceva, e Agata si sforzava di trovare la vocazione. Quando credeva di esserci riuscita, la bieca realtà del convento e il magnetismo dell'istinto della procreazione le rendevano insopportabile la clausura.

Agata andava regolarmente a fare visita all'altra sorella del padre, donna Maria Brigida. Le cugine Padellani, monache da tempo, le avevano raccontato che, a differenza della zia badessa, quella non si era adattata alla vita monacale e da giovane aveva sofferto di disturbi mentali. Un pomeriggio, prima di Nona, Agata era andata a vedere la zia demente, che ormai rimaneva sempre nella cella. Le converse che avrebbero dovuto badare a lei la lasciavano alle serve che la prendevano in giro in modo crudele. Vaneggiava di figli e neonati e chiamava tutte "mamma". Le avevano cucito delle bamboline di cenci e quando era agitata gliene davano due. "Te', da' da mangiare alle tue figlie," e quella se le dondolava al seno, ridacchiando e baciandole tutte. Altre volte le dicevano che, se si fosse comportata bene, il confessore di cui si diceva fosse stata innamorata pazza, deceduto da tempo, sarebbe venuto a confessarla.

Quel giorno, la zia si era rifiutata di prendere il calmante e lo aveva sputacchiato sporcandosi il candido soggolo. Si contorceva sulla sedia a cui era legata e cercava di crocchiare il dito medio sul pollice per imitare il ritmo delle castagnette e, ammiccando ad Agata, intonava con voce fioca e stonata:

"Me faje fa' vicchiarelle,
Me faje jire a l'acito:
Gue' Ma', voglio o marito,
Non pozzo sola sta'".

Agata ascoltava e pensava a se stessa. Il ritmo della canzone napoletana le ricordava quello della filastrocca inglese, *Oranges and lemons*. Si sovvenne dei ricordi appannati di Messina, di Giacomo, focoso, possessivo, irascibile; dei suoi sudori e degli splendidi occhi di carbone frangiati da lunghe ciglia. Immaturo. Codardo. Agata pensava al contrasto stridente con James Garson, delicato, colto, distaccato. Freddo. Ambedue sposati, uno si trascinava moglie e figli in chiesa alla ricerca dei fremiti di un amore giovanile finito, e l'altro faceva il galante con una donna destinata alla clausura. Agata se ne sentiva offesa. Il suo sguardo ritornò sulla zia monaca. Arrivata dal fondo della memoria, dei pomeriggi con il padre, dell'adolescenza, le tornò in mente un'aria di Cimarosa e prese a cantare: *"Ma con un marito via meglio si sta, via meglio meglio si sta"*.

Piena di amore per il mondo, Agata credeva fermamente che, sotto il nuovo papa, l'Italia fosse alle soglie di un mondo migliore e libero, in cui lei si sarebbe liberata dal giogo della monacanza, avrebbe trovato un lavoro soddisfacente e avrebbe vissuto bene da sola.

29.
Settembre 1846.
Agata crede di superare gli aspetti torbidi del chiostro assumendo l'uffizio di sorella infermiera

Gli uffizi delle coriste erano vari; dovevano cambiare ogni anno o ogni tre anni, ma il Capitolo di ciascun monastero poteva riconfermarli e così spesso accadeva. Agata poteva scegliere se assistere la celleraria, l'ebdomadaria, l'erbolaria, l'infermiera, la farmacista, la rotara e la sagrestana. Le era precluso l'uffizio di assistente servigiale, che curava i rapporti esterni e usciva dalla clausura, riservato alle coriste di una certa anzianità. Scelse l'uffizio di aiuto infermiera, che non era ambito, e le permetteva di essere vicina alla badessa. Lavorava in collaborazione con donna Maria Immacolata, la monaca farmacista. Donna Maria Assunta, ormai anziana, presto le affidò molte responsabilità.

La sorella infermiera curava corpo e anima. Agata era sorpresa dalla quantità di medicine e prodotti naturali che si davano alle monache per curare disturbi "di nervi". Agata ebbe la conferma che il monastero era un vespaio di gruppi e fazioni, divisi da gelosie, ripicche e campagne di odio che distruggevano le vinte spingendole alla demenza. Sotto la superficie calma, San Giorgio Stilita era tutto un ribollire di passioni malate.

Una corista, donna Maria Celeste, desiderava essere amica di Agata. Lei era restìa, perché da postulante aveva subìto le sue crudeli prepotenze. A quel tempo, Maria Celeste era appena diventata monaca e le aveva suggerito di cambiare confessore e prendere il suo. "Padre Cutolo è giovane, bravo e bendisposto verso di te," le aveva detto, ma Agata non le aveva dato retta.

Postulanti e novizie erano venute a cercarla; anche loro le avevano raccomandato padre Cutolo, alcune con insistenza. A quel punto, Maria Celeste da amica le era divenuta nemica. Le faceva tutte le stizzoserie possibili, e la umiliava. Agata era contesa da due partiti contrari, che da lei volevano la stessa cosa – che scegliesse padre Cutolo come confessore –, ma ciascuno esigeva l'onore di averne il merito. Un giorno, padre Cutolo le mandò un biglietto. Si considerava offeso e rifiutato ingiustamente e proponeva un appuntamento per conoscersi e farla ricredere. Curiosa, Agata andò nel posto indicato, il chiostro delle novizie dove c'era la farmacia. Il prete era seduto in un angolo, sul muretto interno, accanto a una colonnina. Era giovane, robusto e dalla carnagione chiara. Aveva gli occhi foschi. Le fece dei complimenti e le chiese delle sue letture. Agata gli rispose, ma era come se quello non la sentisse: se la mangiava con gli occhi e la guardava come se fosse nuda. Agata arrossì; abbassò lo sguardo e poi tacque. Il sacerdote tirò una mano dalla tasca e gliela passò sulle labbra, tormentandole con il dito. Agata glielo morse e scappò via, senza accorgersi che la sorella farmacista e la sua conversa li osservavano da un bel po'.

Da allora si mormorò contro Agata. A una a una, le altre giovani monache venivano da paciere: chi la rimproverava per essersi comportata male con padre Cutolo, chi le spiegava che quel confessore apparteneva a Maria Celeste e che non avrebbe dovuto accettare l'incontro senza il suo permesso, chi la esortava a rivedere padre Cutolo perché era innamoratissimo di lei e deperiva a vista d'occhio. Quella brutta storia finì quando il cardinale venne in visita accompagnato da padre Cuoco e suggerì che Agata si confessasse quel giorno stesso. Per un po' si spettegolò sulla preferenza che la badessa e il cardinale mostravano per la "siciliana" e poi si passò ad altro. Ma ogni qualvolta Agata incontrava padre Cutolo, quello di nuovo la spogliava nuda con gli occhi.

Maria Celeste era maturata; ora sembrava genuinamente desiderosa della compagnia di Agata, ormai corista anche lei. Le aveva insegnato a preparare i biscotti di San Martino e le dava lezioni sulla cottura nel forno a legna. Avevano scoperto che ambedue leggevano romanzi; se li scambiavano e poi ne discutevano. Agata non accennò mai alla loro giovanile antipatia e a padre Cutolo, di cui si diceva ora fosse invaghita un'altra novizia. Maria Celeste era spesso triste, e di recente era diventata pallida; aveva occhiaie nere e il volto gonfio. Agata le regalava sciroppi ricostituenti e quella li prendeva. Una volta soltanto le chiese un medicamento contro la nausea e poi sparì dalla circolazione: si diceva che fosse indisposta, ma non chiese mai aiuto. Agata, da sorella infermiera, andava a visitarla; parlavano gradevolmente, ma quella non le diceva nulla su di sé e nulla chiedeva.

30.
Gennaio 1847.
La morte della zia badessa,
quella di donna Maria Celeste e della cuciniera Brida

Erano passati sei mesi dalla professione solenne. Madre e sorelle non le scrivevano, e i bigliettini che Sandra le mandava erano radi e intrisi di pessimismo. Agata aveva paura che gli Aviello scegliessero la via dell'esilio, perché così avrebbe perduto contatto col cognato e con tutto quello che lui rappresentava: il pensiero moderno e l'avvenire. Agata era diventata malinconica, non si sentiva monaca e non aveva ripetuto la tonsura. Donna Maria Giovanna della Croce le suggerì di fare una richiesta per i Brevi: la licenza a casa spesso aiutava la giovane monaca a separarsi definitivamente dalla famiglia. La badessa non ne era contenta, ma la inoltrò al cardinale, che rifiutò il consenso. Ad Agata non dispiacque, perché in quel periodo la salute della badessa era peggiorata visibilmente. Il dottor Minutolo la teneva sotto controllo; sembrava preoccupato, ma non prescriveva medicine. Angiola Maria invece le preparava infusi per i dolori e la accudiva con straordinaria devozione. Agata studiava le erbe antidolorifiche e le cambiava le dosi delle pozioni; le faceva visita quando poteva durante il giorno e immancabilmente ogni sera, dopo Compieta – il periodo del silenzio rigoroso. Si guardavano alla luce della candela e rimanevano mano nella mano, bisbigliando insieme le preghiere iniziate dalla badessa. La zia dava l'avvio, "*Ave Maria...*" e Angiola Maria e Agata seguivano, "*gratia plena, Dominus Tecum...*".

Fu allora che Agata apprezzò in pieno il potere consolatorio della preghiera di gruppo.

Un pomeriggio Agata era nell'infermeria, accudiva una sorella malata. Angiola Maria venne a chiamarla, era urgente.

Nella camera della zia c'erano già donna Maria Clotilde, la priora, e donna Maria Giovanna della Croce. Il braciere era incandescente e faceva un caldo insopportabile. L'aria era ferma. I raggi del sole d'inverno colpivano il telo di lino appeso davanti alla portafinestra a mo' di tenda, rendendolo luminescente. La zia indossava già il velo da notte; era sofferente, faticava a respirare e tremava, presto cadde in un rantolo appena udibile. Si portava la mano al collo, infastidita. La camicia, con colletto di lino e abbottonatura sul dietro, le stringeva collo e torso come un busto alto; la zia smaniava.

"Allentagliela," ordinò Agata alla conversa.

Angiola Maria la guardò male. Sbuffando si piegò sulla malata e la circondò con le braccia per sollevarla e slacciarle i primi bottoni. La badessa aveva aperto gli occhi impaurita; alla vista della nipote si calmò. Il respiro si fece normale. Poi, con un cenno della mano, la chiamò a sé. La priora cedette il posto. Prima di sedersi, Agata si piegò a baciare la zia: inalò un fetore di marcio misto a lavanda, che scomparve appena si rialzò. Veniva dalla zia. Agata le prese la mano e gliela carezzava. Angiola Maria aveva seguito ogni movimento e aveva notato il fremito delle narici. "La signora badessa è stanca, deve dormire," ingiunse. Le altre monache si fecero il segno della croce e se ne andarono, ma non Agata.

"Lasciateci anche voi." Angiola Maria la invitò ad andare per la seconda volta, lo sguardo torvo.

La badessa ascoltava; strinse la mano di Agata e di nuovo il respiro si spezzò in rantoli; si portò la mano al collo, cercava di allargarsi il colletto della camicia da notte. Sudava, ansava. Le dita erano frenetiche. Impotenti.

"Sbottonale la camicia, non vedi che soffre?" gridò Agata.

Quella la ignorò. Voleva che se ne andasse, subito. Era

una lotta di volontà. Agata sollevò la zia, le sbottonò in fretta l'intero corpetto, aiutata dalle dita affannate della malata. La pelle lattea del collo e delle spalle della badessa era tuttora priva di rughe. Il fetore di prima veniva dal seno fasciato. Insofferente, voleva essere ignuda. Si tirava in basso il corpetto, senza riuscirvi perché le maniche erano strette. Fissava Angiola Maria, le chiedeva aiuto.

Questa spinse bruscamente Agata di lato e si calò per sciogliere le fasce che serravano il seno della sofferente. La puzza di marcio riempì la stanza: il seno destro era spaccato da un tumore purulento schiacciato e nascosto sotto bende e cuscinetti di lavanda.

Donna Maria Crocifissa spirò poco dopo. Mentre quella moriva, Agata, anziché pregare, ricordava quanto detto dal padre su Violante, come insisteva nel chiamare l'amatissima sorella. Rimpiangeva di essere andato di rado al monastero: era un codardo, e gli faceva troppo male. Aveva ripreso a frequentare la sorella trent'anni dopo, quando era sposato. "A tua madre piacevano le sfogliatelle calde calde di San Giorgio Stilita e lei gliele faceva trovare." Durante una visita, la moglie li aveva lasciati soli nel parlatorio – lei e le due monache sorveglianti erano andate nel chiostro. Imbarazzato, non riusciva a distinguerla attraverso le grate e aveva cercato di ricostruire il volto della sorella. "Vuoi vedermi?" gli aveva chiesto lei. Un attimo dopo, la porta della clausura si era aperta e la sorella era spuntata sulla soglia, come in un quadro. Non la riconosceva. Lei se n'era accorta e s'era dileguata nella clausura; poi da dietro la grata gli aveva detto: "Abbiamo fatto male. Io sono davvero morta". E fratello e sorella avevano aspettato in silenzio il ritorno delle altre.

L'interramento delle monache era diverso in ogni monastero. Un tempo venivano vestite di tutto punto, sedute in scanni e messe nelle cripte ben aerate per mummificarsi in un coro eterno. Dopo la soppressione dei conventi da parte dei francesi nel 1808, i monasteri napoletani si erano modernizzati. A San Giorgio Stilita la procedura – semplicissima – era rimasta inalterata. La priora accertava il decesso, poi era compito di quattro converse seppellire la salma nello scantinato del dormitorio delle novizie, che aveva il suolo di terra piena. L'inumazione avveniva immediatamente senza alcun'altra presenza, né cerimonia. La salma – vestita di tutto punto inclusa la cocolla e avvolta in un lenzuolo bianco – era posta su un telone apposito con quattro manici: veniva portata nello scantinato giù per le scale che partivano da un angolo del chiostro ed erano chiuse da una porta con catenaccio. La vita del Cenobio non subiva interruzione. Lo stesso avveniva quando la monaca apprendeva della morte di parenti: ricevuta la notizia, continuava il suo uffizio.

Angiola Maria era rimasta visibilmente addolorata dalla morte di donna Maria Crocifissa, ed era incapace di contenere il cordoglio. Aveva pianto a lungo con Agata e continuava ad aver bisogno di parlarle della badessa. Agata aveva imparato a prendere la morte come un fatto naturale ma si sentiva in dovere di aiutare la fedele conversa. "Chi nasce è già in cammino verso la morte," le diceva. Si incontravano furtivamente nella stanza di Agata, dopo Compieta, e, riprendendo il rito tra zia e nipote, parlavano a bassa voce della vita di donna Maria Crocifissa. Angiola Maria sapeva molto sulle monache di famiglia e si confortava al pensiero che anche Agata avrebbe fatto onore al casato dei Padellani, a San Giorgio Stilita.

Durante uno di questi incontri serotini capitò che tre scarafaggi spuntassero da sotto la porta, disorientati, come se fossero stati liberati da una prigionia. Agata ricordava bene un simile episodio, quando era appena arrivata al monastero. Rabbrividì – gli scarafaggi le facevano schifo – e raccolse l'orlo della tonaca. Uno si diresse veloce verso il muro, un altro lo seguì, muovendo le antenne, l'ultimo invece andava avanti, si fermava, cambiava direzione, e di nuovo si fermava. I primi due si diressero insieme verso il letto, scomparendo rapidi sotto la frangia della coperta. A quel punto il terzo corse a raggiungerli e si infilò anch'esso sotto la coperta. Angiola Maria era balzata in piedi e, con gli occhi da invasata, apriva e chiudeva i pugni, muta. Poi, come nulla fosse accaduto, riprese a parlare – stesso tono di voce, altro argomento – ma dando del tu ad Agata, per la prima volta.

"Devi sapere che tua zia ti ha lasciato un bel po' di ducati. Don Vincenzo, il segretario del principe, sa tutto, e te li deve dare, ma tu ci devi andare, al palazzo."

"A te che ha lasciato?" Agata era curiosa, ma la conversa non intendeva rispondere.

"Mi ha dato abbastanza, in vita, dal suo numerario. Tenevo io le chiavi del deposito. Ricordati che donna Maria Crocifissa mi ha chiesto di farti da angelo custode. Dovunque io sia." E la conversa abbassò le palpebre, lisce come quelle di donna Maria Crocifissa.

Dal chiostro si sentiva uno scalpiccio. Poi voci concitate, sommesse. Trambusto.

Donna Maria Immacolata, la monaca farmacista, bussava alla cella di Agata: "Venite, una serva è precipitata nel pozzo!".

Due monache, in segreto colloquio sulla terrazza, avevano visto scendere Brida nel chiostro, dalla scala di fronte a loro. Era andata dritta verso la fontana, aveva immerso la mano nell'acqua e, inchinandosi davanti alla statua di Cristo, si era fatta il segno della croce. Poi si era diretta calma verso il pozzo e aveva sollevato il coperchio di ferro.

Un tonfo e nulla più.

31.

Febbraio 1847.
Angiola Maria e Checchina,
converse delle Padellani, scappano da
San Giorgio Stilita e si murmuria contro Agata

Le coriste si erano presentate a Notturno poche ore dopo il suicidio della cuciniera, come se nulla fosse. Era quella la forza della clausura, pensava Agata: che qualsiasi morte era presa come normalità, e le piaceva.

Alle Lodi di Mattutino, donna Maria Giovanna della Croce le diede un avvertimento: "È meglio che te lo dica ora perché ti ci abitui. Angiola Maria e Checchina, la conversa di donna Maria Brigida che spesso lavora con la monaca erborista, sono scomparse. Le altre se la prenderanno con te".

Agata non ebbe il tempo di digerire la novità perché le cugine Padellani, che già sapevano, la raggiunsero ciarlando e le raccontarono in segreto la storia di Angiola Maria. Lo fecero con una furia e una solerzia che Agata, se non fosse stata sconvolta, avrebbe trovato perfino buffe. Era come se volessero liberarsi e liberare Agata. "Tua zia era!" Angiola Maria era in realtà figlia illegittima del nonno di Agata, e per questo la badessa buonanima l'aveva protetta e tenuta nel monastero – era la sua sorellastra. "E mala persona, mezza femmena e mezza uomo!" La badessa avrebbe dovuto cacciarla fin dall'inizio, perché quella era ermafrodita e aveva tresche con serve, converse e perfino monache. Dopo che le storie finivano, quelle restavano sempre innamorate, come se Angiola Maria avesse fatto loro un incantesimo. "Così sono gli ermafroditi, una volta che te ne innamori, non ti lascia più!" Lo sapevano tutte che Brida, la cuciniera, era stata lasciata per tante altre, inclusa Checchina, con cui Angiola Maria aveva una tresca da anni. Ma Brida, pazza di gelosia e convinta che la sua rivale fosse Agata, aveva visto negli incontri delle due nella cella di Agata per piangere insieme la morte della badessa la dimostrazione lampante del tradimento di Angiola Maria. "Per questo Brida si era ammazzata." Agata cominciava a pensare: Che fosse stata Brida a mandarle scarafaggi e bigliettini? A cercare di avvelenarla? A farle i sortilegi? Pian piano questi pensieri diventavano certezza.

"Non ti preoccupare per Angiola Maria, starà meglio di tutte noi. Si è fatta casa e ha denari. Rubava, e molto, alla badessa," disse una, e poi aggiunse, saccente: "Si dice che fosse stata lei a prendere gli ex voto della Madonna dell'Utria, per poi rimetterli sulla sacra immagine la notte in cui ti sentisti male". L'altra rincarò la dose: "Ho sentito che gli orecchini di smeraldi e la catena d'oro zecchino non ci sono più, se li è ripresi lei dalla Madonnina!". E le spiegarono che Angiola Maria, che era assai astuta, voleva che Agata rimanesse al monastero e aveva orchestrato il falso miracolo per rafforzarle la vocazione: Agata le sarebbe stata utile quando la sua padrona non ci sarebbe stata più.

"Era il diavolo tra noi ed è meglio che se ne sia andata," conclusero le cugine all'unisono.

"Cosa c'entra Checchina? Quella è una povera scimunita che non farebbe male a un'anima viva," disse Agata.

"C'entra, c'entra!" dissero le cugine. E poi cambiarono argomento.

L'indomani, di notte, Agata venne chiamata dalla conversa di donna Maria Celeste: voleva che la sorella infermiera andasse al suo capezzale, la padrona delirava. Maria Celeste aveva la febbre alta e non la riconobbe; invocava padre Cutolo, e sosteneva di essere in punto di morte. Agata le diede una piccola dose di Colchicum d'autunno per attenuarle i dolori e abbassarle la febbre. Stette con lei a lungo, un panno umido sulla sua fronte. Di tanto in tanto, aggiungeva altre gocce nel bicchiere che le accostava alle labbra. Prima di Mattutino, Maria Celeste tornò lucida ma parlò poco. Aspettava padre Cutolo.

C'era un'aria stantia. Agata respirava l'odore della morte – acido, rarefatto.

"Sta arrivando padre Cutolo!" Preannunciata da un rapido scalpiccio, una conversa si era affacciata alla porta.

Donna Maria Celeste volle che Agata restasse nella cella: non intendeva confessarsi. Al vedere padre Cutolo, ricadde in una specie di delirio, le mani tremanti, protese verso di lui, bramose di amore – amore fisico di braccia, di baci, di carezze, di amplessi. Lo implorava di portarla via con sé. "Avanti, ramm' nu vas', nu vas'!"

Quello, in piedi, il crocifisso nelle mani, la guardava pallidissimo. Ogni tanto un guizzo su Agata, che non lo aveva degnato di uno sguardo.

"Ramm' nu vas', uno soltanto, abbracciami, abbracciami," riprese a implorarlo donna Maria Celeste, alzando la voce.

Padre Cutolo distese un braccio tremante verso la monaca, le mostrava il crocifisso. "Abbraccialo, abbraccialo il tuo sposo divino." E lo teneva alto.

"Abbracciami tu, tu!"

"Cristo è il tuo sposo!"

"'Nu vas' solo, amore mio!" pietiva lei.

"Cristo è il tuo sposo. Abbraccialo!" le ingiunse il prete, alzando la voce, gli occhi induriti dalla paura. "Abbraccialo!" Quella guardava ora il crocifisso, ora lui. Poi ricadde sul guanciale.

La notte seguente Agata venne svegliata dalla conversa di donna Maria Celeste: la padrona era in fin di vita, e la chiamava. Agata corse e nel corridoio su cui dava la cella della monaca incrociò due serve che correvano, portando un secchio l'una e delle pezze l'altra. La trovò che rantolava. "Che le è successo?" chiese. La conversa la guardò, poi silenziosamente sollevò le coperte. La monaca aveva la camicia da notte arrotolata alla vita. In basso, era ignuda: tra le gambe, grumi di sangue.

Avvolsero il cadavere in una cerata. La conversa posò sul ventre un malloppo avvolto nella stessa tela. "Poi le venne un'emorragia e morì," disse quella. Agata e la conversa coprirono il cadavere con un lenzuolo candido, onde evitare che la priora, che aveva il compito di accertare la morte, si insospettisse. Solo allora mandarono a chiamare le converse addette alla sepoltura.

32.

La nuova badessa osteggia Agata;
il cardinale le nega i Brevi

Il senso di giustizia di Agata esigeva che padre Cutolo fosse punito per aver sedotto donna Maria Celeste e averne causato la morte, sia pure indirettamente. E anche che gli fosse tolta ogni opportunità di distruggere altre vite. Agata aveva una missione concreta: informare la madre badessa, il cardinale e il vicario generale, per far sì che il sacerdote fosse cacciato via da San Giorgio Stilita e deposto dalla nomina di confessore di qualsiasi religiosa. Per sempre. Si aspettava pesanti pressioni per mettere a tacere il fatto e non causare scandalo.

Agata sapeva di essere oggetto di pettegolezzi ma ne ignorava la precisa natura. Nel monastero si parlava incessantemente della fuga delle due converse e della morte della serva cuciniera; lei era accusata di aver provocato quella tragedia. Dicevano che Agata dipingeva sulla glassa lattea delle cucchitelle scene di putti e uccellini che si baciavano sulla bocca per far innamorare Brida. La poveretta si era innamorata di Agata, ma era stata abbandonata per Angiola Maria. La sera del suicidio, Brida era andata a verificare il suo sospetto: aveva intravisto le loro ombre nella cella di Agata e si era uccisa. Altre dicevano che Agata aveva imposto ad Angiola Maria di lasciare Checchina, che a detta di tutte era il vero amore di Angiola

Maria, da sempre. Altre ancora sostenevano che Angiola Maria, avendo rubato i gioielli alla Madonna dell'Utria, fosse scappata con Checchina, che invece non aveva inclinazioni simili alle sue ed era stata costretta ad andare via con lei.

Agata chiese un colloquio con donna Maria del Rosario, la nuova badessa, e questa la convocò nel proprio salotto, assieme alla priora, donna Maria Clotilde. Le porse la mano per il bacio e la invitò a sedersi.

"La fuga della conversa di donna Maria Crocifissa sarà stata una sorpresa per voi." La badessa aveva preso l'iniziativa. Era una nobildonna di un casato ostile ai Padellani e molto tradizionalista.

Agata aveva altro in mente e si dispose a raccontare: "Sono qui per parlarvi di qualcosa di molto grave, che nulla ha a che fare con Angiola Maria," e si lanciò nella torbida storia di donna Maria Celeste. La badessa la ascoltava con crescente disagio, e prima che Agata fosse giunta al racconto dell'aborto, la interruppe, con voce glaciale: "Mi state dicendo che una corista di tutto rispetto, e mia lontana parente, è caduta malata e ha iniziato a delirare. Voi stessa, da sorella infermiera, l'avete accudita egregiamente e da quanto mi dite le vostre cure l'hanno riportata alla lucidità, fin quando il male ha preso il sopravvento. Siete voi che avete interpretato male le parole della povera malata indirizzate al confessore".

"No, badessa. Lei parlava di amore carnale, di baci. Li voleva! Li voleva da lui!"

"Basta! Vi perdono perché siete una giovane monaca; non conoscete l'estasi, che può essere fraintesa da chi ha il peccato nel cuore."

Donna Maria del Rosario aspettava che Agata se ne andasse. Ma lei non aveva finito.

"Madre badessa, io c'ero alla morte di donna Maria Celeste. La sua conversa ha sollevato la coperta, e io ho visto!"

La badessa si alzò di botto. Come le contadine ripetono "sciò, sciò" e strillano per mandar via le galline dall'aia, con gli stessi gesti lei accompagnò il suo "Andate via! Via! Via!", e come una gallina Agata indietreggiava nel salotto della badessa, spinta da quelle braccia frenetiche. "Vi ingiungo di non ripetere ad alcuno questa menzogna." La badessa aveva aperto la porta che dava sul chiostro. Agata sgusciò via, non prima di aver sentito un "disgraziata!". Si girò a guardarla: il volto della badessa era una maschera di sconcerto e di rabbia.

Donna Maria Clotilde aveva seguito Agata, e le camminava accanto, come per assicurarsi che non parlasse di sproposito alle altre.

"Figliola mia, giuro di non aver avuto alcun sospetto di quanto mi dite sulla morte della povera donna Maria Celeste," le diceva.

"Lo credo bene, la conversa e io abbiamo fatto in modo che voi non aveste alcun sospetto, ve l'ho già spiegato." Agata era impaziente.

"Allora, perché ne avete parlato ora?"

"Per la verità, e per proteggere altre monache da quel prete. Ricordate che la salma era avvolta nel lenzuolo fino al collo? Era per nascondere l'incerata. Possiamo chiedere alla conversa, sa tutto."

"Bisognerebbe riesumare la salma. Nella storia del nostro monastero non è mai accaduto!" Continuò enfaticamente: "E poi, a che pro? Per dare scandalo? Per infangarci e infangare una monaca?".

"Per far sì che padre Cutolo non sia mai più il confessore di un'altra monaca, qui o altrove! Se non fosse stato per lui, donna Maria Celeste sarebbe viva!" Agata aveva alzato la voce, esasperata.

"Perché dire questo del prete?"

"Perché ha sedotto!"

"Sedotto?" E la priora prese il tono di una maestra. "Pensiamoci. Lui potrebbe dire il contrario. È povero, e donna Maria Celeste godeva di un sostanzioso numerario. Gli faceva regali. Pensate a quanto si divertirebbero, i nemici della Santa Madre Chiesa, se venissero a sapere queste accuse!" Poi riprese fiato e le posò la mano sul braccio, con gesto protettivo. "Credetemi, lasciate stare. La nuova badessa è severa e terrà tutti gli aspetti della vita monastica sotto controllo, nulla le scapperà, ve lo assicuro! Andate, e non pensateci più."

Agata andò a cercare la conversa di Maria Celeste. Non la trovava. Poi le dissero che era stata trasferita quello stesso pomeriggio a lavorare direttamente per la madre badessa.

Da allora, Agata venne trattata con distacco dalla badessa e dalla priora. Doveva obbedire al silenzio impostole dalla badessa, ma non in confessione. Ne parlò dunque a padre Cuoco. Lui ascoltava. "Cosa vuoi ottenere?" le chiese, e aggiunse: "Vendetta?". Al silenzio di lei alzò la voce: "In tal caso vai via da qui, non è cosa di cui si parla in un confessionale".

"Padre, io voglio giustizia," disse Agata.

"Giustizia? Anche in questo caso, non posso aiutarti: è Dio onnipotente che la amministra, dopo la morte."

Agata non cedeva. "Bisogna pur proteggere le anime innocenti delle consorelle!"

"Ricordati che siete tutte aristocratiche e molto più ricche di noi preti, e come l'uomo può tentare la donna, così la donna è ben capace di indurre l'uomo in tentazione; anzi, a maggior ragione, essendo discendente da Eva. Col tempo, quel confessore se ne andrà dal monastero. Sarà stato provato dalla scena che mi hai descritto, e molto, particolarmente se è innocente, come penso che sia."

"Padre, dimenticate che io ho visto l'aborto."

"Figlia mia, permettimi di dubitare di quello che credi in buona fede di aver veduto. Prima di tutto era sera, e la luce della candela fa scherzi grossi. Secondo, non hai mai visto quello che sostieni di aver visto e che chiami un aborto: ci sono altri malanni, innocenti, che provocano scariche di quella roba anche alle vergini, lo so bene dalle confessioni che ascolto. Terzo, non sappiamo se la conversa ha esagerato, anche lei in buona fede, come te, o con malizia. Non dimentichiamo che qualcuna potrebbe aver messo lì apposta interiora di gallina, per darti l'impressione sbagliata e mettere in difficoltà padre Cutolo." Padre Cuoco fece una pausa per riprendere fiato, la voce stanca: "Non si sa. Lasciamo stare". E le diede l'assoluzione e i soliti *Ave* e *Pater* di penitenza.

Agata, indignata, pregava con foga e disperazione che Dio la assistesse. In un libro di giurisprudenza della zia badessa si faceva cenno al Concordato del 1822, che sanciva il primato della legge ecclesiastica sui monasteri del regno. Lei non poteva andarsene impunemente: il cardinale aveva diritto di chiedere che venisse arrestata e poi imprigionata in un istituto religioso.

Tuttavia, aveva la possibilità di inoltrare al papa una richiesta dei Brevi per un periodo limitato o lungo, per motivi di salute. Ma doveva comunque ricevere il beneplacito del cardinale, che avrebbe verificato l'esposto e dato il suo parere. Una monaca poteva anche fare un reclamo per sciogliere i voti, cosa che nel suo caso era difficile, ma non impossibile. Doveva essere mandato entro i primi cinque anni dalla professione e bisognava provare violenza morale nell'atto della monacazione. La causa doveva essere trattata prima alla curia di Napoli e poi a quella di Roma.

Sospettosa di tutto e di tutti e bersaglio dell'ostilità di molte, Agata era un fascio di nervi. Dimagriva. Faceva il suo dovere e poi si rifugiava nella solitudine. Divorava i libri che riceveva da James Garson. Spesso li portava sul belvedere e leggeva camminando.

Un giorno Agata ricevette inaspettatamente una visita della madre. Era a Napoli per un controllo medico del marito; vedendola in quello stato, suggerì che la figlia chiedesse i Brevi. Sarebbe ritornata in Sicilia con loro. Alcuni giorni dopo il cardinale, in visita al monastero, chiese di vederla. Agata attraversò il chiostro seguita dagli sguardi di invidia delle altre monache: la credevano fortunata e privilegiata per il favore che lui le concedeva.

"Non capisco il motivo della richiesta dei Brevi, così presto dalla professione solenne," esordì il cardinale.

"Sono passati già otto mesi, Eminenza. Vorrei stare accanto a mia madre, suo marito sta male."

Lo sguardo del cardinale si indurì: "Non vi siete viste per sei anni".

"È mia madre." E gli occhi di lei si inumidirono pensando al padre, la sua voce le suonava dentro: *In fondo, mammeta è buona.* "Se ci fosse mio padre..." barbugliò desolata.

"Donna Maria Ninfa, voi siete nata di nuovo con la professione solenne, non avete più né padre né madre. Ci sono io, qui, per voi."

Lei piangeva.

"Suvvia, riprendetevi! Vado a Roma e poi tornerò a vedervi, starete meglio." E il cardinale le sfiorò la guancia con due dita sottili.

Agata mandò un biglietto alla madre, dandole la brutta notizia che non le era permesso lasciare il monastero. Le venne rimandato indietro: il generale Cecconi e la generalessa erano partiti per Palermo.

Decise allora di fare il reclamo per sciogliere i voti e di ritirarsi dal Cenobio.

33.
Aprile 1847.
Agata non è amata al monastero
e fa di tutto per lasciare la clausura

Da allora, Agata visse nel monastero da estranea e da ribelle. Continuava a partecipare con assiduità al coro, ma saltava le messe, pur confessandosi regolarmente. Ottemperava ai doveri di infermiera, che vedeva come un suo dovere civico, e poi passava il tempo leggendo, preparando le sue cucchitelle su cui ora dipingeva ibiscus e camelie, e facendo meravigliosi paperoles con piume di uccelli, cartine, fili tolti da stracci, foglie secche e fiori pressati. Camminava molto, nel chiostro; seguiva un percorso che si era creata da sola, passando davanti alla scala che portava al cimitero sotterraneo, nel chiostro delle novizie, e poi saliva nei dormitori disabitati, attraversava sale abbandonate, prendeva scale e passaggi, apriva porte mai aperte, nascoste da tendaggi appesantiti dalla polvere e raggiungeva terrazzini segreti sui tetti del monastero. Da lì vedeva Napoli e si sentiva tutt'uno con il mondo esterno. E pregava per gli altri. Quante volte aveva cercato la città dall'alto? Quante volte l'aveva sentita come un richiamo, come una speranza, come una destinazione naturale? La sua era una preghiera che chiedeva pienezza, spazio, azione. Non riusciva a vergognarsi di tanto sentire. Ma era confusa. Si lasciava crescere i capelli, ed era distratta e vaga. Preparò il reclamo, ma non lo mandò. La zia Orsola, a cui aveva parlato del desiderio di lasciare San Giorgio Stilita, le aveva suggerito un'altra via, meno controversa: cercare la nomina a ca-

221

nonichessa di Baviera, un antico ordine cavalleresco e religioso il cui effetto sarebbe stato di mantenere il voto di castità e di povertà, ma non gli altri due; le canonichesse di Baviera avevano dritto di vivere indipendenti lontano dal chiostro. L'ammiraglio Pietraperciata si era dichiarato disponibile a usare i suoi contatti con certi nobili tedeschi e a pagare i trecentonovanta ducati per l'onorificenza.

La conversa della badessa era venuta a portare l'ambasciata che donna Maria Ninfa era attesa dal cardinale. Fu un incontro formale, nella sala della badessa e alla presenza di quella. "Sono lieto di approvare questa nuova onorificenza di donna Maria Ninfa," disse lui, e la guardò dritta negli occhi: "Ma, per il presente, non voglio privare la nuova corista della gioia della vita nel chiostro. Permetto dunque che porti il distintivo dell'Ordine di Baviera sulla cocolla". Poi strinse le palpebre e le comunicò che poteva andare. Agata si sentì morire: si rendeva conto che anche il reclamo per sciogliere i voti sarebbe stato cassato dalla curia di Napoli.

Nel monastero, l'atmosfera era diventata insopportabile. Le accuse velate e le allusioni al suicidio di Brida continuavano. Da quella sera, si aggiunse la diceria che Agata avesse causato la morte di donna Maria Celeste avendole propinato i farmaci sbagliati, e che per questo aveva tentato di lasciare il monastero, dapprima con la richiesta dei Brevi e poi con lo stratagemma della nomina a canonichessa di Baviera. Agata si sentiva sotto accusa. Donna Maria Giovanna della Croce la incoraggiava a confidarsi con lei, ma lei era costretta al silenzio dall'obbedienza alla badessa.

Ricamavano insieme una pianeta all'aperto.

"C'è un nuovo tormento in te."

"Ho la notte oscura nell'animo," rispose Agata, di getto.

Donna Maria Giovanna della Croce appuntò l'ago infilato di seta viola sul damasco e lasciò vagare l'occhio sul chiostro, ai loro piedi; poi mormorò, tenendo lo sguardo lontano da Agata: "Quando sembra che tutto vada male, quando vive nell'anima la 'notte oscura', allora inizia il processo di purificazione. La clausura non è inutile, la vocazione è vivere ogni attimo con amore per l'universo".

La notte oscura di Agata non terminava. Per evitare i mormorii e l'ostilità palese delle consorelle, non andava nel refettorio con la scusa di essere indisposta e così si abituò a non mangiare. Deperiva a vista d'occhio, ma non la interessava. E tornò ossessivamente a voler sapere, a voler sapere cosa succedeva fuori dal convento attraverso la "Gazzetta del seggio" che immancabilmente trovava modo di penetrare la clausura e i resoconti delle conversazioni nel parlatorio delle altre monache. Agata prese a frequentare le coriste più "mondane" e di poco spessore pur di apprendere da loro ciò che succedeva fuori e i pettegolezzi all'interno delle loro famiglie. Con ogni lavata mandava a Sandra bigliettini di richieste di aiuto in tubicini di stagnola nascosti nelle cucchitelle. Le ritornava la biancheria pulita e null'altro. Eppure avrebbe lasciato il chiostro, Dio era con lei.

Il comportamento di Agata e la sua magrezza davano nell'occhio e la badessa ne scrisse alla principessa di Opiri; quella informò donna Gesuela, che questa volta reagì con sollecitudine: non soltanto venne di proposito a Napoli, ma sembrò pentita per aver trascurato la figlia e suggerì ad Agata di andare insieme dal cardinale a chiedergli i Brevi. La richiesta del colloquio fu subito accolta, e madre e figlia andarono al convento di San Martino, dove il cardinale, in ritiro spirituale, le avrebbe ricevute.

La carrozza velata saliva da via Mezzocannone e aveva raggiunto l'incrocio con via della Certosa. Durante il tragitto, Agata evitava di guardare fuori – aveva le vertigini. Scostò la tendina soltanto per vedere lo scorcio lontano del castello di

Sant'Elmo; si stagliava massiccio contro un cielo intensamente azzurro e lucido, come una pittura su vetro. Si sovvenne della passeggiata in carrozza con Carmela e Annuzza, prima del matrimonio di Anna Carolina, e dell'orgoglio con cui aveva mostrato loro la *sua* Napoli – ricordi di un'altra vita. A ventun anni, si sentiva svuotata, priva di vitalità e di speranza.

Il tiro si affaticava sugli ultimi tornanti. L'abbazia di San Martino era in piena vista, in cima alla collina. Agata cominciava ad agitarsi; non capiva l'atteggiamento del cardinale, che oscillava dal benevolo al punitivo senza alcuna ragione. Le imponeva la propria volontà con durezza quasi sadica, da padrone, eppure le sembrava che avesse affetto per lei e che avrebbe preferito vederla piegarsi spontaneamente al suo volere. Agata non capiva nemmeno la propria reazione al comportamento del cardinale. Lei, che non era di sua natura ribelle, lo diventava quasi istintivamente verso di lui.

Attraversavano l'appartamento dell'abate accompagnate dal segretario del cardinale. Agata, il volto velato, camminava a testa bassa senza scostarsi dalla madre. Non soltanto l'ampiezza di cielo e terra, ma anche gli interni sconosciuti la disorientavano; seguiva il disegno delle losanghe bianche e verdi del pavimento di maiolica. Il segretario le lasciò nel chiostro dei Procuratori, che apriva sulla magnifica vista del golfo; sarebbe ritornato dopo, per far visitare loro la Certosa. L'aria era fragrante del profumo leggero dei fiori di tiglio. Gli archi di piperno grigio spiccavano contro la pietra serena e l'intonaco delle pareti. Agata sollevò gli occhi e li riabbassò subito, sopraffatta.

Il cardinale le raggiunse dalla porta opposta. Sembrò infastidito dal bacio rituale dell'anello e intimò loro di alzarsi.

"Abbiamo altri problemi con la nostra giovane corista?" disse con voce tagliente. La punta sottile della pantofola destra batteva sul pavimento.

La madre le sollevò il velo con gesto di possesso. "Mia figlia deperisce, guardatela! Mandatemela a casa per un po', la prossima volta che vengo." Donna Gesuela si era tirata su, schiena dritta e busto in fuori; dalla gonna, sollevata da terra uscivano le punte di pelle verde chiaro delle scarpe.

Agata teneva caparbiamente gli occhi sul pavimento. Le scarpette vezzose le piacevano tanto, prima. Quelle della madre, con fibbia d'argento e tacchi appuntiti, accanto alle sue, nere e grossolane, la facevano sentire incongrua e fuori posto, come pure le morbide pantofole di marocchino del cardinale, esattamente di fronte.

"Se è talmente urgente, non dovreste volerla con voi subito?"

"Ho un marito da accudire. Sono venuta di fretta perché Orsola era preoccupata per Agatuzza mia che..."

"Per donna Maria Ninfa!" la corresse lui.

Donna Gesuela si appoggiò a una colonna e incrociò le caviglie, una scarpetta col tacco sollevato e la punta ficcata a terra. "Sempre figlia mia è, come si chiama si chiama... Me la date, allora?" E batté il tacco.

"Non ne vedo il motivo. La vostra richiesta dei Brevi è per motivi di salute. O vostra figlia ha veramente bisogno di aria pura, e in tal caso l'avrà immediatamente, oppure non ne ha e in tal caso non li avrà affatto. Siete pronta a prendervela domani?" La pantofola di porpora scandiva il tempo.

"Come faccio? Ditemelo! Mio marito non sta bene..." E la voce le si ruppe.

"Ciascuno di noi fa le sue scelte e si assume degli impegni, che poi deve mantenere. Donna Maria Ninfa ha preso i voti di sua volontà, dopo i debiti esami. La sua salute spirituale e fisica mi è cara." Una pausa, e poi, "Come quella di tutte le serve di Dio della diocesi". E spinse avanti il piede destro, quasi punta a punta con donna Gesuela. Agata sollevò gli occhi ma non osò guardarli in volto. I due erano quasi petto a petto.

"Allora?"

"'Allora' cosa? Voi, generalessa, dovreste tornare da vostro marito. La monachella nostra ritornerà a San Giorgio Stilita, dove le consorelle le prepareranno ogni sorta di squisitezza per invogliarla a mangiare." Il cardinale si era girato verso Agata e bisbigliò: "Cercherai di mangiare, vero?".

Lei non rispose.

"La carusa non ha neanche la forza di parlare! La volete morta?" Donna Gesuela fremeva. "E dateceli questi Brevi!"

La schiena attaccata alla colonna, donna Gesuela tormentava il fiocco di seta del cappello che le cadeva sui seni, e murmuriava. Lui rispose tormentando la croce sul petto.

C'era un discorso in sospeso tra i due, e lei ne era la vittima, come una lepre presa in una tagliola.

"Vorrei sentire da donna Maria Ninfa." E si irrigidì nella posizione iniziale, piedi piantati larghi e paralleli.

"Anch'io vorrei parlare con Vostra Eminenza, a solo." Agata si era fatta coraggio. Il cardinale accennò un inchino alla generalessa e si appartò con Agata sul porticato che dava sulla baia di Napoli.

"Ditemi, figlia mia."

Agata attaccò con la storia di padre Cutolo, ma fu subito interrotta. "L'ho sentita, da altri," fece lui, piuttosto sbrigativo. Poi, con voce quasi carezzevole: "Vi chiedo di avere compassione. Noi non siamo giustizieri, né giudici; questi compiti sono la prerogativa del Signore". E ripeté: "Compassione, vi chiedo". Le piantò addosso gli occhi, il nero lucente delle pupille brillava sotto le palpebre abbassate.

Agata accettò la sfida.

"Voi non avete mai mostrato compassione per me. Mai. E avreste dovuto, voi in particolare. Io vorrei essere migliore di voi..." Agata aveva parlato tutto d'un fiato. Le mancava il respiro. Poi continuò: "Ma, come voi, nemmeno io ho compassione per un sacerdote che seduce una donna, monaca, zitella o maritata che sia". Abbassò gli occhi sul parapetto. La scarpata rocciosa le diede le vertigini.

Dopo quello che ad ambedue parve un tempo interminabile, il cardinale le posò la mano sulla spalla. "Suvvia, andiamo, vostra madre ci aspetta" e la sostenne nel camminare.

Il segretario del cardinale nel pronao della Certosa illustrava loro il dipinto della distruzione delle certose da parte degli inglesi ai tempi della Riforma. I corpi biancovestiti dei monaci scannati erano in primo piano. Agata e la madre lo ascoltavano distratte. Il cardinale si era tenuto in disparte, silenzioso. A quel punto: "Ricordatevi," disse, "che sono stati gli inglesi a farlo, e che infidi erano e infidi rimangono". Lei la intese come una critica personale e si voltò, ma le bastò una taliata e decise di non rispondere: le faceva pena.

In carrozza, Agata era serena. La madre sbuffava per il ritardo con cui sarebbe ritornata a casa. "Tu sei bella contenta, come se non ti interessasse per niente lasciare il convento," le disse, "ma per me è stata una giornata persa!"

Tre giorni dopo, il dottor Minutolo fu chiamato al monastero nottetempo: Agata si torceva dai dolori. La sorella farmacista non sapeva cosa fare. Cercarono di risalire all'ultimo pasto: un'insalata, che era rimasta sul vassoio, nella cella. Scoprirono che era stata condita col verderame. Agata l'aveva ordinata dalle cucine e il vassoio era stato lasciato davanti la porta: chiunque avrebbe potuto aggiungervi l'olio avvelenato.

La badessa mise una serva di donna Maria Brigida e Sarina, la conversa di donna Maria Crocifissa, a badare ad Agata. Nessun altro aveva accesso alla sua cella e nulla poteva raggiungerla dall'esterno, inclusa la biancheria da parte di Sandra. Qualcuno, ancora una volta, le voleva male.

34.

Maggio 1847.
Il cardinale apprende che qualcuna
ha voluto far male a Agata e la toglie
da San Giorgio Stilita

Agata aveva veramente paura; non aveva idea di chi e perché avesse voluto avvelenarla, e l'assenza di Angiola Maria significava che non c'era nessuno che vegliasse su di lei. La badessa si era dimostrata sollecita, per la prima volta, e le aveva suggerito di rimanere nella cella; le sue converse le avrebbero portato da mangiare. Insospettita dal voltafaccia, Agata ci aveva pensato a lungo e aveva concluso che la conversa di donna Maria Celeste, che ora lavorava per la badessa, era l'unica che potesse volerla morta, per paura che rivelasse l'aborto provocato alla sua padrona e il suo ruolo in quella brutta storia. Si rifiutò di mangiare. Il terzo giorno la badessa entrò nella sua cella e con un mezzo sorriso le comunicò che il cardinale le aveva concesso i Brevi a casa della madre a Palermo. Agata era libera di lasciare il monastero non appena si fosse rimessa in salute; in attesa che la madre andasse a prenderla, avrebbe soggiornato nel conservatorio di Smirne. Non le disse che il suo modesto numerario le sarebbe stato dimezzato – il monastero ne avrebbe tenuto metà – e nemmeno che lei e le decane avevano deciso di proporre alle coriste di opporsi alla sua riammissione nel Cenobio, semmai donna Maria Ninfa avesse chiesto di tornare a San Giorgio Stilita.

Ma Agata aveva capito. Ansiosa sul suo trasferimento al conservatorio, di cui le monache parlavano con disdegno, e insicura sull'accoglienza a Palermo, si sentiva sola e destinata a una vita nomade tra istituti religiosi e parenti dai quali non sarebbe stata bene accetta. Rimpianse, prima ancora di averle perdute, la vita moniale a San Giorgio Stilita e le amicizie che avrebbe abbandonato. Si sentiva pronta a essere visitata dalla vocazione, ma era troppo tardi. Quella sera, mentre le altre erano al Vespro allontanò Nina e Sarina con un sotterfugio e sgattaiolò dalla cella per raggiungere il suo rifugio preferito: un terrazzino del dormitorio disabitato delle novizie, chiuso da altissime mura, da cui si vedeva soltanto un quadrato di cielo, inviolato territorio dei piccioni. Il loro tubare, assordante, copriva i suoni della città. Dopo il primo svolazzare frenetico, questi l'accettarono e puntarono su di lei gli occhi a spillo, in attesa di ritornare padroni. Agata, al centro del terrazzino, guardava il cielo cambiare dall'azzurro al bianco abbagliante e poi al rosso di un tramonto nascosto e pregava per le consorelle, sicura che Dio l'ascoltava. Fu quello il suo addio a San Giorgio Stilita.

L'indomani era pronta per andar via. Donna Maria Giovanna della Croce le aveva portato una immaginetta di san Giovanni della Croce. Sapevano che era il loro ultimo incontro e che l'affetto tra loro non si sarebbe estinto.

"L'amore vero non conosce misure e non ha la preoccupazione del contraccambio, è gratuito. Io mi dono a te, nella nostra amicizia, senza aspettarmi nulla in cambio, come ho fatto con Dio," le diceva.

"Ma l'amore tra uomo e donna è diverso, lo chiede un contraccambio," osservò Agata.

"È un amore complesso, perché ci sono figli di mezzo. Ma anche quello, se chiede un *quid pro quo*, non è vero amore," ripeté donna Maria Giovanna della Croce. "Il mio primo e solo amore è stato Gesù, da quando ero bambina. Ma mi destinarono al matrimonio, perché la mia sorella maggiore divenne zoppa e..." La monaca arrossì. "...meno bella di me, secondo i miei genitori. Dovetti insistere e pietire per diventare educanda, e non l'ho mai rimpianto. Io vivo felice, in questo imperfetto monastero, per Dio."

Al momento degli addii, donna Maria Giovanna della Croce l'abbracciò. "Tu sei fatta per servire il Signore nel mondo. Se avrai una figlia, prega che abbia la vocazione, e non distoglierla. Non dimenticarlo."

La carrozza della zia Orsola accompagnò Agata, sola, al conservatorio, non lontano da San Giorgio Stilita. Aveva messo in fondo ai bauli tutti i libri: da qualche tempo non ne riceveva di nuovi e si chiedeva se il suo ultimo biglietto, nel quale non aveva nascosto il proprio senso di impotenza e disperazione, avesse irritato l'inglese, che per questo aveva deciso di non mandarle più nulla. Si sentiva abbandonata da tutti.

35.

Giugno 1847.
Al conservatorio di Smirne. Agata può uscire per Napoli;
riceve una lettera da James

Il conservatorio di Smirne era stato costruito nel centro di un popoloso quartiere di Napoli, attorno a una cappella in cui si venerava l'immagine della Madonna di Smirne, che aveva salvato Napoli dalla peste del 1526 e da quella del 1603. Dopo l'occupazione dei francesi, era stato restituito alla curia in cattive condizioni e mai più restaurato. Con quattro chiostri a graticola e un ingresso monumentale, era un insieme di austeri corridoi dalle volte molto alte, su cui aprivano umide celle. Ospitava religiose di diversi ordini e categorie, che alloggiavano nei dormitori attorno a ciascun chiostro. Pinzochere e vedove della piccola borghesia non appartenenti ad alcun ordine monastico ma che avevano abbracciato i voti di povertà e castità occupavano un chiostro; quello accanto ospitava monache inferme o malate di mente provenienti da diversi monasteri napoletani, ricoverate lì per alleviare alle consorelle il peso di curarle o per un cambiamento d'aria; nel terzo chiostro vivevano ree pentite, donne pericolate e pericolanti che attraverso la ruota vendevano i loro ricami e quanto da loro cucinato. Agata sarebbe stata ospitata nel quarto chiostro, assieme a un gruppo di oblate e altre monache che per un motivo o per l'altro non erano accette nel loro monastero e non avevano dove andare: ribelli o destituite, sull'orlo della pazzia.

Abituata alla barocca eleganza e all'opulenza di San Giorgio Stilita, Agata ebbe una pessima impressione del conservatorio. Il cocchiere aveva scaricato i suoi bauli e l'aveva lasciata nell'androne. La portinaia, una conversa sguaiata che gesticolava mostrando mani sporche e unghie orlate di nero, le ordinò di portare i bauli al secondo piano, dove avrebbe alloggiato.

"Non posso. Sono pesanti," si era lamentata Agata. "Mi mandi due persone forzute che li portino per le scale."

"Io non mando nessuno. Dovete cercare voi due serve che se li carichino sulle spalle, e a pagamento! Altrimenti i bauli restano qui, a vostro rischio," rispose quella, e le fece una smorfia.

L'arredo della cella consisteva di una branda con un materasso sporco e grumoso, un tavolo con sedia e il cantaro. La volta aveva una macchia di umido e l'intonaco screpolato cadeva sui mattoni, accanto al letto. Fiotti di luce entravano da una finestra a due metri da terra consumandosi sulla superficie in ombra della parete di fronte e accentuando il contrasto con la penombra. Le altre monache, molte dementi, erano rintanate nelle loro celle; le urla echeggiavano nei corridoi e le rare volte che si incontravano erano sconce e spaventose. L'unico refettorio era usato a turno dalle occupanti dei vari chiostri; il cibo era cattivo e le religiose che leggevano la lezione divina accorciavano e modificavano i testi a loro piacimento.

La badessa era stata forzata a ospitarla dalla curia, ed era scontenta del permesso concessole dai Brevi – l'uscita giornaliera di non più di tre ore, tra l'alba e il tramonto, era eccessiva. Fece presente ad Agata che al conservatorio la vita era spartana e la disciplina rigida: le ritardatarie non sarebbero state ammesse fino all'indomani mattina.

Agata non poteva fare visite ai parenti né riceverne senza il previo consenso del confessore, e padre Cuoco non era ancora andato a trovarla. Non aveva niente da fare, oltre che frequentare la cappella per pregarvi da sola e badare a se stessa: pulire la cella, lavare le sue cose e cucinare, a meno che non volesse mangiare nel refettorio, a pagamento. Assieme ai libri, Agata si era portata l'attrezzatura da infermiera – fasce, alcol, erbe medicinali, unguenti e tinture –, ma poco e niente di quello che credeva fosse in dotazione di ogni monaca al conservatorio. Dovette dunque comprare tutte le piccole cose che le servivano: brocca e bacile per lavarsi, sapone molle, scopa e straccio per pulire il pavimento e tutto il necessario per cucinare e mangiare. Capiva ora perché le era permesso di uscire ogni giorno: doveva farsi la spesa.

Disabituata al clamore della folla e all'assordante frastuono di ruote e voci della città, all'inizio Agata aveva avuto paura delle strade e del viavai di gente; faceva brevi giri nei luoghi meno affollati del quartiere, fermandosi in chiese e oratori per la preghiera secondo la scansione della Regola benedettina, per poi ritornare al conservatorio e uscirne di nuovo dopo essersi ripresa. Aveva anche paura di essere riconosciuta da parenti e conoscenti e portava il mantello turchino dell'Ordine delle canonichesse di Baviera: così vestita entrava nei mercati e, dopo aver comparato i prezzi e averci pensato più volte – i suoi risparmi erano quasi esauriti –, comprava frutta, verdura, pane, e a volte pesce fritto.

All'uscita da una chiesa aveva sentito un profumo di pane irresistibile; con i pochi grani rimasti aveva comprato una focaccia calda calda da un ambulante con un vassoio attaccato al collo che usciva da un vicolo. Agata voleva mangiarla subito, e per non essere vista da altri si infilò lesta nel vicolo. Si era seduta su una pietra appoggiata a un muro cieco, in uno slargo del vicolo, che sembrava disabitato. Masticava la pasta croccante immersa nei suoi pensieri. Bambini lerci e seminudi, maschi e femmine, sbucarono dal nulla e dovette dividere la focaccia con loro, distribuendo laboriosamente bocconi più o meno uguali. I grandi inghiottivano subito e poi strappavano ai piccoli il loro pezzo, perfino dalla bocca. Agata gli aveva gridato di smetterla, ma tutto era finito in un baleno – i bambini erano scomparsi nei loro pertugi neri. Lei piangeva sommessa. Sentì qualcosa di umido sulla mano, come la lingua di un cane, e si girò di scatto. Un bimbetto di non più di due anni, completamente nudo – braccia, gambe e spalle tutte ossa e una pancia gonfia come un otre con l'ombelico che sembrava gli scappasse – le leccava il palmo della mano alla ricerca di briciole rimaste attaccate. Sollevò il capo, impaurito. I capelli biondastri erano appiccicati a viso e collo, e gli occhi cisposi erano senza espressione. Il bimbetto le afferrò la mano e prese a leccarle prima il dorso e poi un dito alla volta.

Da allora Agata non osò più fermarsi. Camminava senza sosta per la città, spingendosi ogni giorno più lontano, nella vana ricerca di posti solitari nel cuore di Napoli. Ecco, pensava, è questo di cui parlano quelli che vogliono una società più equa. È questo che hanno visto, e continuano a vedere.

Quando percepiva dall'alto, da lontano, la vita della città, lo sapeva che sotto, nell'ombra, c'era una povertà apparentemente irredimibile. Aveva letto, e leggere aveva acuito i suoi sensi; era attraverso i sensi che ora assorbiva l'evidenza dell'ingiustizia.

Agata aveva mandato un biglietto a don Vincenzo, l'amministratore del cugino, per chiedere l'eredità della badessa, che le serviva davvero: il conservatorio esigeva in anticipo il pagamento della retta per vitto e alloggio, i suoi pochi risparmi sarebbero finiti presto e lei non aveva idea di quando le sarebbe stato pagato il numerario. Le aveva risposto il cugino principe in persona: don Vincenzo non sapeva nulla della presunta eredità, e la informava che la zia Orsola era morta all'improvviso e senza soffrire, la settimana precedente, dopo una partita di carte; le aveva lasciato tre ducati, che lui aveva inoltrato alla badessa di San Giorgio Stilita, a cui lei doveva rivolgersi.

Agata scrisse immediatamente alla badessa spiegandole che quel piccolo lascito le serviva perché il conservatorio esigeva la retta. L'indomani mattina Nina, la serva spesarola di donna Maria Brigida, le portò la risposta della badessa. Il parlatorio era occupato; superando vergogna e orgoglio, Agata decise di riceverla nella sua cella. Fu commovente: Agata si era sempre tenuta a distanza dalle serve, ma loro due si conoscevano bene perché le converse che avrebbero dovuto accudire la zia di tutto punto lasciavano che Nina le facesse i servizi più sgradevoli. Per la prima volta le due donne si abbracciarono e piansero insieme. Nina le consegnò la lettera dalla badessa, e poi, di soppiatto, guardandosi intorno come se le macchioline nere sull'umido della volta fossero tanti occhi puntati su di lei, frugò nella sua cesta e ne tirò fuori un pacco proveniente dalla libreria Detken. Lo aveva trovato settimane prima, tra le cose da bruciare, che le serve ispezionavano a una a una, alla ricerca di roba da riutilizzare.

Dopo che Nina se ne fu andata, Agata si sciolse in un pianto dirotto: adesso era davvero sola e senza amici. Aprì ansiosa la lettera. La badessa le mandava cinquanta ducati soltanto; spiegava che il cardinale le aveva concesso i Brevi sulle basi che qualsiasi eredità, nonché il numerario, sarebbero stati divisi a metà tra San Giorgio Stilita e il monastero benedettino che l'avesse accolta; eccezionalmente, e con il consenso del cardinale, le inviava quei ducati. Agata si guardò attorno, desolata – un altro colpo inflitto dal cardinale – e incrociò l'occhio appannato di un tignuseddu aggrappato con le ventose delle zampette al muro, in aguato vicinissimo a lei.

Aprì il pacco – un altro romanzo, *The Monk*. Il titolo, *Il monaco*, la fece sorridere. Chissà chi lo aveva scelto. Lo sfogliava, come faceva sempre. Ogni libro ha una sua identità e sue caratteristiche, e Agata aveva un rito per conoscerlo e amarlo. Dapprima lo guardava, osservava le scritte sul dorso, il colore e i disegni della carta incollata all'interno della copertina, i caratteri e la gradazione del nero dell'inchiostro. Palpava, delicata e rispettosa, le pagine non tagliate, per sentirne sulla propria pelle patina e spessore. Infine si passava il volume di mano in mano per abituarsi al peso, e solo allora prendeva il tagliacarte. E succhiava i minuscoli ritagli strappati nell'aprire le pagine, come se fossero ostia.

Mentre tagliava le pagine con il coltello, il suo sguardo cadeva su parole e frasi dei dialoghi, e non capiva che razza di libro fosse. Era arrivata più o meno a metà quando le scivolò in grembo una busta indirizzata a lei. La grafia era diversa da quella dell'indirizzo sul pacco, che Agata conosceva bene. La aprì, distratta, pensando che contenesse un inconsueto foglio di errata corrige, personalizzato.

My dear Agata,
vi chiedo perdono se oso scrivervi in questo tono; se quanto sto per dirvi vi offenderà, sappiate che non era certamente mia intenzione. Vengo subito al dunque e accetto che potreste preferire che sia il silenzio a darmi la temuta risposta.

La prima volta che vi incontrai, dieci anni fa, avevo esattamente l'età che avete voi oggi, ventidue anni; avevo girato il mondo ed ero abituato a lottare per raggiungere lo scopo che mi ero prefisso. Sapete già che provengo da una famiglia di armatori e che ci occupiamo del commercio dello zolfo nel Regno delle Due Sicilie. Abbiamo casa a Napoli, ma le nostre radici rimangono nel Devon, dove si erano stabiliti i miei antenati normanni. Vi parlo di ciò per chiarirvi che provengo da una famiglia di glorioso lignaggio, che godo di un considerevole patrimonio personale e che la mia parola d'onore mette in gioco l'onore della mia stirpe.

Nel settembre 1839 partivo da Messina per Napoli, dove

avrei incontrato Georgina, la mia fidanzata, una fanciulla mite la cui famiglia nei secoli è stata più volte imparentata con la mia, che amavo e dalla quale ero riamato. Volli sfidare la tempesta per rispettare l'appuntamento, e ospitai la vostra famiglia sulla nave. Era l'alba, dopo la tempesta. Vi sentii cantare una canzone della mia infanzia; poi vi scorsi appoggiata alla porta della cabina. Sbattuti dal vento e stanchi morti, riuscimmo a mantenere una compita conversazione da salotto, fino a quando mi puntaste gli occhi addosso e, denudando il vostro animo, mi parlaste con candore di voi, dei vostri affetti più cari e della vostra famiglia. Il vento vi inchiodava contro la porta della cabina e rivelava il vostro corpo – gambe, fianchi, ventre, seni; guardavate a oriente e i raggi obliqui del sole carezzavano il vostro volto. Vi desiderai. Quando mi parlaste del vostro innamorato, fui scosso da una fitta di gelosia talmente forte da farmi barcollare. Allora mi resi conto che vi amavo, più di qualsiasi altra donna al mondo, e che sarebbe sempre stato così.

Mentre voi seguivate il feretro di vostro padre, io rivelavo a Georgina di amare un'altra; le diedi la possibilità di rompere il fidanzamento. Lei si rifiutò di restituirmi la libertà; mi disse che si trattava di un'infatuazione. La implorai di ripensarci e le feci presente che non sentivo attrazione fisica per lei e che il nostro non sarebbe stato un vero matrimonio.

Rivedervi non mi fu difficile, bastò frequentare con maggior solerzia i vostri parenti. Ogni breve incontro confermava il mio amore. Seguivo le vostre sorti tramite contatti e – lo ammetto – spie. Ancor prima della nascita dell'unico nostro figlio, il rapporto coniugale si era spento, e così continua. Georgina non gode di buona salute, e me ne sento responsabile: ha pagato un prezzo altissimo per non avermi creduto. Vive in Francia e vado a trovarla quattro volte l'anno. Nostro figlio è in collegio. Non intendo venir meno ai miei doveri di mantenimento nei suoi riguardi, né vorrò mai umiliarla.

Vi amo. Più di prima, se fosse possibile. Non ne posso più di una vita di attesa e di celibato. Siamo fatti l'uno per l'altra. Pensiamo allo stesso modo – vi piace Pamela più di Clarissa –, crediamo nella monarchia costituzionale più che nella repubblica, ridiamo delle stesse cose, abbiamo gli stessi gusti, ci rannuvoliamo sugli stessi pensieri. Tutto ciò l'ho appreso dai vostri commenti sui libri che vi mando e dalle note che mi avete scritto di recente.

Vi offro e vi do la mia parola d'onore che avrete per sempre il mio amore, indipendenza economica e la vita che desiderate, dove e come volete. Sono disposto a trasferirmi in Sicilia, a rimanere a Napoli o ad andare in qualsiasi altro paese voi scegliate. Voglio la felicità vostra e mia. E figli, da voi, che non sarebbero svantaggiati dinanzi al fratello maggiore.

Non vi offro il matrimonio.

Mi chiedo però cosa significa "matrimonio", agli occhi vostri e ai miei, se non una promessa tra due persone di amarsi e rispettarsi a esclusione di altri, e di allevare una famiglia insieme. Non ho fatto una tale promessa a Georgina. Sono più che pronto a farla a voi. Anche voi avete contratto nozze non volute, con Cristo; avete preso il velo per accontentare la famiglia ed evitare il peggio. Non avete la vocazione. Un "matrimonio" tra noi due sarebbe accetto a Dio, in quanto il solo voluto e pensato.

Non ho alcun dubbio che i miei sentimenti possano essere ricambiati da voi, e forse lo sono davvero. Per esservi vicino ho assunto un ruolo diplomatico tra i nostri rispettivi governi; a volte sono chiamato a Londra o devo recarmi in Sicilia. In futuro i miei interessi mi porteranno in Inghilterra, a meno che io non riceva una vostra risposta, che vi esorto a darmi al più presto ma non prima di leggere il romanzo che vi ho mandato.

È sanguigno e carnale. Come il rapporto che voglio con voi.

Sempre vostro,

James

Agata piangeva. Aveva patito la mancanza dei libri inglesi che lui le mandava, e ora capiva il perché. Lui aveva preso il suo silenzio come un rifiuto. Non aveva mai pensato di amarlo, e ora, come in un mosaico, ne ricostruiva la personalità attraverso le scelte letterarie, e si sentiva rimescolare dentro. Esausta, si addormentò con la lettera in mano.

36.

Luglio 1847.
La portiera del conservatorio di Smirne
nega l'ingresso ad Agata, in ritardo

Ad Agata mancava il coro – l'odore muscoso del legno tirato a cera, la densa frescura che entrava dalle finestre aperte, le folate di incenso, la ritualità, il canto e i silenzi. Il salterio cantato era diventato parte del suo essere. In quei momenti lei arrivava perfino a desiderare la clausura, per poi ricredersene, arrossendo da sola alla propria dipendenza dai sensi. Un pomeriggio, mangiata viva dal desiderio del *suo* coro, era andata nella chiesa di San Giorgio Stilita; aveva preso posto nell'ultima fila, nella penombra, per non essere notata. Da lì si sarebbe unita alle consorelle. Aspettava l'ora dei Vespri nel silenzio della chiesa svuotata. Poi uno scalpiccio di piedi. Tre uomini alti e con abiti di buon taglio facevano il giro della chiesa cominciando dalle cappelle laterali, guidati dal più giovane. Questi si era girato e con un ampio gesto del braccio aveva indicato loro il coro sopra il portale. Agata riconobbe la barba bionda: era James Garson. Le sembrò che i loro sguardi si fossero incrociati. Lui continuò la visita, come se non l'avesse riconosciuta. Lei si coprì il volto con le mani e riprese la preghiera.

Lo sbirciava tra le dita. James era tornato sul transetto e guardava il comunichino. In quell'istante Agata sentì come un scossa: lui la pensava con un'intensità quasi animalesca, che lei non capiva ma che istintivamente ricambiava. Poi James raggiunse gli altri due e insieme si diressero verso l'uscita, lentamente, per ammirare ancora una volta la ricchezza delle decorazioni. Allora lui la riconobbe. Incrociarono lo sguardo per un attimo; Agata avvampò e calò la testa precipitosamente: pregava Dio di farle capire i suoi sentimenti per James.

Iniziavano i Vespri.

Agata aveva l'udito fine e sentiva il fruscio dei passi delle monache che si apprestavano alla preghiera nel coro. I pochi fedeli erano concentrati nei primi banchi.

"*O Dio vieni a salvarmi, Signore vieni presto in mio aiuto*," intonava donna Maria Assunta, e Agata, dal suo nascondiglio sotto il coro, come le altre coriste, rimaneva seduta e intonava il salmo, poi si alzava al *Gloria* e come loro abbassava il capo alla parola "padre". Alla fine del *Gloria* iniziavano a cantare l'inno del giorno, il *Magnificat*:

Magnificat anima mea Dominum,
et exultavit spiritus meus in Deo salutari meo;
quia respexit humilitatem ancillae suae,
ecce enim ex hoc beatam me dicent omnes generationes.

Come se fosse con le consorelle nel Coro, Agata vedeva andare al leggio per la lettura una delle cugine Padellani. Ne riconobbe la voce. Poi, il Silenzio, seguito da responsorio, antifona al canto di Maria, intercessioni e il *Pater noster*. Agata nutriva la sua anima nella preghiera corale e chiedeva a Dio di indicarle la via da prendere. Pregava con tale intensità che non si accorse che i Vespri erano conclusi e la chiesa era vuota. I piedi strascicati del sagrestano la ricondussero alla realtà, e lei sgattaiolò via prima che quello la riconoscesse.

Era già in ritardo. Cercando una scorciatoia, aveva imboccato la strada sbagliata e si era persa in mezzo ai vicoli.

L'ora in cui i lavoratori rientravano a casa era passata. Mal illuminate dalle lampade che ardevano davanti alle edicole dei santi, le viuzze dei bassi erano affollate dai tanti che non avevano dove tornare: un popolo di uomini, donne e bambini senza volto – straccioni, mendicanti, lazzari, suonatori. Camminavano senza meta, con la lentezza di chi non sa dove andare, né cosa sarà di lui quando le luci dell'alba lo sveglieranno. Agata si era calata il cappuccio sul volto. Ma non ce n'era bisogno, nessuno di quelli pensava a lei.

Entrò in un imbuto colonizzato da un gruppo di poveracci. Accovacciati a terra, mangiavano in cerchio minestra e qualcosa di asciutto rimasto o raccattato da una tavola di ricchi. Gli anziani con i bambini aggrappati alle gambe e i malati erano seduti sulle sedie o sdraiati sui pagliericci. Qualcuno la guardava senza farsi domande. In alcuni tuguri, finito il pasto, le donne spazzavano lo sporco fuori di casa sulle lastre di pietra della strada. Ogni tanto rompeva il cicalìo il suono di una ronda, quello degli stivali della polizia o dell'esercito.

Nei vicoli la notte non era dissimile dal giorno. Carri di verdura alti come torri caracollavano tra i passanti e minacciavano di travolgere le sedie davanti alle porte delle case, di strappare la biancheria stesa. I balconi erano ingombri di pentole o recipienti di forme bizzarre, cassette, sedie rotte, con sopra vecchi assonnacchiati, bambini seminudi che entravano e uscivano dai tuguri, e il paniere per la spesa in attesa di essere sciolto – ma in quei bassi non si comprava, si rubava.

Agata aveva gli occhi pieni di James, della sua barba dorata, bello come il Cristo della Scala Santa della sala del comunichino. Sotto un'edicola con un'effigie della Vergine – occhi al cielo, sorriso diafano –, quelli che a distanza le erano sembrati due bambini si rivelarono due adolescenti innamorati. La giovane era con le spalle all'edicola e la veste sollevata; un lazzaro, ansante, la montava. Agata calò gli occhi; al passaggio sbirciò i loro piedi scalzi: quelli di lei erano leggeri e arricciati come se levitasse, quelli di lui, puntellati e incalzanti. Li invidiò.

Aveva raggiunto la strada carrozzabile. La facciata del conservatorio di Smirne occupava un intero isolato – tre file di finestre nere a doppia grata e il grande portone rinascimentale – sembrava il fondale di un palcoscenico.

Agata bussò al portone: nessuna risposta. I rari passanti la sbirciavano, non sapendo se intervenire. Bussò ancora e ancora. Dall'alto, la voce della portinaia: "La signora badessa dice che voi lo sapete bene: chi non entra all'ora prescritta deve tornare l'indomani mattina". Presa dal panico, Agata. pietì; poi con la superbia dei Padellani le ingiunse di aprire la porta minacciando di accusarla al cardinale; al silenzio di quella, ritornò a pietire. Alla fine dovette arrendersi: avrebbe atteso lì la mattina. Aveva paura. Le ombre della notte ispessivano; i disperati emergevano dai bassi e le carrozze nobiliari aumentavano l'andatura. Con le spalle incastrate nell'angolo tra portone e stipite, Agata si guardava attorno e ripeteva meccanicamente gli *Ave* e i *Pater* per invocare la protezione divina.

Scalpiccio di zoccoli di cavalli, stridere di ferri di ruote sul lastricato. La voce della badessa che dall'alto chiedeva: "Che scusa avete da raccontarmi stavolta?" era inudibile.

Appiattita contro il portone del conservatorio, Agata ansava. Il buio cominciava a esser rotto dall'alba. Miagolii di gatti, cigolare di carretti, canti di galli in gabbia. Nelle centinaia di volte che aveva cercato di rivivere quella notte, Agata non era mai riuscita a ricostruire la sequenza delle emozioni e dell'accaduto.

Non ricordava se in carrozza James le aveva preso la mano per poggiarsela sulla guancia o per baciarla; non ricordava se era stata lei a poggiargli il capo velato sulla spalla, o lui a circondarle le spalle e ad attirarla a sé.

Non ricordava quando si era resa conto che la carrozza si stava dirigendo al porto, quando aveva visto il panfilo ormeggiato alla banchina e nemmeno quando la carrozza vi era entrata, inerpicandosi su una passerella larga come una trazzera.

Non ricordava quando e dove, nel panfilo, avevano mangiato biscotti salati e olive, e nemmeno se invece avevano mangiato pane e cacio.

Non ricordava chi dei due aveva iniziato a parlare dei libri che lui le mandava e che lei leggeva. Non ricordava quando avevano cominciato a dire di sé – più uno diceva, più l'altro beveva le sue parole, più cresceva in loro l'urgenza di conoscersi completamente.

Non ricordava chi dei due aveva staccato lo spillo che reggeva il suo velo e lo aveva tolto, chi aveva sciolto il nodo del filo che le stringeva il soggolo attorno al viso e chi aveva tirato la retina in cui erano imprigionati i riccioli corti.

Non ricordava se era stata lei a togliergli la giacca e a slacciargli a uno a uno i bottoni di madreperla della camicia.

E ricordava poco e niente del dopo, quando sembravano incollati uno all'altra, come i cani, tranne che le era sembrato del tutto normale, giusto, e secondo la volontà di Dio, che loro due si amassero carnalmente, nel modo semplice e gioioso in cui si erano riconosciuti amanti e glorificavano il loro amore.

Agata ricordava bene soltanto lo scambio di parole, prima dell'alba, quando era giunto il momento di lasciarsi.

Gli aveva detto con la morte nel cuore che era troppo tardi per una vita insieme; lui le aveva risposto, deciso: "Non è mai troppo tardi, per noi due," e le aveva infilato tra le mani il suo libriccino di poesie di Keats, annotato a matita.

37.

Agosto-ottobre 1847.
La terribile punizione
per Agata innamorata: l'isolamento

"La signora badessa vuole vedervi." La conversa aprì la porta. Era come se la badessa fosse rimasta in agguato nella portineria; le spuntò davanti mentre faceva la prima rampa di scale, e saliva assieme a lei declamando con voce tuonante e pasticciata: "Oggi stesso parlo col vicario generale. Tu da qui non esci più, e se esci è per non tornarci". Dopo di che, si fece gli ultimi gradini a due a due; una volta raggiunto il secondo piano, scomparve.

Agata era prigioniera, e non le fu detto quanto lo sarebbe rimasta. Le portavano da mangiare nella cella – pane, minestra, talvolta un frutto – in silenzio, e le davano abbastanza acqua per bere e lavarsi con una pezza umida. Era costretta a indossare sempre gli stessi abiti. Quando scopava e spolverava la cella, lo sporco rimaneva accumulato in un angolo. La puzza era diventata stantia. Una serva aveva l'incombenza di cambiarle il cantaro una volta al giorno; del resto della pulizia – niente. Di giorno mosche e formiche prendevano quello che trovavano, la sera gli scarafaggi uscivano dalle loro tane e si pascevano del lerciume, osservati dai topi che, dall'alto del davanzale, calavano il muso curiosi prima di passare alla cella successiva lungo il cornicione.

Si era abituata al degrado, ma soffriva della mancanza di luce, a causa della quale poteva leggere soltanto nelle ore in cui il sole batteva sul muro. Aveva deciso di rileggere, nell'ordine in cui li aveva ricevuti, i libri mandati da James, e cercava di capire come e perché li avesse scelti. A volte credeva di trovare un filo conduttore, e allora si sentiva vicina a lui e lo amava ancora di più. Durante il resto del tempo, pregava intensamente per lei e per James e spesso si assopiva. Non facendo alcun esercizio fisico, e con il poco mangiare offerto, scivolava in un consolante letargo. Allora chiudeva gli occhi e ascoltava i rumori della città. Pian piano le venivano le parole di una poesia che James le aveva recitato,

O soft embalmer of the still midnight!
Shutting with careful fingers and benign
Our gloom-pleased eyes, embower'd from the light,
Enshaded in forgetfulness divine;
O soothest Sleep! if so it please thee, close.
In midst of this thine hymn, my willing eyes.

Aveva imparato che anche la vita cittadina ha una propria scansione del tempo. La mattina c'era il traffico di contadini, pescatori e ortolani che portavano il cibo per sfamare la città: ascoltava il chiocciolio delle carrettate di galline, l'ansioso tubare dei piccioni in gabbia e il tintinnio della campanella delle capre dalle mammelle gonfie di latte. Poi c'erano le voci dei venditori ambulanti e degli artigiani – l'arrotino, lo scarparo – e di chi montava bottega su uno straccio per terra o su un tavolino, per vendere qualsiasi cosa: frutta, verdura, aghi, filo, bottoni, forbici, candele, carte da gioco, ciascuno gridando ed esaltando la propria merce. Più o meno alla stessa ora passavano le guardie e i soldati; il battito ritmico sulle pietre rimbombava nella cella. Gli zoccoli dei cavalli delle carrozze padronali l'agitavano immensamente: ogni volta lei pensava che fosse James e immaginava che lui si sporgesse nella speranza di vederla; lui non sapeva che lei era prigioniera. Allora ad Agata veniva la smania di vedere fuori. Si arrampicava sul letto: da lì, attraverso le grate della finestra, vedeva il convento di fronte e un quadrato di cielo tra due palazzi nello scorcio della strada. Talvolta, un colombo o perfino un gabbiano solcava il cielo.

Tre settimane dopo, la badessa venne nella sua cella. Annusò l'aria fetida e poi le disse che il cardinale si sarebbe trattenuto ancora a Roma; Agata doveva aspettare, e nel frattempo non le sarebbe stato permesso alcun contatto con l'esterno.

Temette che non avrebbe mai più rivisto James, e le tornò il rifiuto per il cibo. Si disprezzava per ricorrere all'arma del debole – la violenza mal diretta, perché contro se stessa –, ma non c'era che fare: se mangiava, poi vomitava. Stava a letto e immaginava di parlare con James. Lui le aveva detto che il colloquio tra loro era iniziato durante la traversata da Messina a Napoli, anche se lei allora non se n'era resa conto; non si sarebbe interrotto fin quando non si fossero rivisti, per non lasciarsi più. Agata lo credeva. Fortemente.

38.

Ottobre 1847.
Agata cura la badessa e ottiene dei privilegi;
all'improvviso, il cardinale la manda in Sicilia

Agata non si dava per vinta. I Brevi prevedevano che padre Cuoco avesse facoltà di approvare le visite dei parenti, ma il confessore non si era fatto vivo. Alle sue ripetute richieste la badessa aveva ribadito che lui era nel Salento presso la madre malata; poi, vedendola smunta e ansiosa, lo aveva fatto "ritornare" prontamente.

Agata sapeva che il cardinale glielo aveva dato come confessore perché era una "persona" sua. Omise ogni accenno all'incontro con James, nonostante le domande di quello le avessero fatto pensare che sapesse qualcosa, ed espresse il desiderio di far visita alla sorella Sandra. Padre Cuoco allora dovette informarla che il cardinale aveva avocato a sé la decisione se autorizzare qualsiasi visita – Agata era con le spalle al muro.

Il cardinale nel frattempo era ritornato a Napoli e non si era fatto sentire. Poi, senza alcun preavviso, le giunse l'ordine di andare al palazzo vescovile; Agata si rifiutò, adducendo il pretesto della sua salute incerta. Era rimasta irremovibile su quella posizione, anche quando era intervenuta la badessa e le aveva fatto capire che così facendo avrebbe fatto infuriare il cardinale. E così fu: il cardinale le sospese del tutto il pagamento del numerario. Agata non aveva denari a disposizione: era la guerra.

A quel punto, si scosse dalla letargia in cui era caduta: faceva la ginnastica insegnatale da Miss Wainwright, per ridare vigore ai muscoli indeboliti; salmodiava, si recitava l'ammonimento: *"Se in primo luogo manterrai te stessa in pace, potrai dare pace agli altri, ché l'uomo di pace è più utile dell'uomo di molta dottrina"*.

La badessa aveva ordine di controllarla e le faceva visita ogni giorno. Assisteva al suo pasto e talvolta le portava altro pane e companatico. Agata era stata punta da un tafano, e la puntura era suppurata. Lei l'aveva curata con un impacco di erbe che si era portata da San Giorgio Stilita. La badessa aveva notato la scatola con sopra scritto *Infermeria* e volle sapere cosa contenesse. Un giorno le chiese aiuto: aveva un doloroso ascesso all'inguine. Agata si offrì di curarla, ma a condizione di poter mandare e ricevere posta. Quella, adirata, dapprima si rifiutò, poi, dolorante, cedette. Agata le incise il bubbone e glielo medicò per bene. Grata, la badessa si ammansì e le permise di ricevere anche pacchi. Sandra le mandò subito dei biscotti e un libro. Da James, niente.

Da allora la badessa cominciò a chiedere ad Agata aiuto per monache e oblate malate. Una proietta era molto sofferente dopo un aborto malfatto e la badessa insistette perché lei la assistesse; per la prima volta, mostrava di avere dei sentimenti. "Sono pietose. Non lo fanno apposta: ci cascano o sono costrette." Agata considerava l'aborto un omicidio, e, memore dell'esperienza con donna Maria Celeste, non se la sentiva. Ma quella tanto disse e tanto fece che alla fine lei acconsentì a malincuore: in cambio, ottenne di poter andare di nascosto sul belvedere del chiostro durante il silenzio rigoroso, quando le altre erano nelle loro celle per la notte. La badessa le procurò anche dei testi di medicina e una copia trovata in una cassa di una vecchia edizione delle *Pandette* di Matteo Silvatico, un lessico medioevale sui semplici.

Presto Agata ebbe molte pazienti. Alcune le facevano regali e altre la pagavano come potevano; quei pochi denari le alleviarono i disagi finanziari: lei non aveva altro per sopperire alle sue necessità. Da una delle donne seppe che a Messina c'era stata una sommossa ai primi di settembre, repressa nel sangue. Agata aveva paura che i cognati vi fossero stati coinvolti, ma non aveva modo di accertarsene.

Era ansiosissima: aspettava che James rispondesse al biglietto che gli aveva spedito, come in passato, presso la libreria Detken di piazza del Plebiscito; lo ringraziava per le poesie di Keats e scriveva i suoi commenti, come prima, inoltre gli comunicava che avrebbe potuto ricevere anche giornali. Arrivò un volumetto di Leopardi, senza alcun biglietto di suo pugno, come invece Agata aveva sperato. Maniava il libro trepidante, pensando che le bianche mani di James lo avevano accarezzato prima di darlo al libraio:

Vive quel foco ancor, vive l'affetto,
spira nel pensier mio la bella imago,
da cui, se non celeste, altro diletto
giammai non ebbi, e sol di lei m'appago

accanto, una leggerissima J; la stessa J era ripetuta altrove. E così, da allora, James prese a comunicare con Agata tramite le pallide J sul margine esterno della pagina, ma non un rigo di scrittura.

Tanti libri, da James, in quello scorcio di autunno. E tantissime J.

La madre e il cardinale, invece, avevano iniziato una fitta corrispondenza, non del tutto amichevole, che si era conclusa con la concessione dei Brevi per la visita di Agata a Palermo per un mese, dal 12 dicembre. Quando Agata lo seppe, ne fu devastata: avrebbe dovuto interrompere lo scambio di libri e biglietti con James. Pianse, gettata sul letto, fin quando non ebbe più lagrime. A notte fonda, scappò sul belvedere: sentiva che lui era lì vicino e sperava che potessero vedersi; da lì le proiette e le pericolate sue pazienti mandavano e ricevevano messaggi gesticolando. Era una serata buia. Aveva piovuto e il cielo era coperto di nuvole. L'umidità le bagnava i capelli e inumidiva la lana della tonaca. Agata si sporgeva nella speranza di vederlo. Ma non c'era traccia di James, e nemmeno di altri – il quartiere, che a quell'ora era sonnolento ma ancora in attività, sembrava deserto. Il rombo di un tuono lontano. Un lampo illuminò la sagoma del vulcano contro il nero – poi buio.

I lampioni a gas illuminavano le facciate chiare dei palazzi, coperte da una patina grigia, un intruglio misterioso di pioggia e polvere. Noia di aspettare, di nascondersi, noia di quella paura costante che ormai era diventata parte della sua vita. Agata guardava la guglia al centro di una piazzetta su cui convergevano tre strade. Altissima e puntuta, sembrava un pugnale il cui manico si era gonfiato in volute, ghirlande, festoni, pesci, delfini, frutta, fiori, e aveva avvolto la lunga lama lasciando scoperta la sola punta affilata ficcata nel cielo. Riprese a piovere in grossi scrosci rumorosi. Agata tendeva le orecchie, semmai James la chiamasse, e sentiva i versi degli animali: qualche cane, il raglio di un asino. Socchiudeva le palpebre, per vedere meglio: forme nere, svuotate, che non capiva se fossero creature della fantasia o esseri viventi, passavano rasenti ai muri. Sobbalzò: qualcosa le strisciava sulle gambe. Un gatto fradicio di pioggia le si era infilato sotto la tonaca e le si strofinava addosso per togliersi di dosso l'odiata acqua. Si guardarono. La bestia, sfortunata come lei, emetteva un arido miagolio e la guardava con gli occhi spenti, pieni di una supplica inespressa. E lei si sentiva impazzire.

251

39.

A Palermo dalla madre

Il brigantino entrava placido nel golfo. Agata, con la serva-carceriera accanto, guardava dal ponte. Palermo si affacciava sulla baia a mezzaluna, ai piedi di Monte Pellegrino, sull'estremità occidentale. Blu e rosa, punteggiato da macchie di pini marittimi annidati tra le rocce e in fazzoletti di terra, il promontorio si spingeva, cadeva a picco e si arrendeva al mare. Il giorno della partenza le era venuto uno stinnicchio, che lei aveva interpretato come un segno del Signore per farla rimanere a Napoli. Invano: due converse avevano dovuto aiutarla ad alzarsi e vestirsi e l'avevano portata a bordo in lettiga. La serva non le aveva permesso nemmeno di guardare dall'oblò mentre il vapore lasciava il porto e durante la traversata non l'aveva mai lasciata sola. Agata si sentiva morire dentro: il cardinale sapeva di James e la allontanava da Napoli.

Palermo, costruita in una piana ricca di acqua e chiusa da un semicerchio di colli, era affacciata sul Tirreno come Napoli e altrettanto regale. E superba. La città si dipanava davanti agli occhi di Agata in un susseguirsi di tetti di coccio di palazzi nobiliari, e di cupole di conventi, chiese e oratori che creavano una fantasmagoria di colori – tante di maiolica, verdi e bianche, blu e bianche, gialle e verdi; alcune, rosse come una ciliegia sbiadita, sferiche e di ispirazione islamica; altre barocche, di pietra dorata e colonnate. Qua e là si alzavano rare torri medioevali, costrette in palazzi barocchi e così salvate dallo scempio di modernizzazione settecentesco.

La nave entrava nel porto di Palermo e si era messa alla fonda di fronte a Castellammare, alla punta sud della cala: una selva di alberi maestri dalle vele arrotolate e di paranze, paranzelle, barche latine, mistici, feluche, sardare e gozzi, che si annacavano attorno alle tartane e agli sciabecchi. A nord, il lungomare era un cordolo di basole lastricate interrotte da mezzelune a terrazza. Poi, uno spiazzo di terra battuta seguiva la cinta muraria inglobata dai palazzi dell'aristocrazia. Era il tramonto, l'ora della passeggiata. Lucide e nere, le carrozze andavano al passo, in fila e lente come formiche pigre. Si incrociavano, rallentavano per i saluti e sostavano davanti i caffè.

I Cecconi vivevano in un palazzo settecentesco incendiato durante la rivolta del 1820. La facciata era butterata da pietrate e proiettili come un volto deturpato dal vaiolo. All'interno invece l'appartamento era ben restaurato. La madre lo aveva arredato con mobili intarsiati e con decorazioni bronzee, che mal si armonizzavano con quelli neoclassici e, al paragone, semplici del marito.

Agata aveva sperato di rivedere Nora e Annuzza, ed era rimasta male quando le fu detto che erano rimaste a Messina, al servizio di Carmela, ormai sposa del cavalier d'Anna. Il generale Cecconi nascose con rigida cortesia il fastidio di ospitare la figlia monaca della moglie; anche nell'accoglienza della madre non c'era gioia. Agata ebbe la sensazione di essere di scomodo ad ambedue, anche quando la madre le fece trovare il suo dolce preferito, riso al cioccolato, simile alla cuccìa che si prepara in dicembre, per la festa di santa Lucia. Cotto nel latte profumato di cannella e chiodi di garofano con una noce di burro, una cucchiaiata di semola e una di zucchero abbondante, poi coperto di crema al cioccolato decorata con pistacchi sbucciati e tritati finissimi, era un dolce da gustare tiepido, a piccole cucchiaiate, pian piano, variando le proporzioni tra la crema bianca e quella al cioccolato. Ma ad Agata non fu permesso di assaporarlo come piaceva a lei. Donna Gesuela voleva che ingoiasse le cucchiaiate di fretta, e poi si andasse a cambiare con una tonaca pulita e ben stirata per la visita dello zio, il barone Aspidi. "Comportati bene con lui, mio fratello è l'unico che ci ha sostenute finanziariamente nei momenti di bisogno," le disse. E così fu sempre, a Palermo. I Brevi mettevano Agata sotto il controllo della madre e donna Gesuela la voleva in casa e disponibile a vedere i parenti, senza alcun preavviso.

Agata si abituò presto alla routine dei Cecconi. Ogni mattina, quando la casa dormiva, lei andava alla prima messa nell'Oratorio del Santissimo Salvatore, dietro l'angolo, con Rosalia, la cameriera della madre. All'"*ite...*", prima che il celebrante potesse pronunziare "*missa est*" quella la faceva sgattaiolare fuori per andare a preparare il caffè che poi portava con due biscottini alla generalessa, in camera. Il generale faceva la sua toilette con comodo e rimaneva a chiacchierare con il barbiere; poi usciva e ritornava carico di carte e con un coppino di cannellini colorati. Si rintanava nel suo studio e riceveva visite fino all'ora di pranzo. La madre faceva le cose sue e Agata seguiva da sola l'uffizio secondo la Regola e leggeva. Nel pomeriggio, invece, li raggiungeva nel salotto, per risparmiare luce e carbone: il generale era estremamente avaro sulle spese di casa e giornaliere. Dopo aver lasciato l'esercito aveva ricevuto degli incarichi dal re, che però non erano ben remunerati – così le disse la madre, aggiungendo che lui sperava di avere una posizione nella nuova Cassa di Sconto del Banco delle Due Sicilie. Le donne facevano i loro lavoretti e il generale leggeva. Di tanto in tanto offriva loro un singolo cannellino, e per un poco il silenzio veniva rotto dal succhiare dello zucchero solido attorno alla paglietta di cannella.

Anche a Palermo Agata era prigioniera. Non poteva mandare né ricevere posta. La madre la portava fuori soltanto per fare visita alle parenti monache. Dopo una o due visite al monastero di Sant'Anna, aveva deciso di non ripeterle. "Non abbiamo niente da dirci e queste rifarde ci fanno pagare i dolci che ci offrono!" Lei si sentiva taliata dalla madre, e ben presto ne comprese il motivo: il generale, rimasto vedovo da giovane, aveva amministrato l'eredità materna dell'unico figlio, che, da adulto, aveva intentato una causa contro il genitore, accusandolo di averne tratto lucro personale. La madre le aveva detto che la disputa era andata avanti per anni, costando un terribilio di ducati al generale e di recente il figlio l'aveva vinta. Gesuela si trovava di nuovo in una posizione economica precaria. Agata capì: la madre contava su di lei, una volta smonacata, per essere assistita in vecchiaia.

Madre e figlia rassettavano l'armadio della biancheria aiutate da Rosalia. "Lo sai che Carmela è incinta? Annuzza, impazzita dalla gioia, ogni mattina le prepara il rosso d'uovo sbattuto con lo zucchero!" le disse la madre, allisciando il ricamo di un lenzuolo. Agata agghiacciò – un figlio dal cavalier d'Anna! "Mi sembra contenta, da quanto scrive. E dire che pensavo che questa figlia minore sarebbe rimasta zitella per badare a me!" commentò. Passava la mano sulle frange annodate degli asciugamani, dure di appretto e lucide, e aggiunse, soprappensiero: "Non mi resta che questa... se quello me la lascia". E riprese a contare gli asciugamani di Fiandra.

Erano i primi di gennaio del 1848. Agata guardava l'intonaco screpolato della facciata di fronte, il libro aperto davanti. Meditava sulla parola "macchia", e ne notava nuovi aspetti e dimensioni. Poi tornava alla realtà: si sentiva estranea alla madre e non vedeva l'ora di ritornare al conservatorio di Smirne, sicura com'era che James sarebbe riuscito a farla smonacare.

La cameriera venne a chiamarla: il generale e la generalessa l'aspettavano nello studio.

"Il cardinale ti ordina di andare nel monastero di Montereale di Chiana," disse la madre con voce piatta. Era visibilmente scossa.

"Che è successo? Dov'è?"

Il generale prese la parola. "Non c'è tempo da perdere. Il cardinale vostro parente ha informazioni che ci sarà una rivolta a Palermo, e io sono d'accordo. È imminente. Domattina all'alba passerà dalla Cala una tartana con delle monache destinate a un convento a Trapani. Voi salirete a bordo all'approdo di Sferracavallo; dovremo partire all'alba per essere in tempo. La tartana non si fermerà al molo." Aggiunse, imperioso: "La raggiungerete su una sardara, e non farete smorfie!". Poi la informò che il monastero benedettino di Chiana, un paese feudale su una salubre collina nell'antica comarca di Naro, era soltanto una prima tappa; il cardinale avrebbe deciso quando e in quale monastero lei sarebbe andata a finire.

"Perché non posso tornare a Napoli?"

"Devi obbedire." La voce della madre era dura.

"Chiana è più vicino. Potreste anche ritornare da noi, quando le cose si calmano. Vi ho già detto che si prevede una rivolta, dunque è probabile che non ci saranno navi in partenza per Napoli," spiegò il generale, contenendo appena l'impazienza.

"Nemmeno una inglese?"

"Che domanda!" la madre fu pronta a rispondere prima del marito.

"Come quando morì mio padre." Agata guardò la madre, dura.

"Ah, vero, il capitano Garson era lì..."

Il generale s'era calmato; attisò le orecchie e commentò tra sé: "Un uomo influente...".

Agata aveva sentito. "Influente anche presso il cardinale?" chiese.

"Il cardinale tiene ad allacciare rapporti con la gerarchia cattolica inglese, e quei contatti passano dalle mani di Garson."

E il generale afferrò il giornale.

40.

Gennaio 1848.
Il cardinale ordina che Agata lasci Palermo

La Sicilia era quasi del tutto priva di strade carrabili. Il trasporto di merci e derrate avveniva lungo le coste dell'isola in imbarcazioni di piccolo cabotaggio che navigavano dall'alba al tramonto, perché la costa era al buio e c'erano pochi segnali marittimi; le torri cinquecentesche volute da Carlo V erano in stato di abbandono e in pratica ogni capobarca aveva i propri punti di riferimento, in genere profili di montagne e promontori con punti cospicui. Soltanto i comandanti più abili partivano di pomeriggio, anche d'inverno, con tempo dichiarato bello, per arrivare ai porti alle prime luci del giorno.

Sciabecchi e tartane circumnavigavano l'isola fermandosi da un porto all'altro per caricare e scaricare. Le tartane, a un solo albero a vela latina, più piccole dei panciuti sciabecchi, bastimenti prevalentemente da carico, avevano molti usi: per la pesca, per il carico e anche per il trasporto di passeggeri in primitive cabine.

La tartana di mastro Cirincione, chiamato Scopetta, era salpata la sera prima da Cefalù diretta a Palermo, dove all'alba avrebbe caricato materiali ferrosi e cordami per l'agricoltura; era diretta a Pantelleria, dopo uno scalo a Trapani per caricare sale per la lavorazione e la conservazione dei capperi. Un messo della curia lo aspettava alla cala: gli chiese di portare delle passeggere di riguardo, monache destinate a monasteri in luoghi "più tranquilli". Era desiderio del cardinale che una di queste, una benedettina, non fosse "vista" a Palermo, e che la tartana la prendesse all'approdo di Sferracavallo, anche lì senza dare all'occhio. Le monache sarebbero sbarcate a Trapani, tranne la benedettina, che mastro Scopetta avrebbe dovuto trasferire su una imbarcazione diretta al caricatoio di Licata e "fidata", e nel dire quella parola una borsa di monete d'oro cambiò mano.

Agata aveva sopportato con fortitudine il breve ma movimentato trasporto dall'approdo di Sferracavallo alla tartana; essendo la sola passeggera, la madre aveva pensato di farla accompagnare da Rosalia sulla sardara che l'aspettava. C'era mare mosso e un freddo vento di tramontana. Rosalia, impaurita, s'era attaccata alla lampara rimasta nel piccolo scafo, e a un certo punto l'aveva fatta piombare in mare. Terrorizzata dalle voci dei marinai, aveva cercato conforto in Agata, e aggrappandosi a lei, le aveva fatto cadere il velo che le copriva il viso. Rimproverata, la poveretta, era scoppiata in un pianto che non era cessato fin quando non era stata riportata a riva.

Agata era salita a bordo speranzosa, convinta che dietro l'ordine del cardinale ci fosse James. Sentiva che lo avrebbe incontrato presto, forse a Trapani. Accettò di buon grado il disagio della cabina, il pessimo mangiare – pane e brodaglia di pesce e patate – e le compagne di viaggio. Le cappuccinelle guardavano la benedettina in cagnesco, ma lei non ci badava e si girava verso il mare. Faceva freddo e le montagne della Conca d'Oro erano innevate. Dopo circa un'ora di navigazione la tartana era arrivata nel golfo di Castellammare. Nuvole basse e cumuliformi coprivano le montagne dell'interno. Agata trattenne il respiro: monti, cielo e mare erano unificati da una straordinaria armonia di colori. L'aria era ferma e Agata percepiva una forte tensione nell'atmosfera. Nel frattempo mastro Scopetta malediceva la sua malasorte e si affannava a portare la tartana a ridossarsi a San Vito lo Capo, prima che il temuto libeccio si avventasse sul mare.

Per un giorno e due notti la tartana rimase sbattuta dalle onde a ridosso, sotto potenti libecciate e scrosci intermittenti di pioggia. Chiusa con le altre nello spazio umido e angusto della cabina, Agata si sentiva puzzare: non c'era acqua per lavarsi e nemmeno spazio privato per le esigenze igieniche. Ma era felice, avrebbe rivisto James, presto.

Alle cinque di mattina del secondo giorno la svegliò il rollio dell'imbarcazione: veleggiavano sospinti dal leggero vento di levante. Pepi, il figlio di mastro Scopetta, portò loro una brodaglia di fave secche e ceci e annunziò laconico che sarebbero arrivati a Trapani dopo cinque ore di navigazione, se tutto procedeva come previsto. Agata volle andare sul ponte; il sole era caldo, ma lei rimase avvolta nel mantello turchino di canonichessa di Baviera per farsi riconoscere subito da James. Teneva lo sguardo fisso sulla terra; anziché recitare il Salterio, magnificava il Signore per la beltà della sua isola. L'inverno sulla costa settentrionale era stato secco. Le basse colline dell'interno erano brulle. Il terreno della costa, al di là della scogliera nera, frastagliata e interrotta da virgolette di spiaggia dorata, era tutto stoppie striate di bruciature. Monte Cofano, tozzo e scuro, era totalmente spoglio. La pioggia degli ultimi due giorni era scivolata nelle viscere della terra attraverso le crepe dell'arsura; solitari contadini frustavano i muli nel disperato tentativo di rompere col ferro dell'aratro la crosta di nuovo cotta dal sole e più indurita di prima.

La tartana era entrata nel Mar d'Africa. Monte Erice dominava terra e mare, massiccio; anch'esso aveva i fianchi brulli, ma non la cima; verdeggiante e alberata, era circondata da una nuvoletta candida come un'aureola. Mastro Scopetta si teneva alla larga dagli scogli affioranti degli Asinelli e delle Formiche. Poi virò ed entrò dritta dritta nel porto di Trapani.

Le cappuccinelle scesero garrule per raggiungere il prelato che le aspettava. Di James, nemmeno l'ombra. Agata, velata, era sul ponte e piangeva. Lagrime salate le inumidivano il labbro; le raccoglieva con la lingua e presto la bocca le divenne insopportabilmente amara, ma lei volle rimanere sul ponte, avvolta nel mantello turchino, fino a quando Pepi la fece rientrare. Mastro Scopetta era molto soddisfatto di sé: aveva trovato un suo compare, mastro Livestri, con la tartana pronta a salpare con destinazione Siracusa, dove la benedettina avrebbe potuto godere di una cabina tutta per sé. Ligio agli ordini ricevuti, offrì di pagare lautamente il compare per portare la monaca al caricatoio di Licata e assicurarsi che da lì raggiungesse sana e salva il monastero di Chiana. Poi spiegò ad Agata che avrebbe potuto scendere a Marsala, dove le flotte delle ditte Ingham, Woodhouse e Florio caricavano vino e olio da portare a Malta e facevano scalo a Licata per caricare grano e zolfo. Le loro imbarcazioni erano più confortevoli della tartana di mastro Livestri, e il viaggio sarebbe stato più breve. Ma non poteva garantirle che avrebbe trovato un posto, c'erano molti inglesi che lasciavano la Sicilia per Malta, per paura dei moti.

Agata avrebbe preferito una nave inglese – avrebbe potuto mandare un messaggio a James, o forse lui era a Marsala – ed ebbe un attimo di panico. Era sola, senza denari, ignara di tutto, in luoghi sconosciuti. Mastro Scopetta cercava di capire cosa passasse in quegli occhi che intravedeva soltanto attraverso il velo nero, e si sovveniva delle proprie figlie, Santina e Annunziata: a casa erano un terremoto – una ne facevano e cento ne pensavano –, ma diventavano timorose di tutto non appena mettevano il naso fuori. Gli venne dal cuore di dirle che avrebbe mandato Pepi sulla tartana, con lei, per assicurarsi che tutto andasse come previsto. Agata accettò.

261

Se ne pentì non appena il mastro se ne fu andato. Ma non c'era che fare.

La tartana di mastro Livestri era piccola e dipinta di rosso e blu; le vele di cotone erano amaranto, per il colore della concia applicata per renderle impermeabili. Chiamato "u capu" dai marinai, mastro Livestri era un omone dagli occhi chiari, radi capelli biondicci e mani possenti, gonfie e crepate dall'acqua salata. Diede un benvenuto rispettoso alla passeggera di riguardo e le presentò il figlio Totò, che faceva da nostromo. Salparono con il vento di tramontana, diretti a Marsala.

A occidente il cielo blu brillante tutto d'un tratto si tramutò in una massa rovente talmente fulgida che il sole non vi si notava più; pian piano si divideva in strisce parallele in tutte le mutazioni di rosa, arancio, rosso fuoco, carminio, amaranto. La striscia che marcava l'orizzonte e posava sul mare, luminosissimo e verde intenso, cangiò in nero pece. All'improvviso apparve al centro, brillante e minaccioso, il globo arancione. E sprofondò dietro l'orizzonte. Agata pensava che quel viaggio attorno alla sua isola era come un dire addio alla Sicilia, ma non era triste. Lei era destinata ad andare con James, dovunque lui la portasse. Pepi le aveva detto che a Marsala c'era un console britannico, e a Licata un viceconsole: le era bastato quello per convincersi che James era già in mare su una nave veloce e che l'aspettava in uno dei due porti, e rasserenarsi. Mangiava con gusto le zuppe di pesce fresco, la frutta secca e la cotognata che le veniva servita nelle formelle di coccio smaltato; evitava la cabina e stava sul ponte a guardare terra e mare. Si godeva anche la riconquistata solitudine. Il vento si era fatto molle e il cielo diafano. Paesaggio e clima erano cambiati. La costa fino a Marsala era bianca, piatta e sabbiosa, in un susseguirsi di saline e bacini di acqua marina formati dai banchi di sabbia, di isole-nonisole, chiamato laguna dello Stagnone. La solcavano numerose imbarcazioni a un solo albero e con poco pescaggio, adatte a navigare nella laguna e a portare sale e tufo. La costa, pianeggiante lungo il mare e con leggere pendenze verso l'entroterra, era costellata dai mulini a vento delle saline e dalle grigie montagnole coniche di sale. Il fondale era basso e traditore, e per questo superlativamente bello. L'acqua trasparente mutava dal verde al celeste, all'azzurro e al nero, secondo la profondità dei banchi di sabbia, la conformazione degli scogli sommersi – le lunghe creste parallele delle dorsali rocciose a volte affioravano alla superficie – e la varietà della vegetazione marina – praterie di posidonie, distese di laminarie verde bottiglia, sargassi –, che dava colore e tonalità diversi. Rimaneva costante soltanto la morfologia dell'abitato – paesini arroccati sulle alture per paura delle razzie barbaresche – e delle chiese barocche dai campanili a cipolla. Dopo Selinunte il mare era un susseguirsi di secche digradanti – lucidi nastri sommersi; dalla costa, le bianche scogliere di marna riflettevano la luce del sole sul mare.

Agata trattenne il fiato quando scorse da lontano, sul costone coperto di gialle rovine e avamposto di Girgenti, un tempio greco, intatto, salvato dallo scempio perché trasformato in luogo di culto cristiano. Solitario tra le rovine. Quel tempio di una religione morta le ricordò la madre. Agata si sovvenne della silhouette dei due a Sferracavallo, mentre lei si allontanava sulla sardara. Appoggiati uno all'altro, il generale le cingeva le spalle. Non si era resa conto, fino ad allora, che si volevano bene. Le era rimasto vivido in mente il gesto del generale – scostava dal bel viso della moglie una ciocca di capelli che svolazzava nel vento e gliela rimetteva a posto sotto il cappello, teneramente. Agata aveva stretto tra le mani il libretto di Keats, ricordo della sua notte d'amore con James. Non volle pensare alla moglie di lui, ma da allora l'immagine senza volto della sfortunata le rimase nella mente.

Era l'alba. Al caricatoio di Licata c'era un grande silenzio. Ormeggiati, gozzi, barchette e sardare di piccolo cabotaggio. Due uomini, accanto a una piramide di zolfo dorato, aspettavano la cordata di muli carichi di sacchi di zolfo che scendeva indolente lungo la collina. Il paese sembrava addormentato. La brezza della mattina solleticava le mani disilluse e tremanti di Agata, incrociate sul petto. Di James nemmeno l'ombra.

Totò le aveva detto, fiero, che mastro Livestri aveva ottenuto dal convento delle benedettine di Licata una serva e una conversa per accompagnarla a Chiana, in una vera carrozza, e non in una carretta. Prima di salirvi, Agata lo ringraziò, la voce spenta. Il ragazzo tirò dalla sacca un pugno di percoche secche, che le erano piaciute assai, e glielo offrì goffamente. Quel gesto le sciolse un poco del freddo di dentro, ma ormai non sperava più in James.

La carrozza era un carro coperto più che una carrozza vera e propria. I vetri laterali, rotti e incollati con carta, erano stati anneriti. I sedili di legno avevano coperte anziché cuscini. Il viaggio a Chiana sembrò eterno per gli sballottamenti sulla carrettiera pietrosa e per il silenzio delle due donne. Parte del tragitto dovette essere affrontato a piedi perché un tratto di strada non era carrabile e la carrozza doveva essere spinta a mano. Agata rifiutò la lettiga e camminò lungo il viottolo con le due donne. Tentò più volte di parlare con loro, ma quelle avevano le labbra cucite.

41.

A Chiana, nel monastero benedettino del Santissismo Sacramento

La badessa del monastero del Santissimo Sacramento di Chiana considerava l'arrivo della monaca napoletana un'imposizione del clero: il cardinale di Napoli aveva scritto all'arcivescovo di Palermo, che aveva parlato con l'abate di San Martino delle Scale e con la madre provinciale delle benedettine; poi i tre avevano scritto al vescovo di Girgenti e direttamente a lei: nessuno dei due poteva opporsi a tali pressioni.

Nel Seicento il pio fondatore del monastero aveva insediato il primo nucleo di monache nel proprio palazzo per assecondare la vocazione della figlia prediletta; il corpo centrale del monastero ne manteneva la struttura: saloni suddivisi in celle, il cortile interno costretto in chiostro e finestre accecate da armature nere. All'interno tutto era imbiancato a calce e semplicissimo. Il Santissimo Sacramento era ben noto nella comarca per la devozione delle coriste che, nel secolo precedente, ligie alla volontà del fondatore, non avevano ceduto al degrado dei costumi dell'epoca, da cui pochi altri monasteri s'erano salvati. Non mancavano le vocazioni, ed era sovraffollato. La frugalità era in contrasto con la ricchezza della struttura, delle decorazioni e degli arredi della chiesa, costruita nel secolo successivo. Le pareti e le cappelle erano arricchite da festoni, angeli e putti bianco e oro e contrastavano con il ricco colore marrone del magnifico soffitto ligneo a lacunari. L'acustica era perfetta.

Agata discese dalla carrozza ed esitò: la scalinata d'ingresso, anziché essere interna, si apriva come un ventaglio e scendeva sulla piazza antistante. Le due donne, ai suoi lati, la incoraggiavano a salire. A metà della scalinata c'era una piattaforma da cui partivano due scale anch'esse semicircolari, a forma di cono. Una portava al monastero e l'altra al portico della chiesa. Quelle salirono verso il monastero e la porta di quercia s'aprì senza che bussassero. La sala del Capitolo era stipata di coriste – erano tante e aspettavano la nuova venuta. Si fregiavano del "donna", ma sembravano paesane e all'oscuro degli avvenimenti esterni. Non sapevano dei moti di Palermo – a cui Agata aveva accennato per spiegare il suo arrivo tra loro – o di altro che esulasse dalla vita di Chiana, dov'erano nate quasi tutte. Parlavano un siciliano diverso da quello messinese e, come le consorelle napoletane, la presero subito in giro per il suo accento.

Durante la sua permanenza a Chiana Agata venne trattata dal Cenobio con malcelato sospetto. Da parte sua, non cercò di accattivarsele; ringraziava a destra e manca delle poche cortesie che riceveva e obbediva diligentemente alla priora e alla badessa. Durante il tempo libero si rifugiava nella cella o saliva sul campanile: il monastero era molto buio e lei sentiva il bisogno di luce e di cielo aperto. Eppure, se non fosse stato per l'angoscia di aver perso totalmente i contatti con James e di non poter far nulla per rintracciarlo, Agata avrebbe detto che preferiva il monastero alla casa della madre.

A differenza di San Giorgio Stilita, al Santissimo Sacramento si seguiva il capitolo XXXIX della Regola – l'astensione dalla carne dei quadrupedi – e si rispettavano scrupolosamente gli obblighi di astinenza e di digiuno. Non era soltanto la devozione a imporre quel regime alimentare, ma la penuria. Il Santissimo Sacramento era un monastero povero. Ai pasti non mancavano mai le "tre cose" e, nei giorni permessi, anche la "quarta". Le portate erano misere: la "prima cosa" era una minestra molto liquida, la "seconda cosa" vari impasti a base di pane duro ammollito nell'acqua e verdure, a volte uovo, o minuscoli pezzi di pollo o pesce, che ingegnosamente si ispiravano ai piatti dell'alta cucina delle abbazie dei benedettini: granatine, mortaretti, frusoloni e impanate. Una cucchiaiata di pasta cotta nel mosto poteva costituire la "terza cosa", e uno spicchio di mela o un'arancia la "quarta". Quel mangiare, che consisteva principalmente di pane, verdure, legumi, pasta e uovo, era gustosissimo; con l'aggiunta dei regali portati dai fedeli – latte, cacio, ricotta – e degli odori, che abbondavano nella cucina, le monache consavano gli ingredienti più umili e li rendevano appetitosi. Agata gustò, prima della Quaresima, il baccalà migliore della sua vita: cucinato al forno con un ripieno di mandorle profumato di chiodi di garofano e origano delle Madonie.

Le monache si mantenevano con l'aiuto dei familiari, le elemosine e le vendite di biscotti famosi in tutta la zona: i biscotti ricci. Li preparavano insieme – nessuna aveva la sua specialità, come a San Giorgio Stilita. L'odore della farina di mandorle appena fatta, mista alla vaniglia – un lavoro strettamente manuale da fare con pestello e mortaio giornalmente per catturare nella cottura gli aromi degli oli essenziali – riempiva i corridoi delle celle e gli ambienti del monastero, e poi si mischiava al profumo acre dell'incenso che invadeva il monastero attraverso le grate.

Agata doveva scegliere un lavoro. Pensò alla farmacia, ma la monaca farmacista sembrava una fattucchiera – faceva scongiuri e "leggeva l'olio" alle malate, anziché curarle. Nel piccolo e buio chiostro non c'era spazio per la coltivazione dei semplici. Le famiglie portavano unguenti e medicinali alle sorelle malate, ma di rado: la fede doveva curare tutto. Allora Agata scelse di fare il pane, come quando era postulante.

Ogni giorno che passava, confermava ad Agata l'impressione formata all'inizio: quel monastero era rimasto fedele e ancorato alla severità della Controriforma. Al Santissimo Sacramento la scansione della giornata era parte integrante dell'essere delle monache; non ce n'era una che cercasse di evitare le preghiere in comune e tutte partecipavano al coro con vera passione. La mortificazione della carne, il digiuno e la preghiera estatica erano praticate da molte e considerate da tutte le altre come devozioni semplici e normali. Mai Agata aveva incontrato tanta spiritualità come nel convento di Chiana. Le sembrava che amor sacro e amor profano fossero un tutt'uno e questo la incoraggiava ad abbandonarsi al desiderio per James. Come le consorelle in Gesù, lei confidava in James e nella sua promessa: sarebbero tornati insieme, per sempre.

Le monache amavano appassionatamente il loro sposo, un Gesù carnale e bellissimo. Avevano baruffe su dove poggiare la sua immaginetta durante la recita del rosario quando lavoravano all'aperto, su chi dovesse spolverare il grande crocifisso sulla scala, e, nella sala del Capitolo, sul posto a sedere più vicino al sarcofago di vetro che conteneva un meraviglioso Cristo di cartapesta dagli occhi sognanti e a grandezza naturale, il capo languidamente reclinato su un braccio, e ignudo, con un sottile drappo sull'inguine. Nella cappella meditavano su una sua immagine bionda, con barba a pizzo e ciglia di paglia come quelle di James. E Agata si lasciava andare al desiderio, durante la panificazione, senza alcun senso di colpa o ritegno. Schiacciava e premeva la pasta dopo la prima e la seconda lievitata alternando i pugni con forza per fare uscire il gas, poi la arrotolava a forma di pani lunghi come cilindri, lisci, gonfi e lucidissimi. Prendeva fiato, si tergeva il sudore dalla fronte con la manica e riprendeva il lavoro. Sollevava un pane alla volta e vi passava sopra le mani infarinate per non farlo attaccare al ripiano di legno. Poi li unificava tutti in un unico impasto, senza fretta. Li carezzava, li stringeva, li piegava e li attorcigliava. Quando erano ben amalgamati Agata riprendeva il lavoro di polso – un pugno dentro, un pugno fuori – e poi spianava l'impasto, pronta a ripetere il processo e togliere gli ultimi residui di gas. Lei lavorava il pane pensando unicamente a James, come lei lo conosceva.

Al Santissimo Sacramento le monache non erano isolate dal paese né murate vive come quelle di San Giorgio Stilita. Il viavai di regali e bigliettini tra loro e la famiglia era intenso e non soggetto a censura, purché le monache ne parlassero alla ricreazione dopo il pasto di mezzogiorno. Possedevano piccoli appezzamenti di terreno nei dintorni di Chiana – doti moniali – e vi andavano per lavorare e per motivi di salute: il monastero era sovraffollato, angusto, e senza sole. A gennaio vi passavano a turno giornate intere per raccogliere le arance. I volti coperti dal velo, lasciavano il paese in carretto e poi completavano il viaggio a piedi: come la maggior parte dei paesi siciliani, Chiana non aveva strade carrabili. Il giardino, come si chiamano le colture di agrumi, era circondato da muri a secco, non lontano dal costone di marna bianca sul mare. Il cielo era abbagliante e chiarissimo, dalla troppa luce. Da lì si vedeva la collina e il paese – un agglomerato di chiese e conventi attorno a due palazzi nobiliari di pietra calcarea gialla, porosa ed erosa dai venti – e il castello normanno diruto, sulla cima della collina, come un tutt'uno con la terra. Agata, come le altre, si godeva il giardino; su quella costa della Sicilia c'era stata pioggia abbondante a dicembre e il terreno era verde. Agata raccoglieva fiorellini, carezzava foglie e germogli, succhiava i gambi teneri dell'acetosella; assorbiva i sapori e gli odori della Sicilia – quello dell'origano selvatico, quello del finocchiello e quello pungentissimo del rosmarino. A febbraio le monache facevano scampagnate nel loro mandorleto, un grosso appezzamento di terra parte della dote monacale di una "burgisi" sul costone terrazzato di una collina pietrosa, per festeggiarne la fioritura, che nel Sud dell'isola era precoce. Indigeni del Mediterraneo e antica fonte di salute, i mandorli crescevano dritti sul terreno fertile e la abbondante fioritura rosata nascondeva totalmente la grigia corteccia dei rami. Altri mandorli crescevano stentati tra le rocce; erano tozzi e angolosi, ma anche quelli, coperti di fitti grappoli rosati, sembravano bellissimi. Le monache vagavano da albero ad albero meravigliate, toccando i fiorellini bianchi e rosa senza danneggiarli. Poi si armavano di coffa e coltello, raccoglievano tonaca e scapolare tra le gambe, come le villane, e andavano alla ricerca delle verdure che crescevano selvagge: burrania e zarchi.

Durante quelle uscite le monache non avevano alcun contatto col mondo secolare, tranne quello con i carrettieri che sapevano di dover guardare in avanti, ma dalle finestre del paese lontano le nere figure erano accarezzate dagli occhi amorosi di madri e sorelle.

Le visite nel parlatorio erano praticamente quotidiane e la supervisione delle decane diventava una conversazione a più voci – si conoscevano ed erano imparentati tutti, a Chiana. La gente del paese considerava il monastero parte della società civile: ogni tipo di litiganti – anche prelati e personaggi di rilievo nella comunità – ricorrevano alla mediazione o all'arbitrato della badessa e ne accettavano il giudizio. I bambini malati erano portati per sollecitare una preghiera guaritrice. Oltre alla gente che veniva a raccontare i propri guai, si presentavano al parlatorio per ricevere le congratulazioni delle parenti monache coppie di sposi, giovani che superavano un esame e chiunque avesse un colpo di buona fortuna. I neonati venivano portati dopo il battesimo e da piccini entravano nella clausura tra le braccia amorose della zia monaca. Si discuteva. Si rideva. Si scherzava.

Eppure le stesse monache che godevano delle scampagnate e partecipavano, dalla grata del parlatorio, alla vita familiare, usavano cilici, fustigazioni e digiuno per raggiungere l'estasi. Una, durante la Quaresima, indossava il corpetto a grattugiera tramandato nella famiglia di monaca in monaca. Era inconsueto ma non inaudito che una o più monache si immolassero con il digiuno per un motivo santo e serissimo, come la guarigione del Santo Padre o del vescovo.

Agata faceva il proprio lavoro, seguiva le preghiere del coro, e poi si rincantucciava nella sua cella in attesa della chiamata di James. Le sembrava che, nonostante le diversità, il Santissimo Sacramento fosse un'estensione di San Giorgio Stilita, ed era come se vi avesse vissuto da tempo. Non era sola, aveva imparato a conoscere le abitudini del tignoseddu solitario che ogni giorno, verso l'ora Sesta, penetrava da fuori e rimaneva nel vano della finestrella a testa in giù, guardandola. Poi, quando il sole colpiva il muro di fronte, il tignoseddu quatto quatto se ne andava, per riapparirvi. Anche da lì, il tignoseddu la guardava, o così lei credeva. Agata si chiedeva come raggiungesse quell'altro muro: scendendo e traversando il vicolo, oppure saltando quel metro e mezzo di distanza, o se gli uscissero ali come quelle dei pipistrelli, e lui potesse volare verso il sole.

Come molti avevano previsto, i moti di Messina del settembre 1847 non sarebbero stati i soli, ma nessuno avrebbe mai immaginato la forza e il supporto popolare della rivolta di Palermo del 12 gennaio 1848 – la prima dell'anno delle rivoluzioni in tutta Europa –, e nemmeno la violenza della reazione del re. Dai gridi per il ripristino della Costituzione del 1812 si passò alle richieste di indipendenza della Sicilia e alla immediata, crudele e sproporzionata repressione della flotta del regno che bombardò Palermo dal mare, uccidendo, distruggendo e rafforzando la volontà dei siciliani in una resistenza che durò sedici mesi in condizioni di semi indipendenza.

Nell'ansia di allontanare Agata da Napoli, e non soltanto per la paura del ribollire politico della città, il cardinale aveva commesso un grosso errore di valutazione. Dopo il fallimento del bombardamento di Palermo, il re aveva ceduto con indecorosa rapidità alle richieste dei napoletani riottosi promettendo una Costituzione il 26 gennaio, ristabilendo una calma temporanea. Invece i moti siciliani si erano rivelati più violenti e duraturi, una vera rivoluzione. I contatti tra Napoli e Sicilia erano interrotti e il santuario di Chiana non era più sicuro.

I soli intermediari tra il governo illegale siciliano e quello borbonico erano i diplomatici britannici. James Garson assisteva Lord Pinto, il console britannico a Napoli, e ambedue facevano la spola tra Napoli e Palermo. Le navi dei Garson erano tra le poche che partivano da Malta e passavano attraverso lo Stretto, indisturbate dai ribelli e dalla guarnigione regia che dal presidio di Messina, che dominava lo Stretto, sottoponeva la città a quotididani bombardamenti.

James era venuto a sapere che Agata era andata dalla madre in Sicilia, ma aveva perduto le sue tracce dopo l'arrivo dai Cecconi. Uno dei suoi informatori aveva parlato "troppo" con un uomo vicino al cardinale, e temendo di diventare persona non grata, lui aveva sospeso temporaneamente le indagini su Agata. La strategia dell'inazione aveva dato i suoi frutti: alla fine di febbraio il cardinale si rivolse a lui per riportare Agata a Napoli, e James s'immerse nei preparativi.

Una sera, dopo Compieta Agata trovò una Bibbia sulla sua sedia. Tra le pagine dei salmi, un petalo di camelia, secco. Lei scorse una piccola J davanti alle parole del salmo CX-VIII: *"Fa' mercede al tuo servo: dammi vita, e osservi io le tue parole"*. E aspettò fiduciosa.

42.

Il lungo viaggio verso l'amato

La carrozza portava Agata al caricatoio di Licata attraverso i mandorleti. Era una giornata di scirocco, letale per gli alberi in fiore. A ogni raffica di vento caldo, i petali si staccavano dai rami, svolazzavano e poi cadevano a terra o sui muretti. Una folata di vento entrò dal finestrino aperto. Un manto di petali bianchi e rosa coprì tonaca e velo: un augurio di prossime nozze.

Era avvenuto in fretta. La settimana prima la badessa aveva ricevuto delle persone "importanti", avendo fatto sgombrare apposta il parlatorio, in cui di norma si svolgevano due o tre visite contemporaneamente. Poi l'aveva fatta chiamare nel suo salottino. "Mi dicono che parli inglese, vero è?" le chiese, tra il disgusto per la lingua degli eretici e l'ammirazione. Lei confermò. Quella poi volle sapere se era disposta a parlare con il console britannico di Girgenti, in inglese, alla sua presenza, e lei disse di sì. La badessa allora le comunicò che il cardinale Padellani l'aveva richiamata a Napoli, ma il comandante inglese che l'avrebbe condotta fin lì pretendeva una prova di identità e di libero arbitrio: la sua parola non gli bastava. "Vuole 'sta parlata in inglese," borbottò, gli angoli della bocca piegati all'ingiù che esprimevano indignazione per una simile sfrontatezza. Il Santissimo Sacramento era tutto un ciarmulio;

volevano sapere dove, quando e perché aveva imparato l'inglese e tutto il resto. Lei spiegò con onestà. La conoscenza sciolse le reciproche riserve e i pochi giorni rimasti trascorsero in un'atmosfera di affettuoso sostegno. Eccezionalmente, il console inglese, Mr Stephenson, era stato ricevuto all'interno del parlatorio. La badessa s'era messa dietro la grata per sorvegliare; accanto a lei, un impiegato del consolato faceva da interprete. Agata avanzò nel parlatorio, insicura, il volto coperto dal velo. "Vorrei farvi due domande," iniziò quello, imbarazzato. "La prima: possedete un volume di John Keats?" Era un autore proibito. Esitò, doveva pensare rapidamente. Che fosse un tranello? Il silenzio era insopportabile. Poi alzò il capo e, guardandolo negli occhi attraverso il velo, declamò, con voce chiara: "*Dry your eyes, o dry your eyes, For I was taught in Paradise To ease my breast of melodies*".

"Che dice?" chiese la badessa all'interprete.

"Nenti, cos'i picca. I veri cristiani unn'hanno a chianciri, picchì sunnu 'nsignati ca 'u Paradiso è chin'e musica santa."

"Brava, Maria Ninfa, bravissima. Così ci insegna a questo eretico che significa essere serve di Dio!"

La seconda domanda era in italiano: "È pronta a partire?".

"Sì. Se il mio Signore lo comanda."

"Buona è, 'sta carusa!" esclamò la badessa, e carezzò il crocifisso al petto. Superato l'esame, il console spiegò che donna Maria Ninfa sarebbe partita su un'imbarcazione a vela da Licata per Siracusa, dove avrebbe aspettato il vapore che andava da Malta a Napoli.

Al caricatoio di Licata Agata fu affidata a due sorelle monache di casa, anch'esse in partenza per Napoli presso il fratello funzionario del regno. Insieme salirono a bordo di una tartana piu piccola di quella su cui era arrivata, che alternava la pesca al piccolo cabotaggio tra Licata e Siracusa, con scalo a Pozzillo. Il viaggio durò sei giorni. La tartana era carica di gente che, come loro, lasciava la Sicilia a causa della rivoluzione. Agata e le due donne dovettero dividere la cabina, che non era altro che un bugigattolo con dei pagliericci e un cantaro. Le compagne di viaggio erano insopportabili; non andavano d'accordo e ciascuna cercava di tirare Agata dalla sua parte. Quando poteva, Agata andava sul ponte, sola. Il quinto giorno la tartana passò da capo Passero, poi Marzamemi e finalmente da Pachino. Superato capo Murro di Porco rallentò la navigazione per entrare al porto grande di Siracusa alle sette del giorno seguente. Il bastimento inglese era immenso. Nuovo di zecca e lustro di ottoni, aveva venti cabine. L'equipaggio indossava uniformi nuove e ben stirate. Quando le due seppero che una cabina era stata riservata soltanto per Agata, e che loro sarebbero andate in un un dormitorio femminile, le si attaccarono addosso e tanto fecero e tanto dissero che riuscirono a farsi ospitare nella sua cabina. Agata non sapeva cosa fosse successo a Napoli, né quale fosse stato l'esito della rivolta in Sicilia, e si gettò sulla pila di vecchi giornali inglesi e del regno, opuscoli e fogli di gazzettini che erano lì per lei, ne era sicura, su espresso ordine di James, mentre le altre due, provate dal viaggio, recitavano il rosario. Soltanto allora si rese conto che la rivoluzione aveva colpito l'intero regno e l'Europa: dopo l'insurrezione di Palermo e la sua resistenza all'esercito e al bombardamento dal mare della regia marina, la Sicilia s'era rivolta contro il sovrano, che aveva fatto ritirare l'esercito, lasciando soltanto un presidio a Messina. Intanto, a Napoli il re aveva promesso la Costituzione. Leggeva avidamente e pian piano si rendeva conto che il cambiamento di cui Tommaso parlava era diventato possibile. Forse reale. Poi pensava a James e cercava le J, su quelle carte, ma non ce ne erano. Le due donne s'erano avvicinate. Volevano sapere cosa leggeva e perché: Agata spiegò, ma quelle, invadenti, non la lasciavano. "Una partita di scopone?" e la minore tirò fuori le carte. Agata non era interessata. Offesa, la donna spazzò via dal tavolino tutti i giornali gridando che ne aveva avuto abbastanza del viaggio nella tartana fitusa e ora le toccava una distrazione. Agata raccattava i fogli da terra, e li allisciava a uno a uno. Poi li poggiò sul tavolino. Quella li acchiappò e se li strinse al petto. "Ora si gioca!" disse con un ghigno sul volto peloso. Agata offrì loro il tavolo per una partita a due. No, dovevano giocare insieme, tutte e tre. Agata voleva i suoi giornali. Quella ridacchiava e non glieli dava. Agata fece per prenderli e quella si tirò indietro. Una pagina si strappò. Fu allora che Agata tirò la corda della campanella e ingiunse al personale di bordo di togliere le ospiti non più gradite dalla sua cabina. Lo ottenne immediatamente – segno sicuro che James era dietro a tutto ciò.

Il mare era lucido e il sole quasi scomparso dietro l'orizzonte; il vocio del pomeriggio si era abbassato. I pochi passeggeri in coperta erano gruppi di stranieri che sembravano rifugiati. Avevano con loro casse, valigie e lo sguardo impaurito di chi non sa cosa l'aspetta. Agata aveva sollevato gli occhi stanchi di leggere e guardava dalla finestra.
Nel silenzio sentì il canto:

"'Oranges and lemons,' say the bells of St Clement's.
'You owe me five farthings,' say the bells of St Martin's".

Il canto si ripeteva, era la voce di un uomo:

"'Oranges and lemons,' say the bells of St Clement's.
'You owe me five farthings,' say the bells of St Martin's".

Le batté il cuore: che fosse James? Le sembrò naturale rispondere:

" 'When will you pay me?' say the bells of Old Bailey.
'When I grow rich,' say the bells of Shoreditch".

Un uomo dalle spalle ampie e i baffi castani si girò, ma dietro il vetro c'era soltanto il nero degli occhi disillusi di Agata.

Agata passò il resto del viaggio sola nella cabina; pregava e lavorava a un paperole che avrebbe dovuto avere al centro un'ostia candida. E pensava a James, e alle parole di donna Maria Giovanna della Croce: "Tu sei fatta per servire il Signore nel mondo". Ogni qualvolta cercava di ricamare l'ostia, si tramutava in camelia; sui petali esterni scriveva con minuscoli punti a catenella versi tratti da poesie d'amore; nel centro, che avrebbe dovuto riempire di palline a punto pieno, l'ago le prendeva la mano e arricciava la seta lucida in una massa di petaloidi striati a punto erba con il filo rosso sangue. Nel mezzo, tanti stami disordinati.

43.

Il bastimento attracca a Napoli
e Agata è rapita da una sconosciuta

I gabbiani volavano bassi sul mare increspato. La mole protettiva del Maschio Angioino si stagliava contro la città, non ancora sveglia. Il vapore scivolava sulle acque e si fermava accanto a un altro vapore battente bandiera britannica.

Vestita di tutto punto, Agata aspettava. Ripeteva i *Pater noster*, serena. Una popolana con un cestino e una larga sacca irruppe nella cabina. Le ingiunse di spogliarsi e vestirsi con gli abiti che le aveva portato, e poi di mettere nella sacca l'indispensabile: il resto l'avrebbero lasciato, assieme alla tonaca, nella cabina.

"Ditemi chi vi manda." Agata aveva alzato la voce. Quella guardò fuori e poi le rispose in un sussurro: "State zitta e fate presto".

Agata dovette togliersi la tonaca davanti a quella. Imbarazzata, si rivestiva insicura degli abiti ruvidi con la vita stretta che non indossava da quando aveva quattordici anni. Insistette nel caricarsi il cestino pieno di libri, e, a braccetto alla donna, scese dalla passerella assieme agli altri passeggeri. Prima di entrare nella carrozza Agata si girò e credette di vedere la barba dorata di James in una carrozza chiusa non lontana da loro. Si illuminò e fece un cenno. La donna le afferrò la mano. Lei arrossì, vergognosa: quel gesto avrebbe potuto mandare tutto a monte.

James saliva sulla passerella. Il capitano e l'assistente di bordo lo aspettavano e insieme andarono a bussare alla cabina di Agata. Nessuna risposta. Bussarono di nuovo, poi l'assistente di bordo aprì col passe-partout. Sulla cuccetta c'erano, ben piegati, cocolla, tunica e scapolare di Agata. Il soggolo candido e plissettato spiccava sul nero della tonaca come una meringa rotonda.

James aveva mandato via gli altri. Seduto accanto alla tonaca, tormentava il plissé del soggolo, e pensava. Ai primi di gennaio gli era stato riferito che a Palermo un carbonaro girava per la città annunciando la rivolta per il 12 gennaio, e che squadre di campieri del baronaggio autonomista e bande armate si sarebbero unite alla borghesia liberale. Dal momento in cui aveva saputo che Agata non era più dai Cecconi, la visione di Agata strappata da casa e oggetto di violenza non lo aveva abbandonato più, fin quando non gli era stato chiesto dal cardinale di riportare la nipote a Napoli. Eccitato dalla possibilità di vederla presto, James era tormentato dalla paura che la madre l'avesse persuasa a rimanere con lei. Doveva assicurarsi dei sentimenti di Agata. Dopo la visita del console di Girgenti, aveva organizzato di farla imbarcare appena arrivata a Napoli, su un vapore pronto a partire per l'Inghilterra, mentre lui avrebbe fatto il necessario con la curia e il papa per sciogliere i suoi voti – impresa non difficile, se condotta con diplomazia. L'inspiegabile scomparsa di Agata dalla cabina lo aveva gettato nella disperazione più nera.

Il cardinale invece aveva mandato padre Cuoco e due converse al porto di Napoli, in una carrozza coperta, per portare Agata a Gaeta, e poi in un monastero dello Stato pontificio. I tre aspettarono che gli ultimi passeggeri lasciassero la nave per salire a bordo. Rimasero di stucco quando trovarono la porta della cabina sbarrata dal capitano e dal personale di bordo: la monaca era scomparsa e l'accesso alla cabina era vietato a tutti.

Il tiro di James Garson era entrato nel cortile della residenza del cardinale. Appena ricevuto il biglietto in cui James gli comunicava di avere informazioni su donna Maria Ninfa, gli aveva concesso un colloquio.

Il dolce profumo del gelsomino precoce impregnava l'aria – l'odore del potere, pensò James, stizzito.

"Sono desolato dell'avvenuto e me ne considero personalmente responsabile," aveva esordito.

"Ditemi." E il cardinale ascoltò con attenzione i dettagli del viaggio di Agata, a cominciare dal tragitto sulla tartana dal caricatoio di Licata. James si dilungava sul niente che aveva da dire sperando che il cardinale si lasciasse scappare di bocca i propri piani per Agata. Disse che il comandante del vapore aveva interrogato l'equipaggio; sembrava certo che Agata non fosse stata in contatto con nessuno, oltre alle due religiose che James aveva fatto portare a bordo proprio perché la accudissero, e che lei avesse chiesto di avere una cabina tutta per sé, che le era stato concesso. "Stamattina donna Maria Ninfa ha mangiato di buon appetito ed era rimasta in cabina in attesa di essere prelevata. Sembrava contenta e aveva perfino cantato, tra sé."

"Ha una bella voce," aveva sospirato il cardinale. Calando il capo in assenso, James si tradì. "La conoscete, non è vero?" Lo sguardo del cardinale era tagliente.

"Certamente. Sono stato io a offrire il passaggio alla marescialla e alle figlie, quando il maresciallo morì, e l'ho incontrata a palazzo Padellani prima della professione semplice."

"Dimenticavo." Un nuovo pensiero attraversò la mente del cardinale: che il tutto fosse stato organizzato da donna Gesuela, per non perdere la figlia. "Palermo?"

I siciliani erano come gli ubriachi, disse James, non si rendevano conto che governare era un compito difficile. Parlavano di fare la guerra, ma non avevano esercito – niente truppe, ufficiali, generali, munizioni, vettovaglie. Né denari. Né amministratori. Né strade, né flotta. Gli illustri esuli tornati in patria avevano ricevuto incarichi non adatti alle loro capacità, come per esempio Amari, a cui era stato affidato il dicastero delle Finanze: un povero in canna, mantenuto dagli amici siciliani durante gli anni di esilio in Francia, che di finanze non sapeva nulla. "Manca l'istruzione, manca una tradizione di partecipazione politica."

"Sono d'accordo. Come potrebbe essere altrimenti se su cento siciliani soltanto undici sanno leggere e scrivere!" disse il cardinale. "Forse non sapete che quando i gesuiti vennero dalle nostre parti dopo il Concilio di Trento rimasero allibiti davanti al degrado in cui vivevano i regnicoli – poveri, rozzi, ignoranti, superstiziosi. Per dare una parvenza di coscienza cristiana dovettero ricorrere a strumenti di persuasione a volte dolci, altre volte invasivi, incutendo paura, incoraggiando penitenze violente. Alla fine del Cinquecento la metafora delle *Indias de por açá* era diventata un luogo comune."

"Eccedete, Eminenza. Si può rimediare. Voi siete all'altezza degli altri popoli europei."

"Leopardi aveva ragione: gli italiani sono alla pari dei popoli più progrediti tranne che per due aspetti fondamentali: l'alfabetizzazione e una totale confusione nelle idee." Fece una pausa e poi parlò a ruota libera come se fosse solo: "La gente dimentica e si stanca del bene e del male commesso dagli altri, delle loro menzogne e disonestà, e tratta sia i buoni sia i cattivi con indifferenza, senza alcuna valutazione morale o etica. L'italiano ha una vita vuota, vissuta tutta nel presente. Ma, essendo un animale sociale, non può fare a meno della stima degli altri. E la ottiene partendo da ciò che uno possiede, cioè dalla vanità, di cui però ha piena cognizione e che disprezza.

"Gli italiani ridono della vita: ne ridono assai più e con più verità e persuasione intima di disprezzo e di freddezza di tutte le altre nazioni. Gli altri popoli ridono di cose e non di persone, come invece fa l'italiano. Una società coesa non può durare se gli uomini sono occupati a deridersi a vicenda e a manifestarsi continuamente reciproco disprezzo. In Italia si perseguitano scambievolmente, si pungono fino al sangue. Non rispettando l'altrui non si può essere rispettati," e fece una pausa. Poi riprese, lento ma inesorabile, quasi assaporando l'impazienza di James.

"Il principale fondamento della moralità dell'individuo e di un popolo è la stima costante e profonda che esso ha di sé e la cura che ha a conservarsela, la sensibilità sul proprio onore. Un uomo senza amor proprio non può essere giusto, onesto e virtuoso. Mazzini, un pensatore intelligente – Dio e Patria, unità repubblicana, uguaglianza dei cittadini – è destinato al fallimento. La sua visione si arena al contatto con *los indios de por açá*. L'analfabeta non potrà recepire il suo pensiero."

"Perché dite così? È un atteggiamento disfattista." James non ne poteva più, voleva sapere di Agata e basta.

"Perché voi, capitano Garson, capiate che meno avete a che fare con gli italiani, e con donna Maria Ninfa in particolare, meglio è per tutti. Donna Maria Ninfa è sana e salva, dovunque ella sia. Il sangue Padellani scorre nelle sue vene. Ci sono io, qui, che penso a lei." E il cardinale tirò il cordone del campanello.

"Anch'io, Eminenza."

E James seguì il segretario del cardinale che gli teneva aperta la porta.

44.

Nel Giardino della Minerva, a Salerno

In carrozza la donna aveva tenuto gli occhi fissi su Agata, la studiava. Il cocchiere le lasciò fuori Napoli, sul bordo della strada che portava in un paese di pescatori. Agata stiracchiava le gambe e si guardava intorno, in attesa di incontrare James. I gabbiani volavano bassi sul mare; poi cambiavano direzione e, innalzandosi, si dirigevano sulla costa e solcavano il cielo in lungo e in largo prima di tornare sul mare. Come una freccia, la donna scavalcò la cunetta a lato della strada ed entrò in un campo arato. Dopo qualche passo si calò e prese una manciata di fango. Tornò da Agata e senza dirle parola le imbrattò le scarpe e l'orlo del vestito, poi le prese le mani e gliele massaggiò con le sue, sporche, facendo in modo che la terra le entrasse sotto le unghie. Le belle mani delicate di Agata erano diventate quelle di una popolana.

Aspettarono mangiando pane e cipolla, dicendosi soltanto il necessario. Su James, non un accenno. Poi arrivò il carretto, con altri passeggeri e ceste di galline. Le due donne salirono dopo aver pattiato il prezzo e soltanto allora Agata seppe che erano dirette a Salerno. La notte dormirono in una locanda dividendo un giaciglio pieno di cimici, prima di prendere passaggio su un altro carretto. Anche allora la donna le disse soltanto il minimo indispensabile. Agata pensava che fosse tutto necessario e preordinato da James, ed era tranquilla.

Dal XIII secolo esisteva a Salerno un giardino, ricavato sulle mura longobarde di Salerno, con sei terrazze, una scala seicentesca sul lato della muraglia e un bel portico che proteggeva la scalinata dal sole. Famoso per l'anice e le erbe semplici, il Giardino della Minerva per secoli era appartenuto a un'unica famiglia, la stessa che nel 1300 vi aveva creato l'antesignano di tutti gli orti botanici d'Europa. Le due donne avevano arrancato per le scale di Salerno: Agata aveva insistito per caricarsi addosso i libri, lasciando all'altra la borsa più leggera con la biancheria e qualche ricordo. Le sembrava di salire le scale del paradiso, in alto avrebbe incontrato James. Cominciò a dubitarne quando, entrando nel giardino, non vide traccia di una casa o di un'abitazione di qualsiasi tipo.

Due donne goffamente vestite di abiti laici dai colori scuri scendevano intanto dalla scala, sul capo avevano un velo da pinzochera. Angiola Maria scese gli scalini dell'ultima rampa a due a due. Con un "Che sei bella!" si abbracciò tutta Agata, subito imitata da Checchina. Lei non capiva. James le aveva detto dei suoi contatti nella curia, ma non aveva idea che conoscesse Angiola Maria. Agata chiese immediatamente una spiegazione dell'accaduto, ma Angiola Maria non le rispose, non fino quando Agata non avesse soddisfatto la sua curiosità: dov'era stata? com'era il conservatorio? che ne pensava della badessa? perché era andata in Sicilia? com'era riuscita a tornare?

Le due donne le fecero vedere il giardino prima ancora di offrirle acqua e pane. Sul primo terrazzamento, il più ampio, c'era una peschiera. L'acqua scendeva dall'alto e ognuno degli altri terrazzamenti aveva una vasca e una fontanella. La tettoia della scala era coperta di viti e sull'ultimo terrazzamento vi era una loggia sostenuta da pilastri da cui si godeva la vista del mare e dei monti intorno, al mormorio di una fontana con acqua perenne che scaturiva dal muro. C'erano due piedi di fico e due di cetrangolo, che si diceva fosse un discendente del cetrangolo originario del giardino fondato ai tempi dei longobardi. Dietro la loggia, due casupole in cui vivevano le due donne.

Ad Angiola Maria piaceva raccontare la storia dei suoi successi. Aveva riscattato il giardino dai discendenti dei proprietari con i denari che le erano stati lasciati dalla madre e con quelli guadagnati in convento. Lei e Checchina ne erano proprietarie e da quando avevano lasciato il monastero e avevano lavorato sodo per rimettere tutto a posto. Ora vendevano erbe e tisane e avevano una buona clientela. Angiola Maria spiegò ad Agata che a San Giorgio Stilita inizialmente aveva lavorato con la monaca farmacista, una giovane corista a cui le sorelle rimaste a casa per sposare morivano come le mosche. Quando l'ultima se ne andò, il padre e la madre la costrinsero a smonacarsi per prendere marito: della pratica si occupò il fratello canonico, che comprava le pozioni che le due preparavano nella farmacia, anche quelle un po' pericolose. La monaca si sposò ed ebbe figli, erano rimaste amiche e lei veniva nel parlatorio a farle visita. Tramite lei e il canonico, Angiola Maria aveva seguito gli schemi e i piani del cardinale – e sollevò il sopracciglio, si posò il dito sulle labbra e roteò gli occhi, per far capire che da lei non sarebbe uscita una parola.

"Mi hanno detto che il cardinale voleva farti venire dalla Sicilia facendo credere a te e agli altri che saresti ritornata al conservatorio di Smirne, che a quanto pare ti piaceva, mentre era sua intenzione mandarti al rifugio di Capua, dove ci sono le proiette più sfacciate di tutto il regno, vere zoccole che ricevono clienti dentro il rifugio. Un pandemonio. Perché non lo so, ma il cardinale ce l'ha con te. Allora ti ho fatto rapire e portare qui da una mia comare. Devi stare nascosta, il cardinale denuncerà il tuo rapimento. È una cosa seria."

Agata era senza parole: James non c'entrava per niente. Il suo sgomento era durato poco; era convinta che James l'avrebbe trovata presto; in ogni caso, lei avrebbe mandato un biglietto alla libreria Detken appena possibile. Nel frattempo sarebbe rimasta con Angiola Maria e Checchina e avrebbe lavorato con loro, il che non le era sgradito.

Le converse vivevano in due casupole di una stanza ciascuna, unite da una tettoia, sul settimo piano, il più alto del giardino, da cui si godeva la vista del golfo. Angiola Maria aveva passato una mano di calce bianca sull'esterno e indicò ad Agata dove avrebbe dormito: per terra, nella stanza che fungeva da erbario e laboratorio; poi la portò nell'altra stanza in cui cucinavano e mangiavano – in un angolo, c'era il giaciglio che lei divideva con Checchina. Agata lo guardava, pensierosa. Angiola Maria se n'era accorta e la prese in disparte: "Ascolta, tutto quello che ti hanno detto su di me con le altre è vero, così sono fatta io. La comare che ti ha portata qui è una di queste, fidata. Ma il sangue mio, nessuno deve toccarlo. Quel porco di mio padre veniva a prendersi una pomata di aloe che aveva l'effetto di mantenere giovani gli uomini, e si approfittò di mia madre: due figlie ci fece. Tu qui sei padrona e sarai protetta. Diremo la verità, che sei mia nipote. Devi comportarti come una paesana e parlare il dialetto di qui. Fino a quando non lo imparerai, è meglio se non ti allontani dal giardino. Attenta a non mettere piede nei conventi, e a non andare spesso in chiesa: le spie del re sono dappertutto, e anche quelle del cardinale". E così stroncò le speranze di Agata di rintracciare James.

Di nuovo prigioniera e amaramente delusa, Agata si gettò nel lavoro: catalogare le erbe secche e impacchettarle per la vendita, ognuna con la sua etichetta scritta a mano, e preparare sacchetti di semi per impacchi e cataplasmi. Angiola Maria le insegnò a fare creme e unguenti di bellezza, seguendo antiche ricette. Oltre che del laboratorio, Agata si occupava del giardino e della bancarella su cui esponevano la merce in vendita. La gente veniva ad annusare e comprare quello che le donne producevano e quanto Angiola Maria acquistava e poi spacciava per produzione propria. Angiola Maria usciva ogni giorno; girava per i mercati e si era creata una rete di contatti; trovava libri e ricette di tutti i tipi, che poi Agata spulciava. Checchina non lasciava mai il giardino e faceva i lavori di casa e l'aiuto giardiniera.

Diverse una dall'altra, le due sorelle erano affiatate e si volevano bene. Checchina seguiva, a modo suo e con semplice religiosità l'ordine delle preghiere del monastero, che, nel suo caso, si limitavano al rosario e al *Credo*. Angiola Maria, invece, ogni sera recitava con loro il rosario, impaziente, e non vedeva l'ora di immergersi nella lettura della "Gazzetta". Da quando aveva lasciato il monastero, aveva imparato a leggere da una maestra di Salerno e seguiva con enorme interesse gli sviluppi politici del regno, dei francesi e dello Stato pontificio – il resto del mondo non la interessava. Oltre alla "Gazzetta" leggeva, l'"Amicus Veritatis" e "Arlecchino", giornali satirici nati in seguito alla recentissima conquista della libertà di stampa; compitava le parole difficili o in latino; quando ne afferrava l'umorismo scoppiava in una larga risata che la sconquassava tutta e scuoteva la seggiola, finendo poi in un gorgoglio. Checchina la guardava con la coda dell'occhio, perplessa, sollevava lo sguardo sull'immaginetta di Cristo incoronato dalle spine incollata alla parete e poi continuava a cucire i sacchetti per la lavanda.

Agata aveva appena compiuto ventidue anni; era una che "sentiva" più che "pensare". Per questo il suo umore, le sue inclinazioni e i suoi pensieri erano oscillanti tra la vocazione e il mondo esterno, tra il matrimonio imposto dalla madre e la castità del chiostro, tra la preghiera per il bene degli altri e una dimostrazione concreta dell'impegno verso gli umili e i bisognosi, tra le comodità della vita claustrale e le difficoltà per una ragazza povera di vivere e mantenersi in un mondo fatto da e per gli uomini. Ora Agata sapeva di appartenere al mondo. Aveva amato. Si sentiva cresciuta e finalmente aveva imparato a staccarsi dai due che le avevano dato la vita. Non provava sensi di colpa né astio. Le era ormai chiaro che ciascuno dei due voleva costringerla a una vita disegnata non per il suo bene, ma per purgare il peccato.

Ora et labora. Ora et labora. Il lavoro l'aveva redenta. Agata non vacillava più tra gli opposti. La semplice laboriosità e la religiosità di Checchina non contrastavano con la mondanità e i desideri carnali di Angiola Maria. La fede e l'amore che Dio non le lesinava le davano la certezza di essere nel giusto nell'amare James. Ma se James fosse scomparso dalla sua vita, lei avrebbe continuato a lavorare e cercare di mantenere la propria cheta contentezza. Forse, come Mazzini, Agata avrebbe educato i figli dei poveri, li avrebbe aiutati a crescere dritti e con forti radici, come lei faceva con i germogli. L'altalena tra i suoi stati d'animo, da fonte di tormento, s'era affievolita in dolce dondolio.

45.
Aprile 1848.
Checchina rimane sola

Era già primavera; Agata non aveva notizie da James e da nessuno dei familiari. Penava per Sandra e Tommaso; era preoccupata per le sorelle a Messina, sotto bombardamento, e per la madre. Inoltre, Agata mal sopportava Checchina, che, quando non recitava giaculatorie e preghiere, ciarlava tutto il tempo e la copriva di affettuosità nei momenti in cui avrebbe gradito silenzio e solitudine. Perfino le recite del rosario erano difficili perché dovevano adeguarsi al suo passo.

Angiola Maria s'era sentita in dovere di assumere nei riguardi di Agata il ruolo protettivo di donna Maria Crocifissa, e le piaceva. Ma non ne era all'altezza per mancanza di cultura, saggezza e sensibilità. Erano legate da vero affetto, ma Agata non si confidava con lei – non l'aveva mai fatto. In più, si vedevano poco. Angiola Maria rientrava nel primo pomeriggio dai suoi giri e mangiava quanto cucinato da Checchina; poi rimaneva seduta a tavola e leggeva i giornali prima di andare a fare i lavori pesanti: zappare, rimettere a posto i muri di pietre, potare gli alberi, spaccare la legna per il fuoco. La sera andava a dormire prima delle altre, che dovevano rigovernare dopo la cena.

Agata seguiva l'uffizio divino da sola; si metteva al dito della mano destra l'anello della professione solenne – era un rito che la confortava. Ogni volta che Angiola Maria era presente, Agata notava il suo sguardo perplesso e quasi di rimprovero.

"Perché non lo butti?" le disse un giorno.

"Mi conforta."

"Se lo vuoi sapere," e lo sguardo di Angiola Maria divenne duro, "io ne ho viste tante di porcherie fatte nel nome di Gesù Cristo, e tanto non ci credo. Questo giardino si chiama il Giardino della Minerva, che era la dea della scienza e che secondo me è meglio della Vergine Maria."

Agata s'era sentita rimproverata e stava per rispondere, poi si fermò. Vedendo che la nipote era sul punto di scoppiare in singhiozzi, Angiola Maria le mise la mano sulla spalla e le chiese scusa.

Da allora, Angiola Maria seguì Agata attentamente: controllava che mangiasse e non sapeva come svagarla e fugare la tristezza dai begli occhi della nipote. Le comprava giornali che credeva le piacessero. Cominciò a portarla con sé quando usciva, per insegnarle i posti in cui poteva andare da sola.

Nel frattempo, James continuava ad assistere Lord Pinto nelle trattative con la Sicilia ribelle e manteneva i contatti con i Borbone; era fondamentale essere dalla parte vincente per ottenere la libertà di Agata, che lui credeva fosse stata portata in un monastero fuori Napoli. Le sue spie nella curia non avevano scoperto esattamente dove. Il cardinale aspettava notizie dalla Sicilia e aveva ingiunto il silenzio totale sul fallimento della missione di padre Cuoco: sospettava perfino che James l'avesse presa come ostaggio, e fosse andato a vederlo per sviare i suoi sospetti.

I ribelli siciliani avevano interrotto il traffico della posta e la Sicilia era isolata dal continente; soltanto a fine marzo il cardinale riuscì ad avere conferma che Agata aveva obbedito all'ordine di prendere il vapore per Napoli. A quel punto, informò i servizi segreti e la polizia del sequestro di Agata da parte di ignoti. James ne fu messo al corrente dai suoi informatori ma non poté lasciare le trattative, che si interruppero il 13 aprile, quando i siciliani dichiararono decaduta la dinastia dei Borbone di Napoli e offrirono la corona del Regno di Sicilia a Ferdinando di Savoia.

Allora James si lanciò alla ricerca di Agata. Non c'era tempo da perdere. Il cardinale adesso era suo nemico; l'aveva data per dispersa, pronto come un falco a intervenire al primo indizio. James intanto aveva scoperto che Angiola Maria aveva legami di sangue con Agata, legami sui quali il cardinale aveva preferito mantenere il silenzio. Era convinto che Agata avesse trovato rifugio lì, lo sentiva.

Per depistare i servizi segreti e quelli della curia, portò alcuni visitatori inglesi in gita sulla Costiera Amalfitana. Ormeggiò il panfilo a Salerno e decise di tentare la fortuna: sarebbe andato di persona al Giardino della Minerva.

Era il tempo per piantare i germogli in terra piena e le donne venivano a comprare, barattare o farsi regalare, piantine da mettere a dimora in graste o nel fazzoletto di terra davanti a casa. Angiola Maria le aveva messo le piante da vendere accanto al muro, nell'ingresso. Checchina era incaricata della vendita.

Il primo cliente bussò alla porta: lei s'aspettava una femmina e rimase sconcertata alla vista del biondo straniero che parlava napoletano, e chiamò Angiola Maria, pronta per uscire. A quella bastò una taliata per capire che quello piante non ne voleva proprio. Lo fece parlare, e gli spiegò una per una le caratteristiche di ciascuna pianta, sospingendolo lungo il muro, da dove non poteva vedere la loro casa.

"Devo confessarvi che non sono venuto per acquistare piante. Sto cercando Agata Padellani, donna Maria Ninfa, che voi conoscete. Anch'io la conosco, e voglio il suo bene. So che vive da voi, qui. Devo consegnarle un messaggio importante, di persona."

"Se la conoscete per come dite," qui Angiola Maria fece un cenno con la mano e abbassò gli angoli della bocca, dubbiosa, "dovreste sapere che una signora del rango di donna Maria Ninfa non ci metterebbe piede in un posto come questo, un orto bellissimo, ma che ha solo una catapecchia in cui vivo con mia sorella. Dopo una notte qui, al massimo mi avrebbe chiesto di trovarle una sistemazione degna di lei."

Lo guardò dritto negli occhi: "Se volete il bene di donna Maria Ninfa, lasciatela in pace. Qui non c'è. Una monaca fine come lei si merita ben altro orto di salute!". Poi, vedendo che quello perdeva tempo, aggiunse: "Se volete comprare qualche pianta vi mando mia sorella. Io devo uscire".

Non appena aveva lasciato il giardino, James si era dannato per aver declinato l'offerta.

Angiola Maria tirò il chiavistello dietro il visitatore e aspettò fino a quando il rumore dei passi di lui e dei due che lo avevano accompagnato con una portantina vuota, a tende chiuse, si affievolì per le scale. Poi salì nel laboratorio e chiamò Agata.

"Dobbiamo stare attenti: al cardinale non basta avermi chiamata alla curia, ora manda pure gli inglesi a cercarti." E le descrisse James e la visita. Agata si sentì morire. Angiola Maria capì che con l'inglese c'era cosa; doveva impedire che la nipote finisse come sua madre – sedotta e, in quel caso, portata all'estero e poi abbandonata –, proprio quando lei pensava che loro tre avrebbero potuto creare uno stabilimento vero e proprio e diventare ricche. L'affetto per Agata e l'ambizione dinastica, fortemente intrecciati, la persuasero di non pressare la giovane con domande ma di correre ai ripari.

Agata aveva imparato quanto bastava del dialetto salernitano e le piaceva uscire accompagnata da lei e, raramente, anche da sola. Detto fatto, Angiola Maria la persuase a lavarsi i capelli con un'erba che dava una tinta rossastra che avrebbe ingannato chiunque l'avesse cercata, e la mandò a fare commissioni. Agata, sconvolta, sentiva un buco nello stomaco e non sapeva cosa fare per mettersi in contatto con James. Andò al porto, ma il vascello di lui, proprio quello su cui lei era salita, era già in alto mare, la bandiera inglese appena riconoscibile. Inghiottì le lagrime e riprese a camminare. Aveva fatto le commissioni, ma non poteva tornare a casa: Angiola Maria le aveva detto di rimanere fuori fino all'ora di pranzo.

Girava mesta per il centro di Salerno, e tutto a un tratto si trovò davanti il portone barocco di un ospizio. Era un vecchio convento trasformato in ospedale dai francesi e lasciato così dopo la Restaurazione. Riuscì a eludere il controllo della portinaia e si mise a camminare senza meta, ma con passo deciso, per non farsi notare. Sbucò in un chiostro; era bello, non come quello di San Giorgio Stilita, ma arioso e con un'arcata di piperno; la prese una cocente nostalgia della vita monacale. Vagava per i corridoi del primo piano sulle arcate del chiostro; ammassati uno accanto all'alto, su sedie, brandine, giacigli di paglia, perfino su cenci a terra, uomini, donne, vecchi, giovani e bambini senza voce si consumavano pian piano, come farfalle bianche con le ali spezzate. Agata fuggì.

La sera Angiola Maria volle sapere dove fosse andata. Ascoltò, con attenzione. "Brava," la lodò, "esci spesso, da ora in poi. Se vengono, è meglio se non ti trovano. Ho sentito dire che il cardinale vuole venire a Salerno." Poi la guardò. "Se vuole vederti, che gli dico?"

"Che non voglio vederlo!" rispose lei di getto. Angiola Maria le prese la mano e gliela strinse.

"Anch'io feci così, ai miei tempi. Non sono degni di noi."

James si era messo in contatto con i suoi informatori: le tracce di Agata si erano perdute a Salerno. Doveva essere lì. Decise di fare un ultimo tentativo e ritornò a Salerno. Aveva preso alloggio in un albergo sulla piazza, col pretesto di raccogliere informazioni sulla scuola medica salernitana. Un giorno incrociò per strada Angiola Maria, e la seguì: la vide pattiare il prezzo e poi prendere passaggio su una carretta diretta fuori paese; ne approfittò per andare subito al Giardino della Minerva. Lo accolse Checchina. James comprò due piantine di rosmarino, e poi le chiese di vedere il cetrangolo, che si diceva antichissimo. "Aspetti, lo chiedo a mia nipote, che ne sa di più di me," gli rispose la donna, e fece un urlo ad Agata: "C'è uno che vuole vedere il cetrangolo, te lo mando!". Quindi lo invitò a salire sull'ultima terrazzata, la pianta che cercava era proprio davanti al laboratorio.

James aspettava, impaziente. Sbirciò nel laboratorio. Agata pregava in un angolo, ma la luce abbagliante non gli faceva vedere nulla nella penombra; sembrava che la stanza fosse vuota. Si girò a osservare il cetrangolo.

Agata spuntò sulla soglia, il grembiule bianco annodato in vita. Lo riconobbe di spalle, era lui. Non riusciva a muoversi. James non si girava, osservava la corteccia grigia dell'albero. Poi lui sentì un fruscio e chiese ad alta voce: "È questo lo storico ceppo di cetrangolo?".

"James," bisbigliò lei, sfilandosi l'anello, e questa volta fu lui a perdere la voce.

Checchina diserbava accanto alla peschiera e di tanto in tanto sollevava gli occhi per controllarli.

"I'm here," disse lei.

"Are you ready?" le chiese lui.

E insieme scesero le scale. Quando passarono accanto alla peschiera, Checchina domandò ad Agata: "Che fai?".

"Lo accompagno."

"Dove?"

E James rispose: "Al porto".

"Vabbe'," disse Checchina, e riprese a zappare.

Ringraziamenti

L'ispirazione per la storia che ho raccontato in questo romanzo mi è venuta quattro anni fa.

A quei tempi la mia conoscenza del mondo monastico era limitata all'infrequente acquisto, attraverso la ruota, dei biscotti ricci del monastero benedettino di Palma di Montechiaro e alle storie di famiglia di un'antenata, zia Gesuela, inconsueta monaca di casa – aveva finanziato il convento del Boccone del povero a Favara, ma non mancava mai di fare, ogni due anni, un bel viaggio a Parigi.

Poco tempo dopo ho ricevuto l'invito di Francesca Medioli per un incontro con i suoi studenti all'Università di Reading, e a lei rivolgo il primo ringraziamento, perché in quell'occasione mi ha regalato un suo affascinante scritto su una monaca veneziana; in una nota accennava a *I misteri del chiostro napoletano*, pubblicato nel 1864, l'autobiografia di una ex monaca, Enrichetta Caracciolo. A questa spetta il secondo ringraziamento; le sono debitrice in particolare per le descrizioni dei cerimoniali.

Ringrazio poi Alfredo De Dominicis per avermi fatto conoscere e amare la sua Napoli nell'unico modo possibile: parlando e camminando per la città, fin quando i piedi reggono. Il ricordo delle nostre passeggiate è indelebile.

Ringrazio Gianbattista Bertolazzi e Piero Hildebrand per avermi introdotta nel mondo delle camelie antiche.

Ringrazio Gaetano Basile per avermi introdotto nei chiostri di Palermo con il potere evocativo dei suoi racconti.

Ho letto ampiamente sul monachesimo, non soltanto quello del Sud Italia. Ringrazio padre Anselmo Lipari – priore dell'abbazia di San Martino delle Scale, insigne docente universitario e autore – per le nostre conversazioni e per quanto appreso dai suoi libri mentre mi documentavo sulle diverse Regole monastiche; ringrazio a questo proposito anche Luca Domeniconi e la sua squadra di librai Feltrinelli per avermi suggerito molti interessanti spunti di lettura e David Bidussa, direttore della Biblioteca della Fondazione Feltrinelli, per avermi assistito con paziente intelligenza nella scelta del materiale sul Risorgimento napoletano e siciliano.

Ringrazio Uberto De Luca, cugino "ritrovato" e gran conoscitore del mare e della storia non soltanto navale della nostra isola, per aver meticolosamente corretto – e in parte ispirato – le descrizioni delle traversate che ho fatto affrontare alla mia eroina.

Un immenso grazie alle badesse e alle monache dei monasteri che ho visitato in tutta Italia, dalla Sicilia alla Lombardia, alcuni anche più di una volta. Mi hanno lasciato intravedere una realtà di lavoro e di preghiera in cui il poco diventa tanto, la solitudine si fa comunione con il mondo esterno e lo spirito si eleva dalle cose; lì l'amore regna supremo.

Ringrazio Piero Guccione: l'incontro con un artista come lui è stato un vero regalo. La bellezza dei suoi quadri mi ha onorato due volte in copertina.

Come sempre, infine, ringrazio di cuore Alberto Rollo, Giovanna Salvia e Annalisa Agrati. Non soltanto per la dedizione e la professionalità difficilmente superabili, ma anche perché quando, come capita anche alle monache, sono stata tentata di tornare alla mia vecchia vita, ciascuno di loro mi ha silenziosamente fatto capire che per me ormai non c'è via di ritorno dalla scrittura.

INDICE